毛澤東傳

毛澤東傳

專制者·上（1945–1962）

魯林（Alain Roux）著　穆蕾 譯

中文大學出版社

《毛澤東傳：專制者 · 上（1945–1962）》
　　魯林　著
　　穆蕾　譯

法文版 © Larousse 2009
簡體中文版 © 中國人民大學出版社 2014
繁體中文版 © 香港中文大學 2017

國際統一書號（ISBN）：978-988-237-022-7

出版：中文大學出版社
　　　香港 新界 沙田 · 香港中文大學
　　　傳真：+852 2603 7355
　　　電郵：cup@cuhk.edu.hk
　　　網址：www.chineseupress.com

本社已盡力確保本書各圖片均已取得轉載權。倘有
遺漏，歡迎有關人士與本社接洽，提供圖片來源。

Le Singe et Le Tigre: Mao, Un Destin Chinois (Chapters 11 to 14, in Chinese)
　　By Alain Roux
　　Translated by Mu Lei

French edition © Larousse 2009
Simplified Chinese edition © China Renmin University 2014
Traditional Chinese edition © The Chinese University of Hong Kong 2017
All Rights Reserved.

ISBN: 978-988-237-022-7

Published by The Chinese University Press
　　　The Chinese University of Hong Kong
　　　Sha Tin, N.T., Hong Kong
　　　Fax: +852 2603 7355
　　　E-mail: cup@cuhk.edu.hk
　　　Website: www.chineseupress.com

Every effort has been made to trace copyright holders of the illustrations
in this book. If any have been inadvertently overlooked, we will be
pleased to make the necessary arrangement at the first opportunity.

Printed in Hong Kong

目　錄

相　遇

繁體中文版序

　　1965年10月1日，我置身天安門廣場，身邊還有其他十幾位受邀到中國學習中文的法國學生。這一天是中華人民共和國成立的紀念日，我期待着毛主席會在天安門城樓上出現。他沒有來。在歷史的幕後，文化大革命的悲劇已經開始了。

　　我就這樣錯過了與中國的第一次相遇。對許多西方青年而言，毛澤東代表的社會主義比晦暗的警察國家蘇聯更有生命力，但這個國家的真實狀況卻是，正有一場鬥爭隱匿在國家機器內。我也曾錯過其他與中國相識的良機。很多時候，我像其他西方人一樣，將對更公正、更自由世界的嚮往寄託在中國身上。馬可波羅説中國是一個充滿奇蹟的國家。18世紀，伏爾泰筆下的中國是一個由哲學家統治的王朝。

　　之後是西方蔑視中國，自負傲慢的時代：中國配不上她的過去，只好到西方侵略者這裏取經，西方價值觀被描繪成普世價值。如今，這些確定性已經讓位給質疑，中國再次成為一個謎。偉大的智者帕斯卡爾（Blaise Pascal）生活的時代恰逢滿清帝國開始沒落，他

在《思想錄》中寫道[1]：「中國的歷史……我告訴你，有盲目的，也有明瞭的……中國晦澀難懂，但其中也能找得到清晰之處：去找出來吧！」。

有一個明智的建議，特別是在撰寫毛澤東這樣特殊的人物傳記時——這些人物打亂了國家的歷史，深遠地改變我們這個時代——寫作時要避免兩個誤區：着迷而盲目，或打倒偶像，把他塑造成一個怪物。作為歷史學家，我努力做到清晰觀察、建立事實、梳理事件的先後關係以及對人民生活的影響。我沒有尋求理解、贊同或辯護甚麼。我是歷史學家，不是法官。讀者會形成自己的意見，偉大舵手的固執使國家陷入饑荒或局部內戰時該如何評判指責，也是讀者的事。我不知道此次與中國讀者的相遇算不算成功。不過，我仍然感謝出版社和譯者讓我有這個機會。他們對自由思考和表達的尊重，使這次與真相的相遇得以實現。還原真相是對歷史學家最高的要求，這就是為甚麼我在書稿開頭引用了孔子離世幾百年後羅馬作家西塞羅（Marcus Tullius Cicéron）的箴言：「歷史不會撒謊，或者對真相保持沉默」[2]。

魯　林（Alain Roux）

2017 年 3 月 10 日於巴黎

序

盧山

1959年7月1日清晨，毛澤東坐車前往盧山，在那裏他召集了一場中央委員會擴大會議。他的大腦中充斥着各種關於第一個十年社會制度計劃的問題。經過長期內戰奪取政權之後，這十年「日月換新天」。當汽車開始轉彎的時候，因夏天的季風氣候而下了幾個月的雨突然停了：在重新變藍的天空下，毛澤東看到他的腳下是一望無際的長江平原和鱗次櫛比的金色稻田，在這個季節，人們準備收割了。雨過天晴讓興奮的毛澤東創作了一首律詩，這首詩的韵律和前幾天他到達韶山作的詩一樣。一到達目的地，他就用剛勁有力的字跡寫下了這首〈七律·登盧山〉：[1]

> 一山飛峙大江邊，躍上葱蘢四百旋。
> 冷眼向洋看世界，熱風吹雨灑江天。
> 雲橫九派浮黃鶴，[2] 浪下三吳[3] 起白煙。
> 陶令[4] 不知何處去，桃花源[5] 裏可耕田？

在主要的政策更迭的前夕，毛澤東的情緒變得更加激進，他想要徹底斷絕中蘇之間的關係，特別是確保在大躍進導致致命的烏托邦後，發動災難性的「文化大革命」。

我們認為政治局戲劇性的廬山會議和1959年7至8月的中央委員會擴大會議形成了過去31年的一道分割線：

—— 1945至1949年，毛澤東是一位征服者（第十一章）。

—— 1949至1956年，他是一位急於建立社會主義蘇聯模式的創造者（第十二章）。

—— 1956至1959年，通過「大躍進」的方式實踐理想主義（第十三章）。

—— 1959至1962年，理想主義引起三年饑荒（第十四章）。

—— 1962至1965年，發動「文化大革命」（第十五章）。[6]

—— 1966至1969年，「文化大革命」成為第二場災難（第十六章）。

—— 1969至1976年，毛澤東錯上加錯。直到這一偉大的舵手過世的時候，拿白吉爾（Marie-Claire Bergère）的話來講，中國還是一個「脆弱的大國」，但是「後毛澤東」的巨大轉變已經初露端倪（第十七章）。

在1959年7至8月的廬山會議之前，毛澤東遵循了一條不完全是獨創的武力奪取政權的道路，這條道路是在一個列寧主義的政黨指揮革命的背景下提出的，但是毛澤東將他的基礎放在農村，他在開闢出自己的道路之前，遵循蘇聯已經為他設置好的路線來構建社會主義。自延安時期結束後，他的行為就變得專制起來，1945年黨的七大公認他的「思想」至高無上。在1953至1955年間，他不合理地加快土地集體化並決定大型生產和交換方式由國家管控。他將一切強加給一個政黨，而黨內大部分領導人並不希望加速這些步驟以達到社會主義。

在廬山會議之後，毛澤東的集權與日俱增，要走的道路變得越來越不確定。這條路沿着絕壁前進，通向死路，受到崩塌的威脅。之後荒唐的暴力達到頂點 ——「文化大革命」—— 混亂險些吞沒社會制度。從20世紀70年代初期開始，一個新的中國慢慢出現了，個人利益取代了毛澤東的道德主義，對個人的肯定動搖了儒家的傳統，經濟規則不再是不為人知的了，人們更追求一種平凡的幸福，而非恐懼之下強迫的道德。毛澤東絕對不希望這樣一條道路代替他提出的道路，他一定會盡自己的全力來推遲這種不可避免的、對模糊而又致命的烏托邦的捨棄。殘酷的疾病侵入他的身體，這位神一般的人物就這樣開始隕落了。

第十一章

勝利者（1945–1949）

1927年夏天開始的國共內戰此時已經接近尾聲，這一時期發生了許多驚心動魄的歷史性轉折：1945年8月末，重慶談判徒勞無果，人們迎來一個聽到越來越多槍聲的不明朗時期。1946年夏，雙方的敵對狀態全面升級。1946年夏至1947年夏，毛澤東領導了一場對抗國民黨的農民戰爭。1948年年末，毛澤東領導的共產黨取得了三次決定性的勝利，威望達到頂峰。從1949年年初開始，國民黨節節敗退，共產黨回到了久違的城市，這一切都成就了毛澤東式的勝利。然而與古羅馬不同的是，1949年10月，在勝利者的隊伍裏，沒有任何人提醒毛澤東他只不過是一個普通人而已。於是這個從前的反抗者，後來的革命者，此刻的勝利者，逐漸變成了一個向「毛主席萬歲」揮手的獨裁者。

徒勞的談判（1945年8月–1946年6月）[1]

1945年8月28日下午三點，經過四小時的飛行後，C47軍用飛

機從延安抵達重慶九龍坡機場。該機場位於長江上一座島的中央。神情憂慮的毛澤東從飛機上走下來，一個由十幾人組成的小型歡迎團前來接機，毛澤東匆匆向他們揮手致意。這樣的氣氛對如此重大的事件而言顯得有點異常。正如第二天民營日報《大公報》所言：「沒有口號，沒有鮮花，沒有儀仗隊」。沒有任何跡象表明這是一次國家元首之間的會面。蔣介石給了毛澤東一個下馬威：最高統帥接見毛澤東，只不過如同讓一個有異心的省級領導來此地見識他的權威。[2]《大公報》還寫道：「毛澤東先生這個在九年前[3]經過四川邊境的人，今天踏到了抗戰首都的土地」——人們既沒有忘記他抗爭的過往，也沒有忘記他和一位二戰官方勝利者之間仍有差距。對於這次和毛澤東等人的會面，蔣介石只派出了兩位較為次要的負責人，一位是國民革命軍空軍一級上將周至柔，[4]一位是並沒有多大實權的國民黨舊部邵力子。[5]然而不可避免的是蔣介石的接待委員會裏包括了七名反對其專制制度的異見分子：張瀾、沈鈞儒、左舜生、章伯鈞、陳銘樞、黃炎培和郭沫若，[6]此外還有八路軍重慶辦事處的三位負責人。

僅有一位攝像師隨行，眾人驅車前往國民黨上將張治中的公館「桂園」別墅，讓毛澤東在旅途的勞累過後可以稍作休息。當晚，毛澤東出席了在蔣介石住處「山洞林園」[7]舉行的歡迎宴會。在宴會桌上，除了有美國駐華大使赫爾利、蔣介石的長子蔣經國的身影之外，各界的民主人士，如張群、陳誠、吳國楨、王世傑和周至柔[8]也參加了晚宴。畢竟在偏遠的農村裏摸爬打滾了十八年，初次回城的毛澤東顯然有些狼狽，但他很快就適應了過來，並且知道如何把這次到訪當成一件大事來做。為了達到目的，毛澤東部署了一系列的

活動，包括安排會議和會面、禮節性參觀和私下會晤。[9]毛澤東幾乎
每天晚上都工作到深夜，總結當天的主要情況，準備資料以便第二
天和周恩來、王若飛還有秘書胡喬木進行討論。毛澤東在蔣介石安
排的林園套房[10]內住了三天，期間受到了嚴密監視。三天後他搬到
了八路軍辦事處，這個辦事處位於紅岩村一條胡同的盡頭，這裏很
安全，只是地處郊區，不方便安排會面。因此毛澤東欣然接受了張
治中的邀請，借用了張治中[11]的公館上清寺桂園，也就是他剛到重
慶下榻的地方，作為在城裏會客、工作和休息的地方。桂園位於重
慶市中心，北倚嘉陵江，建於嘉陵江和長江的交匯處，地理位置十
分優越。作為天生的政治外交家，毛澤東對於各種訪談都應付自
如，他與美國第14航空隊，即著名的克萊爾・陳納德將軍統領的
「飛虎隊」的三位飛行員合影，與重慶的故舊碰面，並接見了幾十位
各色人士。他幾乎每晚都出席晚宴或酒會，在應邀到蘇聯領事館參
觀的時候，毛澤東與美國領事再度會面，並結識了英國和法國領
事。9月1日，在由中蘇文化協會舉辦的一場有三百多位來賓的酒會
上，毛澤東見到了孫中山的兒子孫科：酒會的入口處有一小隊人對
他表示歡迎。剛到重慶的時候，毛澤東就已經準備好拜訪國父孫中
山的遺孀宋慶齡，只等她從莫斯科回來便登門。兩個月內，毛澤東
幾乎拜訪和接見了「整個重慶的人」。在毛澤東的連絡人當中，他自
然優先考慮會見蔣介石的對手，比如民盟和其他黨派的領導人，還
有國民黨的叛徒。事實上他與國民黨的元老也有所接觸，包括像陳
立夫和戴季陶這種堅決的反共分子。[12]其中有兩次會晤格外引人注
目：8月30日下午，毛澤東前往民盟總部（又被譽為「民主之家」）與
民盟主席張瀾會面，這是兩人的第一次會面。毛澤東向張瀾介紹了

8月25日中共中央政治局關於和平談判的六點原則的聲明：堅持維護國家和平，建立民主政權。張瀾認為「很公道」。但他同時提醒毛澤東要提防蔣介石：「蔣介石在擺鴻門宴，他是不大講甚麼信義」。毛澤東卻認為應該利用蔣介石的話做文章，並且依靠公眾的壓力迫使他施行新政，「他要演民主的假戲，我們就來他一個假戲真做」。另外一次傳為佳話的會面是在到達重慶初期與柳亞子[13]的會面。毛澤東把在陝北時所作的一首舊作〈沁園春・雪〉贈給了柳亞子，而這位留着長鬍子的老詩人把這首詞稍作修改之後發表在報紙上。毛澤東和歷史上那些偉大的君王一樣，不僅有政治才華，還是書法家和詩人。除此之外，毛澤東和顏悅色的談吐讓他成為一個理智的和平愛好者，相反他的對手們卻拙於隱藏自己的敵意：駐華美軍總司令阿爾伯特・魏德邁（Albert Wedemeyer）於8月30日與毛澤東會面的時候，以威脅的口吻警告毛澤東：「美國計劃往中國派出五十萬軍隊並投射原子彈」。毛澤東十分冷靜，這就是一種高超的手段。同一天，當英國首相邱吉爾的特派將軍阿德里安・卡通・德維阿特（Adrian Carton de Wiart）對毛澤東宣稱共產黨的部隊其實並沒有對日軍造成甚麼打擊的時候，毛澤東也只是一笑置之。[14]在這兩種情況下，不管是多麼老練的外交官都不可能表現得更好了。

從8月29日開始，與國民黨的談判以緩慢的節奏進行着。面對毛澤東、周恩來和王若飛的三角組合，蔣介石僅在第一次和最後一次會議上露了面，其餘時間由三位國民黨高官王世傑、張群和張治中出席。這期間總共舉行了12次工作會議，有時毛澤東獨自一人到會，有時邵力子也參加。10月5日進行了最後一次會議：周恩來通知大家，鑒於毛澤東已經離開延安一個多月了，本週必須回去。周

恩來向國民代表大會提議整理一份會議記錄，列出雙方達成共識的地方和有爭議問題的矛盾所在。8日，雙方代表聽取了這份文件的最終版本，並定名為〈國民政府與中共代表會談紀要〉。當晚在桂園舉行了一個500人的晚宴。席間毛澤東發言：「現在全國人民、各國友人都很關心我們所談的問題」。毛澤東對談判結果表示樂觀，「因為中國當前的問題除了和平解決之外沒有別的解決方法了」。他補充道：「可是困難是有的。」「大家一條心，要和平、民主、團結、統一，在蔣委員長的領導下實現三民主義。」[15]最後這充滿和解意味的總結贏得了長時間的掌聲。10月9日，毛澤東、周恩來和王若飛應蔣介石夫婦的邀請回到林園，與包括宋子文、[16]張群、邵力子和張治中在內的社會名流共進午餐。午餐結束後毛澤東與蔣介石進行了單獨會面。蔣介石又嘗試就中共放棄軍隊和解放區的問題取得毛澤東的同意，但毛澤東再次拒絕了這個他認為意味着「棄權」的要求。10月10日是中華民國國慶日，下午，周恩來和王若飛在桂園客廳與王世傑、張群、張治中和邵力子簽署了〈國民政府與中共代表會談紀要〉，史稱「雙十協定」。應邵力子的邀請，毛澤東從樓上下來，與談判人員握手。下午4點，蔣介石來到桂園，與毛澤東進行了十分鐘的交談：蔣介石用漂亮的楷體字把名字簽在了毛澤東的草書簽名旁邊。然後兩位代表乘車赴國民政府禮堂參加雙十國慶招待會。席間，滿面春風的毛澤東以一句客套多於真心的「蔣委員長萬歲！」向大家祝酒，一位著名的攝影師記錄下了這個瞬間：照片裏的毛澤東舉起身旁的酒杯，臉上微微露出一個僵硬的笑容。當晚，毛澤東向蔣介石辭行，並與蔣介石再次進行了短暫的討論，之後宿於林園。11日早上，在兩人的最後一次會面中，蔣介石堅持己見，而毛澤東

則巧妙地回應：協定簽訂才是協商的開始，周恩來、王若飛將繼續留在重慶跟進。由始至終，面對懷恨在心且咄咄逼人的蔣介石，毛澤東都表現出了願意避免內戰、共商和平的積極態度。與蔣介石相反，毛澤東給因為30年內外戰爭而筋疲力盡的人民帶來了一絲希望。

上午9點半，毛澤東來到機場，現場有500人前來歡送。毛澤東與眾人握手道別，對負責安全保衞的國民憲兵表示感謝，[17] 並在飛機旁與張群、陳誠、張治中以及民盟最有威望的領導人之一陶行知[18]及其夫人合影。登上飛機前，毛澤東向中外記者發表簡短談話指出：「中國問題是可以樂觀的。困難是有的，但是可以克服的。」飛機於上午9點45分起飛，下午1點30分到達延安。

雙方簽訂的「雙十協定」於10月11日由新聞部公告發出，然而這份協定到頭來只是一紙空談。從8月中旬開始，爭奪日佔時期的大部分城市以及南京政權餘部控制權的問題使雙方的緊張氣氛開始攀升。在重申「民主化、統一軍隊以及在法律上承認所有的抗日黨派（指共產黨）」這些雙方共同目標之後，「雙十協定」計劃召開政治協商會議，結束國民黨一黨專政的局面，制定新憲法。應該注意到國民黨對共產黨其中一個基本要求選擇了沉默，那就是立即組成一個聯合政府。表面上看來，「雙十協定」是共產黨的另一次讓步，但實際上共產黨計劃逐步實施削減軍隊措施的八個解放區是他們力量非常單薄的地方。相反沒有任何協議能夠讓他們同意削減另外十個解放區的軍隊，因為這些解放區位於中國的中部和北部，是共產黨牢牢紮根的地方。據說如果真要把這些解放區交給國民政府管治的話，共產黨可能寧願加入投降日軍的部隊。

蔣介石的美國後台

消息在同一天之內相繼傳來：美國海軍已經在青島登陸；三隊美國空軍今後將在青島、北平(北京)[19]和天津駐紮。美國第七艦隊在中國海域上頻繁活動，五萬三千名海軍陸戰隊隊員以接收日本投降部隊的名義佔領中國沿海各大城市。10月底，由235架達科他戰機組成的美國第十航空隊從緬甸、四川、雲南往上海、武漢、天津和北京運送十一萬名國民黨士兵：共產黨在這場控制城市的速度賽中敗北。然而在中國的北方，蘇聯紅軍卻以迅雷不及掩耳之勢征服了東北。8月14日，蘇聯與蔣介石的國民政府就結盟談判達成了協議，蘇聯紅軍表示11月15日之前不會撤出任何佔領的城市，而中共領導層此時牢牢把握住了時機，決定從8月29日開始，趕在國民黨部隊抵達前深入到中國東北各個城市去。[20]蘇聯軍隊不僅接收了林彪手下的八萬名裝備簡陋的士兵，慷慨地向他們敞開了自家軍工廠的大門，甚至還把偽滿洲國傀儡政權的投降軍隊[21]也交給了中共：於是到年底的時候，林彪麾下已經有三十萬名裝備精良的士兵了。毛澤東回到延安之後，在1945年10月17日參加中共領導層會議，發表了對於當前形勢的冷靜總結，[22]認為國民黨確實作出了某些讓步，但是在美國的幫助之下，只要是能進攻的地方，國民黨軍隊都會侵入，因此務必要注意他們的一舉一動。毛澤東還特別提到了山西省東南的上黨戰役，在這場剛剛結束的戰役中，三萬一千名八路軍將士戰勝了三萬八千名國軍，毛澤東對此表示非常滿意。針對形勢最好的東北地區，他鼓勵軍隊對襲擊進行立即反攻：「儘量堅守東北南部，積極爭取東北北部。」1945年11月5日和7日，在詢問關於

貫徹黨在農村實行減租政策和恢復生產的進行情況[23]時，毛澤東發出兩條指令確認了這個方針。與當時中國其他地方的情況不同，在東北，中共在抗日和奪取城鎮控制權上把國民黨遠遠拋在後面：[24]毛澤東在蘇聯的幫助下在黑龍江建立了橫1,000公里、縱500公里的根據地。如果把這塊地盤比喻成一張舒適的安樂椅的話，那麼椅背就是中蘇邊界的黑龍江，而扶手就是外蒙古和朝鮮半島北部：這個安全的後方可以避開蔣介石夢想的致命包圍圈。[25]

然而總體的軍事形勢卻越來越不樂觀。11月14日，一支國民黨軍隊在美軍的幫助下在秦皇島登陸，第二天，這支軍隊就開始進攻山海關這個連接中國北部東北三省道路和鐵路的樞紐。11月20日，儘管中共命令全力堅守，但林彪告知毛澤東，戰役最終以失敗告終。遼寧的主要城市錦州已經被國民黨控制，即將成為下一個必須放棄的重要鐵路樞紐。同時，為蘇聯和美國在歐洲的緊張關係升級而擔憂的斯大林，意識到蘇聯在中國戰場上的嚴重損耗後，決定不再支持中共對抗國民黨，他敦促中共遵守8月15日協議中的條款。蘇聯紅軍接到命令，讓林彪的軍隊從當前佔領的城市撤退，同時停止在東北為阻擋國民黨軍隊入侵而進行的破壞鐵路的活動。在要求被林彪拒絕後，多位蘇聯將軍威脅他們的中共同行將使用武力解決問題。對中共而言，這是一個沉重的打擊，是一種背叛。然而中共還是或多或少地做出了讓步：11月26日，中共東北局發出一份關於八路軍各部隊從大城市撤軍的指示，這份由劉少奇簽發的指示要求全軍集中力量到農村中去。[26]

此時，毛澤東被嚴重的抑鬱症擊倒，從11月中旬到12月中旬，他都不得不住院接受治療，[27]直到1946年年初才恢復。在病後的康

復期，毛澤東住進了延安朱德司令部的牡丹亭，這是一座開滿鮮花的美麗花園，順着一片桃樹林延伸開去。毛澤東喜歡坐在石桌前，和他的長子毛岸英聊天或者打麻將。毛岸英是和阿洛夫醫生同機從莫斯科回國的。[28]在毛澤東生病的這段時間，由劉少奇替虛弱的毛澤東處理所有事務，朱德和任弼時協助，和他在重慶談判時一樣。12月15日，毛澤東回到領導崗位，同一天，他就如何應對國民黨的進攻發出了若干指示。28日，針對在東北建立鞏固的根據地的問題，他補充説，預計在三到四年內，國民黨在東北南部的勢力將會更強大，他們重奪各大城市和交通幹線附近地區的控制權不可避免。[29]毛澤東提出，要耐心地在東北北部、東部和西部的偏遠農村建立鞏固的根據地，繼而要為建立起一支軍隊做好部署和安排，務求讓士兵的有效人數在1946年年底達到四十萬。士兵們同時要貢獻部分的時間投入到生產當中，避免使當地群眾的負擔過重。[30]毛澤東還分析了黨在自身不熟悉的地區中會遇到的客觀困難，認為必須着手花大力氣做好群眾工作，向群眾解釋説明清楚。不用説，毛澤東是暗示東北百姓以往對共產黨軍隊的不良印象仍然存在，以及蘇聯縱容軍隊在東北進行掠奪。眾所周知，國民黨的軍隊開始大批到達那些蘇聯即將移交的土地，然而蘇聯在5月之前不會撤軍。[31]毛澤東巧妙地運用一批愛國人士來建立與當地群眾和名流的關係，這批人是張學良一個兄弟的部下，曾在偽滿洲國抗擊過日軍，而這位部下因為債務問題逃亡到蘇聯去了。蔣介石在由其部隊控制的城市裏，建立了一個人數眾多的南方公務員政府，[32]然而這個政府很快就被人民唾棄。擺在毛澤東面前的，無疑是一場漫長而艱苦的內戰。

馬歇爾的任務

　　然而，一個消息很快重燃了毛澤東的希望。11月27日的一輪國會投票表明美國對中國共產黨軍隊不斷增長的勢頭充滿焦慮，投票過後，時任美國大使的赫爾利提出了退休的請求。杜魯門總統隨即宣布赫爾利的繼任者為馬歇爾將軍，[33]並授予他讓中國回歸和平狀態的任務。與其他候選人相比，馬歇爾的優勢是能夠消滅蘇聯部隊在東北延長駐守的所有藉口，繼而讓整個太平洋沿岸成為一個美國湖。然而這個任務卻在本質上自相矛盾：美國雖然懷疑蔣介石的行動，卻公開支持國民黨的政策，為國軍配備和訓練了39個現代化師以及8個飛行大隊。在多個場合中，蔣介石都乘坐馬歇爾的專機出行。[34]不過在最初的時候，這位調停者的偏袒並不是一個不可逾越的障礙。馬歇爾於12月22日抵達重慶，此時國軍正在發動進攻，而共產黨沒有軍事辦法與之對抗，因此毛澤東不願就此放過一個阻止國軍進攻的機會。23日，由周恩來、葉劍英和董必武組成的共產黨代表團向馬歇爾提出接見請求：代表團向他表達了毛澤東同意停火、召開政治協商會議以及通過憲法改善中國政府運作的意願。國民黨並沒有拒絕其強大保護者美國的要求，尤其是周恩來經過毛澤東的首肯，同意政府派部隊到東北南部，讓遲遲不走的蘇聯撤軍。1946年1月10日，一份停火協議終於簽署，蔣介石承諾在10月份召開一次有共產黨和其他反對最高統帥的政治團體參加的政治協商會議：[35]他已經盤算好要利用這次難得的反對者聚會，讓局勢保持在他的控制之下。儘管蔣介石並不是個出色的軍人，卻是個狡猾又精明的政客，他以位列中國五大領導人之首為榮，要在整個中國重建

自己的權力。蔣介石希望通過儘快在當地建立政府和軍隊，以終結日本在1931年吞併東北三省的恥辱。儘管美國提出謹慎的建議，認為要利用共產黨妥協的時間來重組一支軍隊，但蔣介石並不接受。在輕而易舉就奪下林彪把守的山海關之後，蔣介石更堅定了自己的決心。在共產黨這一方，儘管在2月到3月之間毛澤東曾發表過一些看似過於樂觀的聲明，然而在增強軍事勢力最為關鍵的幾個月當中，毛澤東的一再指示都表明他並沒有對避免內戰的可能性抱有太多的幻想。毛澤東似乎比蔣介石更明白，在面對民眾願望時，表現出願意和解的態度，讓國民黨承擔重啟內戰的責任有多麼重要。與他的對手相反，毛澤東在整場戰爭中從來沒有忘記過政治因素的首要地位。

在這互不信任的基礎上，「三方軍事問題小組」成立，馬歇爾、張群和周恩來聚首於共產黨的勢力範圍北平（北京）（按照資料，談判和簽約地點均應為重慶。三人後來就停戰和軍隊整編工作飛往北平視察工作）。2月25日，三方終於就軍隊整編方案達成一致：逐步裁減全國軍隊人數，在18個月內，國軍編縮至84萬人50個師，共軍編縮至14萬人10個師，優先分派到中國北方，並納入到國家軍隊當中。由於共產黨的讓步，這一協議是可行的：1946年1月26日，毛澤東對林彪的指示[36]實際上是利用美國和蘇聯對蔣介石的壓力玩談判游戲。同一天，毛澤東同意蔣介石軍隊回到東北，並答應將東北南部的大城市交給國民黨，但同時他再三叮囑必須落實「軍事自衛」以保證黨對農村的控制，保護通往長春的關口。2月1日，在〈關於目前形勢與任務的指示〉中，毛澤東更加具體地指出：當前進行的談判「已獲得重大成果……國民黨一黨獨裁制度即開始破壞，在全

國範圍內開始了國家民主化……這是中國民主革命一次偉大的勝利……我們的軍隊即將整編為正式國軍及地方保安隊、自衛隊等」。[37] 毛澤東認為，在目前黨內的主要危險傾向當中，其中一種就是狹隘的黨派主義，「中國革命的主要鬥爭形式，目前已由武裝鬥爭轉變到非武裝的群眾與議會的鬥爭」。2月10日至13日，這次談判剛剛結束不久，毛澤東就在延安特別接見了先後在重慶和武漢與國民黨談判的王若飛和董必武。[38] 至少在話語上，毛澤東從來沒有表現得如此樂觀過。除此之外，在與美國記者會面時，毛澤東高度肯定和讚揚了馬歇爾將軍，並說自己正在撿回總也學不好的英語。3月4日，馬歇爾、張治中[39]和周恩來在六千人的歡迎下抵達延安，前來迎接他們的人包括毛澤東、朱德、劉少奇和林伯渠。在與毛澤東會談之後，[40]第二天馬歇爾又啟程前往武漢。[41]登機前，馬歇爾形容這次會晤「在他的眼中具有歷史意義」，而毛澤東保證其將「為和平、民主和統一而努力」。3月12日，在國民黨軍隊進駐的前一天，蘇聯紅軍從瀋陽撤軍。[42]

然而，毛澤東在3月16日給周恩來的一封電報中，表達了對內戰戰火重燃的顧慮。[43]三個主要事件無疑能夠解釋毛澤東態度迅速轉變的原因：

其一，蘇聯軍隊從3月中開始從東北撤軍。3月18日，蘇聯紅軍從重要的鐵路樞紐四平撤至吉林，4月18日至長春，4月24日至齊齊哈爾，4月28日至哈爾濱。到5月3日完成撤軍。然而，主要由美國現代化兵團組成的國民黨部隊才在瀋陽部署好，馬上就表現出巨大的攻擊性，迅速佔領遼寧的主要城市鞍山和撫順，沿鐵路往四平方向運動，封鎖長春的道路。3月18日毛澤東命令林彪不惜任何

代價堅守四平。3月24日，他又更新命令：以東北東部和東北中部為主，東北南部和東北西部為輔，全力抵抗進攻，重新考慮在遼寧建立反攻陣線。[44]局部內戰由此重燃。1946年3月28日，毛澤東向中央委員會提出核實解放區勞資關係以提高生產。3月30日，他指示秘書胡喬木與劉少奇根據1942年1月28日關於建立抗日根據地的文件來修正土地政策。由此，毛澤東認為對國民黨的長期作戰是必然的。

其二，從3月初開始，國民黨在南京召開大會，這是一次鞏固國民黨權力的絕佳機會，儘管蔣介石手握的權力和裝備已非常可觀，他卻通過各種手段將其繼續擴大化，同時擴大中央對各省的控制權。共產黨和其他聯盟的代表極力阻止以國民黨黨員佔大多數的中央委員會在新憲法生效之前就行使權力，然而他們的努力落空了。蔣介石不顧主要來自共產黨的各種反對，宣布決定於11月召開制憲大會，這立刻引起了共產黨和民盟代表，繼而是其他知名人士的辭職。確實，在國民黨看來，共產黨拒絕公布軍隊名單造成了2月25日軍隊復員計劃的失敗。顯而易見，經過數週的猶豫後，毛澤東認為當下已不再是談判的時候了，蔣介石也從未真心盼望談判：4月1日，一支由八架飛機組成的國民黨空軍到延安上空盤旋示威。[45]

其三，國際環境也正在發生變化，3月5日，邱吉爾在密蘇里州的富爾頓發表了對中歐造成打擊的「鐵幕演說」，他號召民主的英語國家聯合起來共同面對來自「只尊重武力的蘇聯」的威脅，這標誌着由美國領導的「自由世界」和由蘇聯領導的「共產主義陣營」之間的冷戰正式開始。[46]於是斯大林再也沒有任何理由照顧跟在美國後面的國民黨了，蘇聯紅軍從東北撤軍之時就和林彪的部隊協調好，讓共

產黨軍隊能夠在國民黨軍隊之前進駐各個城市。於是4月18日在長春，幾天後在吉林，4月24日在齊齊哈爾，4月28日在哈爾濱，事情都這麼辦了。在這種條件下，毛澤東向中共領導層表達了樂觀的看法：誠然，第三次世界大戰爆發的危機是存在的，但更可能的是美、英、法這帝國主義三大頭在人民鬥爭的壓力之下，用數年或十數年時間，找出一個與蘇聯折中的辦法來。[47] 按照毛澤東的分析，依舊認為美國即使不能阻止內戰，至少也可以延遲它在中國爆發的時間。在裝備簡陋的共產黨軍隊和蔣介石裝備精良的美編部隊發生了第一次軍事較量之後，毛澤東就明白他需要的是充足的時間，用來提升實力。他對林彪的指示中堅持只守不攻的必要性，必須讓國民黨單方承擔造成衝突的責任。5月15日，毛澤東再次派周恩來到武漢與國民黨談判，從馬歇爾那裏獲得一週的停戰時間，同時他作出了一個新的安排：不在長春駐軍。因為毛澤東在這一天得知鐵路樞紐四平的保衛戰失敗了，所以長春的道路很快就會對蔣介石的軍隊開放。[48] 6月，林彪從除了哈爾濱以外的東北所有大城市撤軍：毛澤東在東北控制的土地面積已減少到只佔約三分之二個黑龍江的大小。

當時的一切都表明，衝突將很快在全國範圍內爆發。毛澤東十分注意維繫和鞏固軍隊所依賴的群眾基礎。劉少奇5月4日頒布的關於土地政策問題的指示[49] 就源於毛澤東的工作成果：這份文件重申土地政策的基礎是「耕者有其田」，在部分農村，農民合作社已經沒收所有土地並重新分配給農民，每人獲得3畝地（1,500公畝）（譯註：3畝應該等於20公畝，原文此處應該有誤）。儘管劉少奇明確表

明，除非農民公社提出要求，否則富農的土地不會被沒收，地主也享有土地再分配的資格，但這些指示依舊表明了進行徹底土地革命的趨勢，說明共產黨不願與農村中的積極分子失去聯繫，他們也是八路軍徵兵的對象。[50] 1945年11月7日，毛澤東在一篇文章中重申「減租鬥爭中發生過火現象是難免的，只要真正是廣大群眾的自覺鬥爭，可以在過火現象發生後，再去改正……目前我黨方針，仍然是減租而不是沒收土地」。[51] 所以毛澤東的想法是在給予貧農家庭土地以動員他們參軍的同時，又不完全破壞在農村形成的抗日統一陣線。同一時期發出的其他指示還堅持必須在不激化階級矛盾的前提下擴大生產。

1946年5月和6月，內戰的勢頭不可避免地持續惡化。5月31日，馬歇爾向瘋狂的蔣介石強制下達了最後一次停戰命令。停戰從6月7日開始，到6月的最後一天屆滿：然而停戰只是一個假象，因為所有人都知道國民黨軍隊在東北和華北平原都對共產黨的據點進行了集中攻擊。在共產黨這邊，毛澤東在5月30日就預料到馬歇爾已經失敗，內戰很快就會在全國範圍內打響，因為「內戰是美國支持國民黨的後果」。[52] 7月2日，對國民黨已不抱任何幻想的周恩來與蔣介石再度會面：無功而返。7月7日，毛澤東發表了一篇紀念抗日戰爭爆發九週年的文章，他在文章中總結，堅信國民黨的猖獗正是其軟弱的證明，是「迴光返照」。[53] 自此共產黨的軍隊改名為「人民解放軍」。7月20日，毛澤東對黨內所有文職和軍事幹部發出指示，號召「以自衛戰爭粉碎蔣介石的進攻」。[54]

毛澤東的抵抗，艱難動員農民（1946年夏–1947年夏）

　　毛澤東在這份7月20日的指示中明確指出「若干地方，若干城市的暫時放棄，不但是不可避免的，而且是必要的」。事實上，在對比雙方的軍事實力之後，大多數人，包括國民黨的將軍、大多數國際觀察員，以及斯大林本人，事前都和蔣介石一樣，認為毛澤東只能挨打。國民黨軍隊擁有約250萬陸軍，分成278個旅，其中包括幾個騎兵旅和一個獨立的裝甲旅。[55]這支軍隊將近三分之一的士兵擁有美軍的裝備並接受過美軍的訓練，而另外三分之一的士兵配有從日軍處繳獲的裝備，此外還有大量的大炮，由500架飛機組成的空軍中包括200架P51野馬戰鬥機和P40寇蒂斯戰鬥機，同時還有90架輕型（B24）和重型（B25）轟炸機。戰鬥的另一方，共產黨只有一支91萬人的常規部隊，其中三分之一的人只有步槍，作為輔助的220萬民兵手裏拿的是矛、鐮刀、手榴彈和地雷。在這種條件下，國民黨軍隊毫無意外地取得一個接一個的勝利。

　　從戰爭初期開始，雙方都找到一套自唐朝開始的戰爭地理說：[56]共產黨是在北方創立的，所以運用了古典編年史學者所說的「橫」的策略，其目的在於沿着黃河和隴海線（連雲港到西安）在連接山西到大海之間的區域取得一條狹長地帶。黃河的入海口在1938年被改道到山東，共產黨利用這條大河的河堤作為阻隔，在山東和江蘇北部發展勢力。而南京政府則和過往的南方政權一樣，使用的是與共產黨相反、被編年史學者稱為「縱」的策略，目的是建立一個或多個南北定向的狹長區域，沿着共產黨的軸線穿過中原地區、京杭大運河以及津浦鐵路（天津—南京）和京漢鐵路（北京—武漢）。國民黨希

望把共產黨的地盤截成數段，然後繼續往西，往大山和沙漠推進。為此國民黨在1947年用一年時間重修了黃河河道，讓它回歸故道向山東半島的北部流去，以打破共產黨製造的屏障。劉伯承和鄧小平統領的晉冀豫魯解放區（山西—河北—河南—山東）於是從華東解放區中被完全分離開來。華東解放區由陳毅和粟裕領導，範圍包括山東東部、江蘇北部和安徽東部，從7月份到9月份，華東解放區受到了國民黨猛烈的進攻。由李先念指揮的中原解放區十分脆弱，在6月26日到9月底這段期間已幾乎被摧毀。賀龍駐守的山西—綏遠解放區和由聶榮臻把守的晉察冀解放區（山西—察哈爾—河北）7月到9月末受到國軍入侵。10月11日，共產黨在北方佔據的最後一座大城市張家口淪陷，蔣介石把此事看作一次決定性的勝利而加以慶祝。1946年10月，國民黨部隊再次沿着鐵路和松花江襲擊黑龍江，毛澤東考慮放棄哈爾濱。而延安所在的歷史最悠久的陝甘寧解放區（陝西—甘肅—寧夏）儘管暫時倖免於難，但也已經被國民黨的層層封鎖全面包圍。

這就是毛澤東於8月6日[57]和9月初在延安棗園的住處兩次接受訪問時的背景。8月6日，美國共產主義女記者安娜‧路易斯‧斯特朗（Anna Louise Strong）[58]採訪了毛澤東。毛澤東堅持美國和蘇聯中間隔着極其遼闊的地帶，這裏有歐、亞、非三洲的許多資本主義國家和殖民地、半殖民地國家。美國反動派在沒有壓服這些國家之前，是談不到進攻蘇聯的。這等於是延遲了不可避免的第三次世界大戰。事實上，毛澤東認為美國反動派是在反蘇的口號下面，瘋狂地進攻美國的工人和民主分子。說到原子彈，「是美國反動派用來嚇人的一隻紙老虎」：

看樣子可怕，實際上並不可怕。當然，原子彈是一種大規模
屠殺的武器，但是決定戰爭勝敗的是人民，而不是一兩件新
式武器。一切反動派都是紙老虎。希特勒不是曾經被人們看
作很有力量的嗎？但是歷史證明了他是一隻紙老虎。墨索里
尼也是如此。……蔣介石和他的支持者美國反動派也都是紙
老虎……拿中國的情形來說，我們所依靠的不過是小米加步
槍，但是歷史最後將證明，這小米加步槍比蔣介石的飛機加
坦克還要強些。我們總有一天要勝利。

在這篇不同尋常的文章裏，毛澤東表現出了一種不可否認的洞
察力，同時在原子彈的災難面前，他又表現出一種讓人驚愕的不在
意，這種態度給美國共產黨、歐洲諸國和蘇聯發出一個信息：不要
把希望過分寄託在蔣介石身上。就這樣，毛澤東示意美國不要過多
干預中國事務，因為這只是徒勞。同樣，9月29日在接受美國記者
斯蒂爾的訪問時，毛澤東對美國在所謂「調處」——「調處」一詞系根
據《毛澤東選集》卷四〈美國「調解」真相和中國內戰前途—和美國記
者斯蒂爾的談話〉的註釋翻譯——時期內調停中國內戰的意圖表示
懷疑，並再次表示了對勝利的堅定信念。就在幾天之前的9月16
日，毛澤東向諸位將領發出指示：集中六倍於敵軍的力量，各個殲
滅敵人。[59]毛澤東同時向他們提出，要以這個他在江西時期取得良
好效果的戰術作為手段，但目前依靠的不再是在抗日戰爭時期佔上
風的分散兵力打法，而是要轉變為運動戰。為了消除黨內部分人的
疑慮，毛澤東在10月1日總結了內戰爆發三個月以來的戰況，[60]強
調儘管國民黨部隊在人數上佔優勢，但解放軍在戰鬥中殲滅了蔣介
石派出的190個旅中的25個。毛澤東還認為，蔣介石的後備力量已

經不多，因此必須恢復徵兵征糧，這必將讓國民黨更加不得人心。
只要繼續堅持這一方針，軍事形勢將在幾個月內扭轉。

　　儘管內戰的範圍逐日擴大，然而參戰者之間的聯繫卻並沒有完
全切斷，證明中國人民表達了回歸和平的迫切要求：7月26日，杜
魯門向尊敬的牧師、在北京有影響力的燕京大學校長司徒雷登發出
請求，希望他幫助剛剛辭職的、沮喪的馬歇爾[61]進行新一輪的停火
談判。司徒雷登主持了一個「五人小組」，成員的一方是兩名國民黨
軍官，另一方是周恩來和其助手董必武。然而他很快就察覺到國共
之間的妥協是不可能的：共產黨希望回到1946年1月10日的狀況，
而國民黨要求承認他們後來所獲得的土地。8月19日，毛澤東命令
在共產黨控制的土地上廣泛開展動員。11月9日，蔣介石宣布全面
恢復戰鬥。11月15日，儘管受到610名共產黨代表和其他編外人員
意料之內的抵制，蔣介石還是在南京召集了國民制憲大會的其他
1,580名成員，決定於1947年2月進行普選，結束長期的政治監督。
11月16日，周恩來離開南京時宣稱：共產黨很快會取得勝利。在重
慶的最後一批共產黨代表在1947年2月初到3月18日之間乘美軍飛
機回到延安。[62]

　　毛澤東一點兒也沒有被國民黨嚇倒。1947年2月1日，他預計在
六七個月後將「迎接中國革命的新高潮」。[63]毛澤東的這些預見，是
建立在兩個基礎上的：一是國民黨在軍事上遭受到的失敗，二是各
城市出現了由工人和學生發起的反內戰、反物價高漲的第二戰
線──1946年1月的時候，美元和當時流通貨幣的匯率是1：2,020，
從12月份開始，通貨膨脹每日加速，飛漲到1：6,550。三分之二的財
政支出都因為通貨膨脹效應被消耗了。

農村的困難

然而毛澤東在報告中提到的關於土改的問題使一些令人擔憂的問題開始顯現出來。他分析了土改的積極的成果，在他看來，劉少奇在1946年5月4日發出的「五四指示」已經被應用在各個解放區大約三分之二的土地上。毛澤東認為這個指示解決了土地問題，並且落實了耕者有其田的政策。現在需要做的是在解放區剩下的三分之一土地上開展土改，同時不再堅持在統一陣線下實行的減租政策，沒收那些擁有多餘土地者的土地，將其重新分配給那些土地不足的農民。「無論如何，必須保持與中農的緊密聯繫，其中包括那些中上的」。由於毛澤東意識到在這個問題上曾經犯過錯誤，因此「如果群眾同意」，應該糾正。而事實就像畢仰高在書所描寫的那樣，很多調查都表明共產黨和富農之間存在着「不平等關係」，[64]從1946年的夏天到1947年的夏天，[65]兩者關係持續緊張，並在1947年春達到高潮，[66]而當時也正是國民黨軍事壓力最大的時候。最嚴重的衝突發生在張莊和山西東南部的屯留縣、河北的太行山、陝西東北部靠近米脂縣的張家溝，還有在延安東面的固臨縣。中國農村的革命達到了當地革命的頂峰，儘管它們發生的時間和形式各不相同，然而在今天還能看到的關於土改的調查中，我們仍然可以發現一些共同點：

第一，在日本投降後的幾個月，隨着國民黨軍隊的進攻獲得勝利，農民察覺到新一輪的軍事力量對比似乎已經確立，擔心從前的鄉紳坐着國民黨的軍用貨車回到村裏來，於是當中的一些農民秘密聯繫上那些被剝削的地主家庭，賠償這些家庭因為自己的過失而蒙

受的損失，並且懇求他們的原諒。而共產黨負責人發布的報告所造成的更普遍的後果，是讓整個國家的農民對黨的態度明顯冷淡了許多。

第二，儘管如此，只有很小部分的農民轉投國民黨的陣營，約佔4%至5%。這些農民回到村裏後，依靠土豪鄉紳的自衛隊「還鄉團」進行各式各樣的掠奪，並協助阻止鄉民加入共產黨。然而他們的行為並不保證能躲過在剛到手的小塊土地上被活埋的危險：那些報復心切的往日鄉紳對他們的小命簡直不屑一顧。

第三，儘管有其不足之處，但是從1946年開始，農村土改讓整個社會產生了難以逆轉的轉變。剛開始的時候，激進的土改是伴隨着「紅色恐怖」而來的，尤其是像1935年冬的陝北那樣。接下來是減租減息的運動。土改的熱潮在統一戰線時期緩和過一陣子，到1942至1943年整風運動期間有過一段恐怖的「反特鬥爭」時期，那段時間強制購買國庫券，迫使地主們賣掉他們剩下的土地，賣地的情況在和平時期物價正常的時候尤其突出，到1946年針對土地問題的「五四指示」發出時又造成了新一輪對土改的恐慌。然而另一方面，通貨膨脹卻讓欠債的農民能夠贖回他們抵押的土地。於是我們可以說，一場無聲的革命正在中國的農村進行着，到1946年的11月，這場革命越發壯大，中農擁有了屬於自己的房子，還分得了幾公頃的土地。在東北中共控制的地區，420萬農民在1946年年底分到了220萬公頃的土地，[67]平均下來一個四口之家能拿到將近兩公頃的地。農民從此擁有了自己要捍衛的土地，於是他們站出來了。

第四，土地所有者階層的改變進而導致了政治幹部階層的混亂。共產黨的積極分子在「批鬥大會」上揭發那些從前壓迫農民的鄉

紳和漢奸，打倒那些試圖反抗的權貴。誠然，在統一戰線時期實行的「三三制」是允許「進步的鄉紳」和富農在新的政權機關中保留他們的職位的，然而他們的實權卻日益被削減。韓丁在《翻身》中描述過這些激烈的人民大會，當共產黨主持人把一個可惡的鄉紳摔倒在地，在這個打破禁忌的動作發生之前，沒有一個人敢公開揭發他。所以對階級出身不好的人而言，就算政策對自己有利，也仍然害怕會有被打倒的一天。1947年春，新一輪的暴力批鬥在農民的參與下展開，這讓由新的共產黨精英領導的政權得到了鞏固。儘管國民黨在軍事上獲得勝利，但共產黨仍然牢牢控制着局勢，因為它有農民作為基礎，而國民黨依靠的只是那些已經失勢的舊鄉紳。

第五，儘管「鬥爭的果實」是除掉了這些鄉紳，並且靠土改分到了幾畝地，但是貧農和農業工人仍然是窮人。用當時的話來說就是：他們還沒有翻身。[68] 1947年春，由於對土改的保守感到失望，那些最貧困的農民有時甚至指責共產黨幹部利用職務之便把扣押的財物轉移給鄉紳，說他們保護「階級敵人」。由於對土地的渴求得不到滿足，很多貧農團把中農劃分為富農甚至是地主，剝奪他們部分或全部的財產。在某些地區，比如屯留的村子裏，很多中農加入了各種各樣像一貫道之類流傳已久的秘密社團來對抗貧農團的過激行為。農民和共產黨的關係斷裂的危機迫在眉睫，毛澤東為此在1947年2月介入干預，以停止這種偏差，然而這注定是個漫長而困難的過程：黨收緊了土地政策，企圖讓土改從不受控制的局面中回到正確的方向上。這就解釋了為何要用那種誇張的暴力手段來對待一個已經倒在地上的社會精英：人為加劇的階級鬥爭能讓共產黨鞏固自己在農村的基礎，成功地動員後方的農民，但是共產黨和農民之間

互相猜疑。這台機器一邊動員群眾一邊激化階級鬥爭，開始了它漫長而冷酷的職業生涯。然而這種恐怖並不能建立社會的公平性，它只是執政者維繫權力的工具。

蔣介石發起進攻

1946年至1947年的冬天，蔣介石決定要給他恨之入骨的共產黨一個重大的打擊，令在他眼中已經搖搖欲墜的解放軍失去最終的戰鬥力：1947年3月11日，50架飛機轟炸了紅色根據地延安，3月13日，一支二十三萬人的軍隊在胡宗南的帶領下進攻延安。早有預料的毛澤東從3月18日開始就撤出延安：國民黨的大批人馬得到了一座空城。就在蔣介石為這件事大肆慶祝之時，國軍部隊卻被神出鬼沒的對手追擊，被迫在陝西境內跋山涉水來回奔走，疲憊不堪。[69]從3月25日開始，在把國民黨大部隊引到延安以北30公里處的安塞後，解放軍兩萬名士兵中的一半埋伏在西北30公里的青化砭，消滅了國民黨的一個團。這場持續了幾個月的消耗戰不久又相繼傳來捷報：在羊馬河殲滅了一個旅，4月4日在蟠龍又消滅了一個師。毛澤東用一支千四人的精兵快速移動進行包圍，一直與敵人保持着很近的距離，有時甚至就在追兵的眼皮底下。[70]白天大家隱蔽休息的時候，江青為這次迂回的夜行軍創作了一篇英雄史詩。[71]3月29日晚至30日，在靠近國民黨佔領的清澗鎮附近的棗林溝，毛澤東召集了黨內主要領導人召開了中共中央會議，其時國民黨軍隊正聚集此地，企圖尋找機會將解放軍逼到黃河絕境。會上，眾人決定將中央機關分成兩部分，由毛澤東、周恩來和任弼時率領中央前敵委員會

繼續留在陝甘寧。而中央工作委員會在劉少奇和朱德的領導下駐紮到晉察冀解放區的中心——河北太行山的西柏坡去。4月9日，這一異常緊急的部署完成並確定黨中央機關以及解放軍司令部留在陝甘寧。在最為凶險的幾個月裏，毛澤東面對各種考驗表現出的勇敢和樂觀，究竟真的是面對絕望的勇氣還是故意讓胡宗南中計呢？[72] 毫無疑問，兩者都有。[73] 4月15日，毛澤東在王家灣對彭德懷、賀龍發出的〈關於西北戰場的作戰方針〉[74] 分析了戰爭形勢，他認為「敵現已相當疲勞，尚未十分疲勞」，提出接下來要使用「疲勞戰術」，切斷敵人的軍需供應，在敵人彈盡糧絕之時將其一舉殲滅。5月30日，毛澤東大膽做出判斷「蔣介石政府已處在全民的包圍中」[75]，因為在軍事前線上增加了由學生組成的「反饑餓、反內戰」第二戰線，包括了工人、農民、城市小資產階級、民族資產階級、開明紳士的反國民政府陣營越來越壯大。勝利的來臨會比預期要快。當然，這些話帶有誇大的成分，因為毛澤東同時在計劃一個針對南方的大膽戰略：在包括浙江在內的長江流域擴大內戰，其真正目的無疑是緩解在國民黨的軍事壓力下仍然危急的延安局勢。[76]

然而戰略初步勝利並不能讓人徹底放心，一直到8月份，毛澤東都在進行圍剿和反「圍剿」。[77] 相比之下他的追兵不但在解放區完全不受群眾歡迎，並且還開始斷糧。在並沒有真正道路的陝北，通信線路被游擊隊長時間切斷。胡宗南監視着渡輪，以36師為首的幾支軍隊在南岸登陸，準備在黃河流域對解放軍實施包圍。然而計劃因為消息滯後一天而宣告失敗，原因是這次部署的消息來源被游擊隊封鎖了：8月22日，由六千人組成的國民黨36師在米脂縣和鄰縣之間的沙家店被彭德懷的兩萬人馬全殲。當晚，毛澤東發表簡短講

話，宣布這個漂亮的勝仗結束了困難時期。23日，毛澤東率領部隊往郊縣的朱官寨進發，他在那裏住了一個月：圍捕結束了。

這一時期其他戰線上的戰況發展也非常相似：國民黨在初戰告捷後，從春季開始一直到初夏都沒有再發動進攻。2月，在山東，國民黨部隊嘗試滲透進入萊蕪中部丘陵的計劃失敗，但是在二三月間，又對南部臨沂發起了小心翼翼的進攻並突破了「解放區根據地」的一角，津浦鐵路於是重新被國民黨控制。儘管因為當地農民對1931年至1934年鄂豫皖蘇區的紅軍印象非常不好導致劉鄧大軍往湖北大別山方向挺進的計劃在8月中旬陷入了困境，但是劉伯承和鄧小平的部隊在7月1日橫渡黃河後，還是把國民黨逼到了防守的位置。情況就如1946年一樣，最活躍的戰線還是在東北：林彪在發動了四次進攻之後，佔領了東北一半的土地以及三分之二的通信和交通幹線。相反國民黨招募來的士兵有一半人失蹤，通常是潛逃了。蔣介石卻不顧美國顧問提出的相反意見，繼續往前線派遣最好的部隊——國民黨掉進了一個無底洞。林彪在5月10日發動的第五次進攻中出動了所有兵力，奪取了至關重要的鐵路樞紐四平街。儘管在這場異常艱苦的戰鬥過後林彪損失了很多兵力，使他不得不在7月10日突圍撤軍，但這次失敗也無法否定他在東北採取的主動策略是成功的：通過把國民黨部隊分別圍困起來，再切斷城市間的交通，林彪消滅了五十萬敵軍。

正是在這種背景之下，毛澤東於9月1日寫了一篇名為〈解放戰爭第二年的戰略方針〉的總結文章。[78]在仔細地回顧了所有發生衝突的地點之後，毛澤東估算國民黨遭受的損失為97個半旅，共計112萬人。之後國民黨的248個旅需要招募100萬士兵來補充兵力，而要

實現這個目標十分困難。所以解放軍第二年作戰的基本任務，是從已經獲得勝利的戰略性撤退轉變為全國性的反攻，並將戰爭引向國民黨區域。[79] 為此，中共必須考慮通過推廣土地革命動員廣大農民。早在毛澤東提出這個要求之前，中央工作委員會就從7月17日開始，由劉少奇在西柏坡召集了一千名村代表舉行全國土地會議。8月4日劉少奇致電中共中央，反映土地會議上各地所彙報的情況。[80] 劉少奇的報告是建立在多份調查的基礎之上的，因此非常具有考證性：他認為在晉冀豫魯解放區和江蘇北部，土改進行得非常徹底，但是在晉察冀解放區和山西綏遠地區還有很多工作要做。對陝甘寧解放區，劉少奇隻字未提，無疑他不願對生性多疑的毛澤東指手畫腳，同時不想令人產生他在利用時機提升地位的印象。報告認為造成某些地區土改局面落後的原因是當地幹部的態度不端正，與當地地主鄉紳勾結，存在「左」傾主義和官僚主義。就在兩天前，劉少奇甚至還提到了令毛澤東不快的1930年12月「肅AB團」富田事變。事實上劉少奇發現在很多農村裏，地主和富農都保留了一定的職務和權力，貧農的作用卻被削弱了，所以他提議派工作隊下鄉再次落實土改政策，以確保公平地進行土地再分配，做到「按鄉村全部人口，不分男女老幼，統一平均分配」。但由於與會代表並未能領會這最後一點提議，所以工作委員會在9月5日向中央發了一封電報，毛澤東在6日答覆：支持劉少奇的提議。由於主席希望進行反攻，這就需要在農村招兵，於是推動土地革命變得更激進。13日，會議完成所有議程，通過了《中國土地法大綱》（草案）。[81] 這份由劉少奇推動的大綱於10月10日由中共中央頒布，各解放區迅速掀起了土地革命的熱潮。

毛澤東和中共的反攻（1947年秋－1948年冬）

毛澤東在9月21日離開了朱官寨。在三個月時間裏，他繞着米脂縣和鄰縣的各大鄉鎮，沿着曲折的路線在陝西東北部行進。他隨機地考察了當地農民的狀況：在唐家坪參觀了一個紙漿作坊；臨時安排與幹部們會面，交流對土改的看法；到南河底村的白雲觀參加中秋廟會；觀看了一場秦腔地方劇。[82]最後在離米脂縣不遠的楊家溝住了下來，從1947年11月22日到1948年3月21日，毛澤東在那裏一共住了四個月。從一系列密集的行動來看，毛澤東又投入到了解放區新一輪的黨內肅清運動中，這對於那批在1945年至1946年間湧入黨內、「階級出身不好」的新黨員而言是不利的。同時，激進的新一輪土改是一場針對「新富農階級」——1945年到1946年「無聲革命」中的既得利益者的革命。顯然，為了更好地打擊敵人，毛澤東拉緊了弓弦。而這些行動確實獲得了成效：11月12日劉伯承奪取了石家莊，這是共產黨從國民黨手中奪回的第一座大城市，解放軍切斷了京漢鐵路——內戰毫無疑問進入了一個新的階段，此後的戰役大部分都發生在國統區內。

在楊家溝，毛澤東和江青及兩個在延安出生的女兒團聚，毛澤東一家和周恩來住進了當地一個落跑大地主的漂亮宅子裏。為了掩飾身份，毛澤東化名李德勝，取「獲得勝利」之意。這座由貼身警衛保護、不時有騎着馬的幹部在周圍進進出出的房子，很快就讓「這個地方住着一位高官」的傳言流傳開來。然而這並不是這個村子頭一次發生這種事：1942年的秋天，洛甫（張聞天）為了體驗農村生活、撰寫調查報告，就曾經在這裏住過。[83]

　　這個村子的情況在陝北其實一點也不特殊，如果說是因為常年的乾旱讓這些位於蒙古草原邊緣、黃土高坡上的村子看起來非常貧窮的話，那這裏的社會結構則充分説明了何以美國歷史學家周錫瑞（Jeseph W. Esherick）會給這裏冠以「封建堡壘」的稱號。村裏2,300公頃耕地幾乎全部屬有權有勢的馬氏一家六十多口人，這家人住在山坡陽面裝飾有龍頭的窑洞莊園裏，屋內有供暖系統，有一間小小的浴室，屋子周圍用夯實的泥土鋪成的院子非常寬敞。151戶佃戶家庭和其他一百來戶僱農家庭組成了村子的常住人口，他們住在山坡陰面簡陋的土窑洞裏。這些人每天超負荷地工作，卻仍然過着十分貧苦的生活，他們其實是農奴的一種，被強制進行各種勞役，白天和晚上還要在主人豪宅的圍牆上看守、放哨。最大的地主馬維新已經五代同堂，通過「典地」、放高利貸以及在饑荒時期搞糧食投機買賣，巧取豪奪了160公頃的耕地。然而在抗日統一戰線時期，這樣狡猾的大地主卻被劃分為「開明鄉紳」。這個村莊和外界不同的地方是它在很長一段時間裏都沒有實施土地革命，1947年夏天，這個村子被一隊國民黨士兵保護起來，因而這裏最常見的土改方式不過是1945年至1946年實行的重購地主土地而已。但自從毛澤東住進了這座漂亮的大宅之後，按照10月10日《中國土地法大綱》方針執行的持續暴力土改時期就全面展開，隨着這群暴力執法者的到來，楊家溝和附近的村子裏死了11個地主和所謂的地主，大多數是自殺的。一部分被劃定為「剝削階級」的農民被毆打或者倒吊起來好幾個小時。在土改工作隊的幹部裏頭流傳着一個「成功模式」：寧左勿右。每個人都熱情高漲。

　　在這段時間裏，毛澤東集中精力為1947年12月25日至28日在

楊家溝召開的中共中央擴大會議準備題為〈目前形勢和我們的任務〉的書面報告。[84]在報告中毛澤東再次斷定內戰已經到了一個轉折點，提出人民解放軍應該由防守轉入進攻。毛澤東估算了國民黨軍隊在17個月的作戰中的損失：傷亡64萬，被俘105萬。與國民黨六成兵力來自服役駐軍、通信保護線路又拉得太長不同，解放軍目前有三分之二的兵力在前線，後勤支援和保護後方的任務都委託給民兵，因此今後戰場上人數的優勢是屬解放軍的，當前解放軍正在部署重型武器裝備，準備對城市發起進攻。[85]

鞏固土地革命

也就是說，毛澤東通過土地革命推進貧農聯合，使得他一直強調的「鞏固後方」的工作方針取得了效果。「平衡」是毛澤東一直致力於從事並取得驚人成果的工作。毛澤東同時堅持決不能再犯曾經在1931年至1934年期間實行過的所謂「地主不分田，富農分壞田」的過左政策的錯誤，並提出了解決辦法——兩條基本原則：第一，必須滿足貧農和僱農的要求，這是土地革命的最基本的任務；第二，必須堅決地團結中農，不要損害中農的利益。如果從地主手上沒收的土地不夠分，就需要從富農手上拿，但是要分清楚，那些自身收入四分之一都是通過收取佃農和僱農的收成得到的，就應該沒收土地。如果土地還是不夠分，就要向那些手上有盈餘的、較為寬裕的中農要田。儘管態度強硬，但毛澤東知道來自基層的壓力：為了獲得更多的土地，就要把上千的中農劃分為富農，所以他又作了更詳細的補充：「在劃分階級成分時，必須注意不要把本來是中農成分的

人，錯誤地劃到富農圈子裏去。」毛澤東認為各地在平分土地時，仍須注意中農的意見，應該按照討論結果而非通過專制手段行事。毛澤東的如意算盤打得很響，接下來他在報告的另一部分就提到要「淨化黨的隊伍」，因為從1937年開始共產黨員人數激增至270萬，有許多地主分子、富農分子和流氓分子乘機混進了黨。為了堅決地徹底地實行土地革命，鞏固人民解放軍的後方，必須整編黨的隊伍，開除這些「滲透入黨」，造成「專制泛濫」的「擾亂因素」。作為這段歷史的見證人之一的陳毅[86]後來證實，這場在1947年11月發生在陝北的殘酷清洗運動，影響到了共產黨40%的兵力。這場黨的整編運動以「三查三整」的形式在解放軍隊伍中展開，根據戰場表現、工作作風以及最重要的——領導幹部的階級出身進行篩選。[87]不管毛澤東的這番演說顯得如何小心翼翼，但還是無法掩飾「淨化黨的隊伍」是一場以農民內部階級劃分和平分土地為基礎、有着明顯「左」傾意味的運動。在反攻初期，即使是為了鼓舞士氣，毛澤東也仍然無法忽略他所承擔的風險。這篇文章因此充滿了「毛氏辯證法」的特色，通過「一拉一打」的辦法揭露階級矛盾及其幕後操縱者。在抗日統一戰線時期，毛澤東曾逐步減少了那些與共產黨敵對的富農的數量，甚至拉攏過他們當中包括地主的某些人。然而現在毛澤東放棄了這些城市裏的歸順者，他要滿足那些最貧困的農民對土地的要求，以達到招收新兵的目的。無論如何，在當時中國北方農村形勢的客觀制約之下，確實也並不允許找到一個真正令人滿意的解決辦法。我把這個觀點和田中恭子提出的結論[88]都重新納入到我的分析裏面。由於土地貧乏、氣候惡劣，在這一地區一個四口之家要維持生計至少需要20畝地（1.22公頃）（譯註：20畝應該約等於1.33公頃，原文此處

有誤）。而佔總人口10%的地主和富農擁有40%的土地，平均每戶有4公頃之多。受壓迫最少的中農數量約佔20%，但是其中一半的人並沒有足夠的土地，還有20%的人只有一點兒地或根本沒有自己的地。平均來說每戶貧農家庭擁有的土地只是他們所需要的土地的三分之一。即使把地主和富農的土地都拿去平分，也只有三分之二的貧農成為中農。而如果只沒收地主和富農多餘的那部分土地，把他們轉變為中農的話，那還有40%的貧農無法得到滿足。土改政策的目標是要把所有農民都變成中農，但由於條件的局限，平分土地的結果卻是中農階級徹底消失，所有人都成為貧農。因此，無論採取何種方法 —— 激進的還是溫和的，在農村裏總是會有四分之一到三分之一的人不滿意，再加上黨在這種時候大搞整黨運動，對領導幹部進行問責並為自己「洗白」，這就是為何關於「懷疑幹部腐敗，亂分土地」的傳言一直無法平息。正如田中恭子所寫：

> 共產黨在中國北方的選擇無非是平分土地或者保護中農。1947年，出於軍事需要，劉少奇在毛澤東的同意下選擇了平分土地。之後在1948年春，因為勝利臨近和重建國家的需要，毛澤東選擇了保護中農，劉少奇也贊同這種做法。兩者之間所謂的對立其實是一種重建。

毛澤東對民族資產階級也同樣表現出了格外友好的態度，認為「應當在政治上作鬥爭，而非在經濟上搞清算」。1949年1月毛澤東還向米高揚肯定說，在解放勝利後還需要很多年時間才能讓全國人民都接納資本主義經濟體的存在，還要緩和工人對工資的要求。尤其在解放軍為攻打那些沒有任何基礎的大城市進行艱苦作戰的時

候，毛澤東認為，是時候在這個新的領域打出迷惑的牌了。他發展出一種複雜的、反覆的政治遊戲，讓幹部們跟隨新的指揮者，適應突如其來的陣營的變化。這些人於是開始學習機會主義和服從命令。

毛澤東感到勝利已為期不遠了。

天從人願。從 1948 年 1 月開始到這一年的秋天，軍事形勢大大超出了毛澤東的預期：他在 1948 年 3 月 20 日預計 1951 年年中能取得解放戰爭的勝利，到 11 月 14 日，他預測 1949 年 8 月就可以獲勝。[89] 在中原地區，劉伯承截斷了隴海線，陳賡在越過黃河後於 4 月 5 日孤軍佔領洛陽；6 月 22 日陳毅佔領開封，在展示了解放軍新的軍事實力後，又馬上撤離了。在西北，4 月 24 日彭德懷收復延安，在黃帝陵附近殲滅了一支國民黨部隊，國軍將領自盡，隨後又在西安及渭河流域驅逐了胡宗南部署的所有軍隊。而東北戰場上，繼黑龍江之後，吉林也幾乎全部被林彪的部隊攻佔。蔣介石堅持分散部隊而不願意集中兵力堅守通往華北平原的重要鐵路樞紐錦州。3 月 19 日，林彪佔領四平街，9 月 23 日奪取錦州。到 1948 年秋，長春和瀋陽已經被完全孤立，饑餓和寒冷等待着這兩座城市中的近五十萬國民黨軍隊，除了一座微不足道的高架橋以外，他們完全沒有其他獲救的希望。

在這最為關鍵的幾個月裏，毛澤東一直住在楊家溝直到 1948 年 3 月 21 日。在住了四個月之後，毛澤東才離開了那裏，不緊不慢地前往共產黨的小根據地 —— 離河北石家莊不遠的西柏坡會合。1948 年 5 月 27 日，出人意料地在山西北部繞了一大圈之後，毛澤東抵達了西柏坡。當時的路線是這樣的：1948 年 3 月 23 日，和隨行人員在川口乘坐 10 艘渡輪，從陝北吳堡縣川口渡口東渡黃河，進入山西臨

縣。毛澤東認為自己出現在華東的共產黨根據地要比留在軍隊司令
部更能發揮作用,事實也確實如此,從戰況的發展來看,他手下的
軍事專家協調得非常好。而毛澤東雖然是游擊戰的行家,但在這場
更為常規的運動戰中,他的才能被超越了,他提出的作戰計劃常常
被恭敬地放到一邊。於是他轉而從事他擅長的事:政治。即使是在
這一時期,在軍事領域他也僅有兩次著名的講話。[90] 從 3 月 27 日到
29 日,毛澤東聽取了賀龍和李井泉彙報晉綏邊區土改、整黨、工農
業生產等情況的報告。4 月 1 日,毛澤東召集幹部就同一主題進行了
討論。4 月 2 日,毛澤東接受《晉綏日報》的訪問。在 4 月 6 日到達晉
察冀解放區之前,毛澤東乘吉普車視察了晉綏邊區的農村。[91]

反「左」

事實上有兩個問題仍然讓毛澤東憂心忡忡,一是土地革命問
題,[92] 二是由於他幾個月以來的縱容,眼下逐漸失控的「左」傾危
機。在 1948 年 3 月以前,毛澤東一直堅持 12 月 25 日在中共中央擴大
會議上提出的方針:[93] 對於在 1945 年 8 月以前建立的舊解放區,必
須鞏固土地革命的成果,即不進行重新分地和提高黨的地位;對於
在 1945 年 8 月到 1947 年 8 月間成立的半老解放區,必須執行 1947 年
10 月頒布的《中國土地法大綱》,進行總的土地平分;最後,對於新
的解放區,從消滅地主階級、孤立富農開始,必須按步驟進行土
改,但不可操之過急,必須等到 1951 年才進行土地平分。毛澤東一
再重申,必須在發動貧農和僱農的同時緊密團結中農,同時把土地
革命和整黨運動的擴大化緊密結合起來。為了加強個人對黨這台「機

器」的控制，毛澤東還設立了一個軍事激勵制度，規定各地幹部每兩個月向中央做一次工作報告。[94] 在這一時期，毛澤東曾多次提到堅持照顧中農利益的必要性，這顯然是出於與其他社會階層進行更廣泛的政治聯合的需要。[95]

3月份，預料變成了擔憂。毛澤東按照「群眾路線」這一獨具特色的工作方法，認為實地調查比中央所作的決議更加清晰。3月12日到20日，在出發前往山西和河北的前夕，毛澤東看了來自晉綏解放區崞縣和陝甘寧解放區東北部綏德縣等地農村的多份報告，並寫了讚揚的評語。[96] 同時他非常仔細地研究了劉少奇根據康生在平山縣的實地調查所做的報告，平山縣位於晉察冀解放區，離西柏坡很近。此外毛澤東還看了任弼時在晉綏解放區興縣蔡家崖村所做的調查。這些在二月份所作的所有專題論文展示了當時的形勢：在許多地方，幹部依靠貧農團和僱農，營造了恐怖的氛圍。由這些人主持的大會把大量中農劃分為地主，然後沒收他們部分土地。這讓人想起斯大林的「消滅富農運動」中最過激的情況：沒收地主的房屋、家具和所有值錢的東西。在一片由於妒忌和報復心作祟的聲浪當中，甚至還槍決了十幾名並沒有「反革命」的農民。在農村很多地方，黨和農民群眾的聯繫中斷或被嚴重破壞。3月20日，毛澤東在一份通知中寫道，黨內「左」的偏向比右的偏向更令人擔心。於是他找了劉少奇商量補救措施。所謂糾正領導幹部的錯誤，採取的辦法往往是在面向非黨員召開的公開大會上，接受貧農和中農的批評。作家韓丁為我們再現了當時的情形：雖說大部分人順利「過關」並且洗脫了最壞的指控，可是還是有一些人受到嚴厲批評或者被開除。從前的貧農有了一些從稍微富裕的農民手上奪來的幾塊田以後，中農的隊

伍就壯大了，然而儘管給予了這些中農新的身份，「左」的傾向和對黨以及村社的不信任在最困難的幾個月裏並沒有消失。一直到5月底，最終確定的土地政策才賦予了農村新的平衡。此時已接近至關重要的農忙時期，必須收穫足夠的糧食來支援日益龐大的軍隊。[97]5月份發布的那些文件證明毛澤東已重新正視現實。他囑咐領導幹部應當避免過分倉促地執行1947年10月頒布的土地法，在新的解放區，如果不滿足以下三個條件則應推遲進行土地改革：其一，當地軍事環境安定；其二，當地大多數農民群眾表示要求進行土改；其三，對主管部門的工作情況有嚴格監控。顯然，熱情澎湃開大會的時期已經不再，轉變為由黨委進行磋商並向上級彙報。5月25日文件的第五點有這麼一句話：「必須在今年秋季指導農民耕種麥地，並進行一部分土地的秋耕。在冬季，要號召農民積肥。」[98]其實，比起徒勞無功，農民們更擔心的是敵軍會忽然回來。對我而言，這就像畢高仰所描繪的那樣：那些宣傳毛澤東思想的英雄們更喜歡揮舞他們的拳頭而非握住鋤頭！

　　在前往河北阜平縣城南莊的途中，毛澤東和他的小隊隨從在暴風雪中登上了五台山，從4月11日到13日住在台懷鎮的塔院寺內。[99]毛澤東打算在城南莊住到5月18日，因為4月12日他接到斯大林幾週前發來讓他到蘇聯療養身體的邀請，毛澤東回覆說過幾天不那麼忙了就去，[100]而周恩來和任弼時於4月23日前往西柏坡。4月30日，毛澤東自從延安撤退之後首次召開中共中央書記處擴大會議，會議持續到5月7日。頻繁的大動作必然引起了國民黨特務的注意：5月18日，一架B25戰機炸毀了會址，一枚炸彈落在毛澤東住所的院子裏，掀翻了他的臥室。不過毛澤東在防空洞裏──聶榮臻聽到

了飛機的轟鳴聲，強行用擔架把毛澤東安全轉移了。毛澤東傳奇是
這麼描述的：毛澤東穿着藍色條紋睡衣坐在床上拒絕離開，他說：
「沒甚麼了不起！無非是投下一點鐵砣砣，正好打幾把鋤頭開荒。」
事後聶榮臻揪出並槍斃了特務。當晚，毛澤東小心翼翼地轉移到了
20公里外的花山村。他於5月27日出發前往西柏坡，並且在那裏住
了十個月，結束了一年的流浪生活：他不用再躲避追擊者了，但是
他必須駐守在司令部統一指揮。

毛澤東的勝利（1948年秋–1949年秋）

從1948年3月開始，國民黨失去了中原以外所有戰線的主動
權，至少直到人民解放軍9月24日佔領濟南以前是如此。在11天的
預備討論之後，9月8日到15日，政治局召開自日本投降後的首次擴
大會議[101]，會上，毛澤東對當前取得的勝利做了分析報告，中共中
央於10月10日就這份報告發出通知：1946年7月到1948年7月兩年
間，國民黨損失軍隊264萬，其中被俘163萬。被俘士兵中有80萬
被解放軍吸收，另外160萬士兵從「新解放區」的農民中選拔。當前
人民解放軍擁有戰士280萬，其中正規軍149萬。共產黨現在控制的
面積是235萬平方公里，佔全國總面積的四分之一，共計人口1.68
億，佔總人口的三分之一，其中城鎮人口佔29%。在糾正了「左」傾
錯誤後，已經有1億農民完成了土改。中國共產黨現有黨員270萬。
1948年9月在石家莊成立了擁有4,400萬居民的華北區人民政府，並
很快擴大至華東（4,300萬人口）和西北（700萬人口）。自1948年5月
1日起，開始進行在北京召開新的人民政治協商會議的籌備工作。

無論如何，當前的首要任務依然是長江以南的戰事發展，游擊隊只招募到3萬游擊隊員，還要消滅365萬國民黨軍隊。毛澤東認為要等到1951年的夏天才能迎來最終的勝利。

事實上，在1948年9月至1949年1月間，共產黨取得了三大戰役的勝利，這讓毛澤東的預期縮短了兩年。[102]

第一場戰役是在9月12日到11月2日間進行的遼瀋戰役。林彪完全按照毛澤東在9月7日和10月10日發出的指示[103]進行。東北野戰軍70萬人在33萬民兵和160萬農民的幫助下，完成了交通運輸、軍用物資供需、土方工程和切斷道路等工作，10月28日，摧毀了國民革命軍從瀋陽出發前往支援長春被圍困駐軍的10萬人部隊，11月2日，在部分駐軍起義的情況下佔領瀋陽。11月15日，繼雲南國軍倒戈後，饑寒交迫的長春駐軍和人民也發動起義易幟。此時駐守在北京的蔣介石，對他無能但忠誠的部下一次次發出命令又一次次笨拙地將其取消，導致國軍損失了50萬軍隊和最精銳的幾個師。當共產黨的將領們完美地完成了從游擊戰到現代運動戰的轉變的時候，他們的對手卻顯露出軍事才能的匱乏：既不懂得利用佔有絕對優勢的空軍，又不懂得依靠裝甲部隊以速度獲勝。

第二場大規模戰役隨即在遼闊的京津平原展開。[104]和遼瀋戰役一樣，毛澤東制訂好作戰的總計劃，戰場上的實際操作就交給軍事專家去完成了。林彪和聶榮臻的八十餘萬軍隊利用裝甲車和重型大炮對傅作義的六十萬人馬發動了大規模進攻。面對支離破碎的國民野戰軍，這次戰役在一次大包圍之後完成。12月24日，聶榮臻奪取張家口並封鎖了長城南口的通道，這一嚴密封鎖令國民黨軍隊無法往正在進行第三場大戰役的南部活動。在戰區東部的天津，十三萬

駐軍從1月15日開始投降。和家人一起被解放軍包圍的傅作義極度沮喪，消極抵抗。1月22日北平由中國共產黨接管，國民黨損失了五十萬軍隊，其中二十五萬在接受改編後加入解放軍。

就在北京失守兩週前，國民黨剛剛在第三場重大戰役中再次落敗。這就是從1948年11月6日到1949年1月10日進行的淮海戰役，雙方激戰65天，五十萬失去所有群眾支持的國民黨軍隊對抗鄧小平指揮的六十萬解放軍，協助解放軍的有來自河北、安徽、山東和江蘇的二百萬農民。戰爭以鐵路樞紐徐州為中心，在沿黃河流域、淮河流域一直到太平洋的範圍內大規模展開。在被敵軍獨立部隊的火力打垮前，陳毅、劉伯承和陳賡依計行事，通過切斷道路、深挖戰壕將敵軍分割開來。同時，解放軍利用國民黨幾個主要軍官之間的矛盾，在徐州西南野外孤立敵軍部隊，逐個擊破，消滅了蔣介石從南方派來支援徐州的三十萬部隊。[105] 從1月6日開始被包圍，加上航空補給不到位，徐州的士兵於10日投降。在這次失敗後，國軍六名軍官中有一人戰死沙場，一人自殺，兩人被俘，剩下兩人一個化裝成乞丐、一個喬裝成商販潛逃。與另外的兩場大戰相反，在淮海戰役中，毛澤東最初的作戰計劃被將領們完全改變了。[106] 由此是否可以看出毛澤東與林彪之間的聯繫長期以來優先於其他人呢？事實上，林彪確實比其他大多數將領更懂得照顧這位敏感易怒的主席。[107]

1949年1月6日至8日，在西柏坡召開的政治局會議總結了三大戰役的勝利。早在1948年12月30日，毛澤東在〈將革命進行到底〉[108] 的聲明中就毫不含糊地表示不會與國民黨和解。他不是伊索寓言裏的農夫，把凍僵的蛇放到自己懷裏取暖，最後被活過來的蛇咬死。「凡是建議我們同情敵人的，就是敵人的朋友」，毛澤東對斯大林派

來的特使米高揚説，後者剛剛提出不要越過長江，把中國南方留給
蔣介石，[109]因為克里姆林宮的主人擔心美國會直接介入。然而毛澤
東並不贊同這個説法，他認為1949年解放軍將在長江以南取得比
1948年更大的勝利，並預計到年底能獲勝。在毛澤東的藍圖裏，解
放軍將成立空軍和海軍。在拿下北京之後，中央委員會就舉行了第
二次會議，成立新的人民政府機關，根據長江以南的情況採取一套
溫和的土地政策，限制地主徵收地租，但不進行土地平分。同時毛
澤東通過新華社發表聲明，拒絕與國民黨的一切和解：1月5日，毛
澤東通過文章回應蔣介石在元旦發表的新年告文，他稱蔣介石為戰
犯，而且「已經失了靈魂，只是一具僵屍」。1月14日，毛澤東對國
民黨提出停火的八個條件，並要求他們無條件投降。[110]1月21日，
中共發言人譏諷南京行政院19日提出的決議要求「立即先行無條件
停戰」，卻對八個條件隻字未提。1月28日，毛澤東要求南京政府立
即逮捕剛剛無罪釋放的前日本侵華總司令岡村寧次。[111]蔣介石1月
21日的「引退」顯然對李宗仁有利，隨後桂系軍閥白崇禧致電要求立
即停戰和談，但是這個提議直到2月5日仍然不被接納。4月1日，
張治中帶領國民黨代表團抵達北京為停戰進行和談，共產黨談判代
表堅持八個條件，態度非常堅決。4月20日，由於國民黨拒絕在合
約上簽字，共產黨當局在發出最後通牒的基礎上宣布即將下達命令
渡江作戰。人民解放軍分成四支軍隊：第一野戰軍由彭德懷率領向
甘肅進發；第二野戰軍在劉伯承的指揮下往華中平原進發；第三野
戰軍由陳毅指揮直取華東；第四野戰軍在林彪領導下離開北方前往
湖北和武漢。4月21日，毛澤東向解放軍發出「向全國進軍的命
令」。[112]解放軍在長達450公里的戰線上橫渡長江，並沒有遇到太大

的困難。在解放軍的包圍之下，一些城市的駐軍沒有抵抗就升起了白旗和紅旗。4月24日，解放軍佔領南京，5月3日取得杭州，5月22日解放南昌。上海那了不起的防禦工事絲毫沒有發揮作用，5月27日人民解放軍輕取這座長江邊上的大都市。就在幾天前，國民黨士兵還在南京路上遊行慶祝所謂在郊區逮捕共產黨員的假勝利。遊行一結束，士兵們就急忙登機飛往台灣，那時他們當中有數千人還穿着便服。林彪在5月17日奪取武漢，聶榮臻在4月24日解放太原。在湖南南部，白崇禧嘗試做最後的抵抗，無奈卻在混亂中失敗。事實上，蔣介石已經決定故技重施，像當年借助美國取得抗日勝利一樣：先和他最忠實的親信逃亡到台灣，[113]待日後美蘇發起第三次世界大戰之時[114]站在美國一方重奪大陸，何必拘泥於一場戰爭的暫時失利呢？

重返城市遭遇陷阱

對毛澤東而言，當前的問題已不再是軍事，而是政治，因為當前黨的工作重心是：在離開城市二十多年後，如何掌控重返城市的共產黨員？[115]這就是在西柏坡召開的中共七屆二中全會（3月5日到13日）上，65名與會委員討論的問題。[116]在激烈的內部討論後，毛澤東堅持己見。值得注意的是，在全體會議上進行投票的所謂決議，事實上一字不漏地照搬了毛澤東的開場報告，彷彿毛澤東的話已經成為不容修正的法律。還有一個值得注意的人，那就是劉少奇。3月12日，在會議接近尾聲時，劉少奇作了題為〈關於城市工作的幾個問題〉[117]的報告。報告開頭回顧了1947年夏天他在農村主持

工作時犯了「左」傾錯誤，「但直到毛主席系統地提出批評並規定了糾正辦法，才得到糾正」。然而事實上我曾經說過，劉少奇所作的每個決定，毛澤東都有跟進，並且都是贊成的。只是在近幾年毛澤東成了不會犯錯的主席，而劉少奇作為一位「良臣」，謹慎地為新誕生的崇拜付出代價。

毛澤東的報告可以說令人驚訝：明明處於勝利觸手可及的時候，但整篇文章卻流露出諸多顧慮。文章中反復強調共產黨如果做不到以下兩點，就不能維持政權，就會站不住腳，就會要失敗：第一，在政治上、在經濟上、在文化上與帝國主義者、國民黨、官僚資產階級作堅決的鬥爭；第二，使生產事業盡可能迅速地恢復和發展，獲得確實的成績，首先使工人生活有所改善，並使一般人民的生活有所改善。在另一段文章中，毛澤東提出，在取得勝利後很長一段時間內，資產階級會利用「糖衣炮彈」發動攻擊，那些最堅貞不屈的革命戰士，在多年的艱苦生活之後，可能會經不住享樂的誘惑而被腐化。對於毛澤東來說，取得全國勝利「只是一齣長劇的一個短小的序幕」，「只是萬里長征走完了第一步」。誠然，毛澤東沒有忽略任何一個方面，對於即將取得的國家，他要用自己的方式來改造：派五萬三千名幹部到南方去，強調在全國勝利後，「人民解放軍永遠是一個戰鬥隊」的必要性，二百一十萬野戰軍要建設成為「工作隊」和「巨大的幹部學校」，同時可以用來對抗「階級敵人」。[118]儘管如此，毛澤東仍然認為國家對軍事和政治的強制力並不夠，共產黨要以工人階級的名義實行無產階級專政，必須擴大其所依靠的政治聯盟的基礎。在另一段文章中，毛澤東還用一個微妙的漸變來明確了由他劃分的「城市三個組成部分」的作用：「我們必須全心全意地

依靠工人階級，團結其他勞動群眾，爭取知識分子，爭取盡可能多的能夠同我們合作的民族資產階級分子及其代表人物站在我們方面，或者使他們保持中立。」

因此共產黨最迫切的任務就是「爭取知識分子」，如果他們大多數人贊成新政權，[119] 就可以實現「有組織的知識分子」間的融合。正如安東尼奧‧葛蘭西（Antonio Gramsci）指出的，知識分子被吸納入黨，經過黨的教育和改造，就可以形成一個團體，把他們的文化逐步擴散到全社會。而傳統知識分子作為「專家」對社會生產和社會功能而言必不可少，但是這些人的意識形態仍然與其出身的資產階級甚至封建社會有聯繫。[120] 事實上毛澤東知道人民政府會面臨緊缺幹部、行政人員、工程師、醫生和大學學者的問題，因此共產黨必須實現這一包括總人口95%的「統一戰線」，這一口號最早在1919年開始提出，到1940年在〈新民主主義論〉中又重提，其中包括了幾乎所有知識分子。毛主席執政初期的人民民主高潮是把1942至1945年整風運動的計劃更加具體化，讓「廣大群眾」的世界觀與他自己的思想統一。與資產階級思想[121] 的激烈交鋒產生了一種在聯合中制約的需求。毛澤東對這種鬥爭傾注了大量的熱情，認為如果稍作怠慢，官僚主義陋習就有顛覆革命的危險。1949年8月14日，他通過新華社號召「丟掉幻想，準備鬥爭」，以此來回應美國國務院發表的《美國與中國關係》的白皮書。他批評說「一小撮知識分子是美帝國主義的奴僕」[122]，更多的人還在共產黨與國民黨間動搖猶豫，對美帝國主義抱有幻想。文章中提到用善意去幫助他們，批評他們的動搖性，教育他們，爭取他們站到人民大眾方面來，不讓帝國主義把他們拉過去，叫他們丟掉幻想，準備鬥爭。之前1949年7月在華北組織的「思

想學習動員會」邀請了四十五萬知識分子參加，與會人員以小學、中學的老師為主，也包括北京的北大、清華和燕京大學的教授。虔誠的學生批評包括哲學家馮友蘭、小說家沈從文及學者竺可楨[123]在內的知名學者的「反動和奴性」思想。我們似乎不安地感到1942至1945年整風運動過程中的過激行為又會重演。同時毛澤東也進行了安撫：他寫信給文化界的名流們，邀他們談話，給他們提供榮譽職位。1948年5月21日他在給周恩來和胡喬木的信中，甚至修改了1933年自己寫的「劃分階級成分」的文件，建議在5月25日的中央委員會上廢除1933年文章中的兩條內容。[124]「儘管公務員、工程師、教師、記者和藝術家是地主階級，但是首先應該承認他們土地所有人的身份。」6月1日，毛澤東、朱德、周恩來和董必武發電報給張瀾、羅隆基[125]說人民政府需要聯合一切力量建設國家。毛澤東一再聲明愛國主義的言下之意是希望大家有犧牲精神。1948年12月胡適的「搶救大陸學人」計劃建議給大多數文人一張赴台機票遭遇失敗。1917年以來北大2,300名畢業生只有600人離開祖國，其中包括許多後來從國外回來的人。許多德高望重的文人的日記體現了對未來的預測與擔憂，當然也一定程度上體現了某種希望，至少是在國民黨數年的「爛污」統治後對新體制的期許。

　　不管怎樣，毛澤東是不滿足於這種毫無熱情的階級整合[126]和中庸態度的。1949年1月毛澤東在西柏坡約見了包括費孝通和張東蓀[127]在內的代表團，討論之前他們和林彪商議過的「和平收復」北平的條件，儘管談判雙方客氣禮貌，但未有實質性進展。雙方都同意建立聯合政府和實行混合經濟：中國的民主黨人並不是自由主義者，他們想要一個強大的國家。雙方都認為土地革命勢在必行，但是要循

序漸進並且杜絕暴力。同一時間毛澤東揭示了當前的運動存在「左」傾錯誤，但是他斷然拒絕了與帝國主義和平共存的設想。會談的最後，他以潛在的威脅為內容作了總結：「希望張東蓀和他的朋友們以民為本，努力配合，因為他不能忍受反對派或第三條出路的存在。」[128] 1949年10月11日，毛澤東宣布新中國成立之後不久，約見了商務印書館董事長張元濟，[129] 他對這位82歲的老文人表示出了足夠的尊重，但沒給出任何承諾。他耐心傾聽了張老對言論自由及其好處的陳述，張老認為這樣可以收集「當地正直名流」的意見來制衡濫用職權，通過與共產黨特使的聯繫來抵制以杜月笙為首的流氓勢力。因為「杜的名聲實在太臭了」。但是兩天之後，他寫信給著名的哲學家馮友蘭[130]稱：「共產黨接見進步人士，像您這樣過去犯過錯誤現在一心改過的人是受歡迎的。」中共抵達華北幾個月後，大多數文人已經感到自己被懷疑、孤立[131]，影響力被削弱。他們互相勸說以最審慎的態度無條件支持新的權力集團。

毛澤東和工人階級

毛澤東對城市的第二大成分工人階級的態度完全不同：根據傳統的馬克思主義理論，對於工人階級既不建議籠絡也不建議壓制，而是「以工人階級為基礎」，因為工人階級被認為是革命的中堅力量。儘管如此，工人階級對於毛澤東來說幾乎還停留在理論層面。在中國是沒有真正的工人階級的，其規模小，革命性不夠（上海除外），長期受國民黨工會和三合會下屬的秘密社團的管制。事實上，共產黨根據自己的政治信仰組織活躍勢力以工人階級的名義行使權

利。1948至1949年真正的工人階級進行罷工時,他們的戰鬥性被認為是不合時宜的,尤其是他們搗亂的這家民族資本企業受到政府照顧。1948年2月2日,榮家的申新第九棉紡廠大罷工被國民黨暴力鎮壓。工廠內的共產黨幹部盡力把這場「悲劇」演變成像1925年5月30日那樣的強有力的工人運動浪潮。而當地的共產黨幹部以最快的速度讓剛開始的[132]運動流產,他們以同樣的方式處理了1949年2月發生的上海公交工人大罷工。[133] 在此期間,也就是1948至1949年冬天,二十多位共產黨工會幹部在香港進行了為期兩個月的「幹部培訓」。學員學習毛澤東的文章〈目前形勢和我們的任務〉。參加培訓的老兵張琪透露説:「接下來我們批評了1948年上半年上海工會[134]裏某些同志的急躁情緒。」1948年8月1日到22日,第六次全國勞動大會在哈爾濱舉行,大會決定成立在中國共產黨領導下的中華全國總工會。[135] 4月份共產黨佔領上海時,沒有鼓勵工人階級罷工,而是希望他們保護好生產工具,積極支援人民解放軍:中國的工人階級委託共產黨行使領導權。

資產階級形成城市社會的第三種勢力,是毛澤東的新民主主義革命統一戰線中想要拉攏的。和其他共產黨領導一樣,毛澤東認為組成民主聯盟的小黨派表達了資產階級中部分人想要與共產黨結成臨時同盟的想法,自1940年以來,他稱這些人為「民族資產階級」:包括資產階級在內的統一戰線的政治主張是為了安撫商界,防止銀行家、工業家、商人和企業家大量出逃,而他們可以為國家現代化建設提供必要且根本的幫助。毛澤東在另一份報告中聲稱:「中國的私人資本主義工業是一個不可忽視的力量。」[136] 他派遣了包括潘漢年在內的一些共產黨文人來安慰處於混亂不安中的資本家。[137] 報告還

指出，1927年4月在商界和國民黨政權中形成的反共勢力逐步減弱，尤其是1948年夏天。究其原因無非是腐敗問題、社會治安問題、極度通貨膨脹以及軍事敗退。1948年8月19日，蔣介石的長子蔣經國在上海地區重建經濟區並發行新貨幣金圓券。[138]他採用嚴苛的方法來抵制投機和腐敗，在上海逮捕了三千名商人，其中包括杜月笙的一個兒子和勢力強大的榮家成員之一，榮家的申新紡織廠和福新麵粉廠。可這依然是徒勞的：到了10月末，通貨膨脹又創新高，中國經濟漸漸地陷入癱瘓狀態。內戰使市場停滯，貿易終止。陷入困境的產業經濟準備重新找到盈利模式與平穩秩序。最知名的商人都選擇去台灣或者香港。其他人接受與毛澤東的密使會談，包括工業家榮毅仁、永安公司老闆郭琳爽、上海總商會領導人之一「白手起家」的盛丕華。[139]4月初上海大佬杜月笙在東湖路擺酒邀請盛丕華、黃炎培、沙千里和史良等人，[140]他的客人們向這位匪徒強盜出身、現在受人尊敬的資本家傳達了毛澤東的建議：參加政治協商會議。不過杜月笙還是打算幾天後去香港。[141]

　　局勢已持續緊張數月，國民黨政治和軍事的失利已現崩潰的局面。毛澤東意識到遷居北平的時候到了，不久後北平改回歷史上大家熟悉的名稱「北京」，並成為新中國的首都。1949年3月23日，毛澤東率領中央機關的同志在一小隊護衛隊的陪同下上路了。隊伍由11輛吉普車和10輛載重汽車組成，毛澤東坐在第二輛吉普車內，[142]糟糕的路況使得隊伍決定在淑閭村臨時留宿。淑閭村位於唐縣邊上，距離保定20公里的地方，是當地貴族李大明的家。他曾經是制憲黨成員，然後加入社會民主黨並定居美國。毛澤東很高興，接近

午夜時召見了莊裏的負責人，然後借着放在床上的燈籠的微光寫文章。24日中午隨行人員到達保定。在河北省領導安排的歡迎宴會上，毛澤東按規矩坐在劉少奇、周恩來和朱德邊上，聽取了黨的冀中區黨委書記林鐵[143]所做的報告。下午一行人到達涿縣，[144]那裏駐紮着特地從北京趕來的由林彪、葉劍英、滕代遠[145]帶領的新四軍第四十一縱隊，他們迎接了毛澤東及其一行，向他介紹入京的相關安排。25日早上2點，毛澤東在涿縣上了一輛火車，駛向海澱區清華園。到達之前，毛澤東作了一個簡短的講話：「同志們，我們就要進北平了。我們進北平，可不是李自成[146]進北平，他們一到北平就變了。我們共產黨人進北平，是要繼續革命，建設社會主義，直到實現共產主義。」一路上，他和周恩來開玩笑説：「今天是進京趕考的日子，我們決不當李自成，我們都希望考個好成績。」這些逸聞趣事都表明革命勝利前夕，毛澤東隱隱感到擔憂。到站之後，毛澤東上了一輛吉普車直奔離車站不遠的頤和園休息，這座宮殿是一代太后慈禧下令修建的。17點，他在西苑機場受到上千人夾道歡迎，令人印象比較深的有沈鈞儒、郭沫若、李濟深、黃炎培、馬叙倫、柳亞子和傅作義將軍。[147]這些人都參加了之後的閲兵式。[148]毛澤東一身毛領軍大衣，頭戴軍帽，檢閲了幾個用從日軍繳獲的武器裝備組建的訓練有素的輕坦克連。當晚，中國人民解放軍總指揮、身居多重要職的毛澤東來到北平城西的香山，在雙清別墅呆了六個月，直到1949年9月21日才搬到紫禁城中南海豐澤園菊香書屋，這是宣布新中國成立幾天前的事兒了。

「毛主席萬歲」

毛澤東到達北平後，在城郊住了很長時間，然後選擇入住天子的宮殿，這表明他對原定的宣布新中國成立的準備工作的憂慮。事實上，天安門廣場太小了，周圍是破舊的房子、桑樹和廢棄的城牆，從前清朝大臣以皇帝的名義在這裏接見外來使團朝貢。大家開始着手準備拆掉舊房，拔除樹木，用鋼筋混凝土板來擴建。在一個三層樓高的城牆上，用壓扁的郵箱焊接而成的蔣介石的巨幅頭像被毛澤東的肖像所取代。現在只剩召開中國人民政治協商會議，這是建立新體制的官方基礎。6月15日毛澤東召開會議，發表講話指出中國願意同所有與國民黨撇清關係的國家建立外交關係，雙方以尊重各自主權和領土完整為前提。新政治協商會議籌備會的134個代表將在9月下旬[149]齊聚。這次為時不短的延期可能是因為毛澤東感到暈乎乎的：3月23日毛澤東與他的警衛排長閻長林在吉普車內交談，他對兩年內非凡的歷史進程感到吃驚。就在兩年前的1947年3月，他撤離延安，將這塊根據地留給國民黨軍隊。1948年3月，他離開陝北以更好地掌控對國民黨的大反攻，不成想現在已經勝利。[150]和往常一樣，毛澤東習慣在命運轉折時作詩。

4月29日，毛澤東給柳亞子寄來的詩回詩應答。[151]柳亞子曾是國民黨革命委員會創始人之一。毛澤東邀請他來北平一聚，3月18日柳亞子抵達。可能是對所見所聞的失望，也可能是因為對沒有被粗魯的軍人選來制定法律感到生氣，3月25日在西苑機場和其他名流迎接了毛澤東之後，他立刻動身回到了自己的籍貫地江蘇。他動身時給毛澤東留下的信難掩沮喪之情：他自比東漢的嚴子陵婉拒朝

俸並隱居浙江富春江一帶，寄情終老於林泉間。毛澤東責備他不該滿腹牢騷，應該多想想他們之間的交情。

> 飲茶粵海未能忘，[152] 索句渝州葉正黃。[153]
> 三十一年還舊國，[154] 落花時節讀華章。
> 牢騷太盛防腸斷，風物長宜放眼量。
> 莫道昆明[155]池水淺，觀魚勝過富春江。

沒有比這更能形容目光短淺的人了！

第二首詩寫於人民解放軍佔領南京時。毛澤東用史詩般的語言描寫了在南方之都「虎踞山」和「龍盤山」曾經發生過的戰役，他要求不可沽名，要一路追擊被挫敗的敵軍。

> 天若有情天亦老！人間正道是滄桑。

相較柳亞子和其他文人的小心眼和短視，毛澤東認為新中國的造物者要把舊有的徹底推倒重建。

毛澤東首先拿英國開刀，一個世紀前這個強國是侵犯中國的第一個國家，並逼迫中國簽訂喪權辱國的不平等條約。4月21日，一支由三桅戰艦「紫石英號」和三艘炮艇組成的英國小型艦隊，沿長江向南京方向駛來，在江蘇遭到猛烈的炮擊，23個水手身亡。在海上耀武揚威的英國軍艦一直滯留在長江上，7月30日在一艘中國郵輪的追擊下倉皇逃走。毛澤東評價此次事件時宣告一個世紀前被視為國際公河的長江屬中國水域，任何形式的入侵都是一種挑釁，[156]也借此機會讓所有外國勢力知道不平等條約已經是過時了。這也難怪激起了英國眾院的憤怒，邱吉爾發表演說聲稱這是「殘暴的凌辱」。

　　美國的境遇也如出一轍，在8月5日發布的中美白皮書中，美國自以為起主導作用。國務卿迪恩・艾奇遜在7月30日給杜魯門總統的一封信中，以自己的方式講了節關於中國革命起因的歷史課。我們注意到，從8月14日開始，毛澤東認為對白皮書和少數依附美國的文人進行批判是必需的。事實上，毛澤東和周恩來曾盤算謹慎對待中美關係。共產黨攻下南京後，[157] 約翰・司徒雷登[158] 留在了南京，5月13日、6月6日、6月28日，經黃華[159] 的引薦與共產黨代表見面。最後一次見面時，毛澤東和周恩來邀請他去北平，他本該拒絕，但在國會的要求下他自己提出了這樣的請求，因為民主黨在國會上對他失敗的對華政策[160] 大加指責。美國的外交文獻[161] 記錄了另一次類似的想要尋求外交對話的嘗試。周恩來給大衛・巴雷特上校（延安「迪克西使團」的成員之一）的秘信中說中共領導層存在意見分歧，一方是周恩來領導的自由派，另一方是劉少奇領導的完全親蘇派。那時，沒有毛澤東的首肯，周恩來不會擅自行事。根據這個文獻，周恩來（毛澤東？）希望美國給中方提供經濟援助，認為中國可以扮演好蘇聯和西方世界中間人的角色。國會的回應相當謹慎，他們有理由懷疑這個迂迴的交流中存在陷阱，並呼籲如果有誠意的話應該結束對美國駐瀋陽領事華德的六個月反人道拘禁。6月24日，這個聯繫被中方切斷了。司徒雷登試圖通過國民黨革命委員會元老之一的陳銘樞進行新一輪的調停談判：6月10日，司徒雷登約見陳銘樞，向他闡述美國為了建立外交關係的五點意見。[162] 作為回應，7月9日陳銘樞轉交了一份內容豐富的備忘錄，裏面有毛澤東的答覆：毛澤東6月15日的講話中包括了相關內容。在講話中，毛澤東認為在這一時代背景下，美國應和國民黨當局斷絕關係。雙方僵持

不下，18日，司徒雷登申請了離華簽證，並於8月2日離開中國。

　　8月5日，美國國務院發布白皮書，為支持國民黨的美國當局與內戰勝利者共產黨之間保持聯繫的諸多嘗試畫上了句號：這些嘗試都是從各自的戰略角度出發的。事實上，「冷戰」思維迫使他們這麼做。就像毛澤東幾週前說的，中國已經「一邊倒」地站在蘇聯這邊。這些複雜試探的失敗也解釋了為甚麼毛澤東對白皮書冷嘲熱諷，有失風度，寫下〈別了，司徒雷登！〉一文。[163]反美論戰進入高潮。9月16日毛澤東以〈唯心歷史觀的破產〉[164]反駁迪恩・艾奇遜[165]關於中國革命緣由的探究。美國國務卿認為中國革命的原因有兩點。首先是18世紀以來中國人口過剩，土地受到不堪負擔的壓力。「人口太多了，飯少了，發生革命。」相反，毛澤東和當時其他馬克思列寧主義理論家一樣，在人口眾多的背景下卻看到了生產力迅速增長的機遇：「我們相信革命能改變一切，一個人口眾多、物產豐盛、生活優裕、文化昌盛的新中國，不要很久就可以到來。」同時毛澤東也批判了對迪恩・艾奇遜的想法產生影響的馬爾薩斯。[166]艾奇遜認為中國革命的第二個原因是從鴉片戰爭開始，西方列強的輪番入侵也帶來了西方的先進思想。毛澤東否認這種侵略的積極作用，那些從西方尋找救國真理的中國革命家都失敗了，孫中山也轉而「以俄為師」。事實上，是馬克思列寧主義和1917年俄國十月革命為中國革命成功創造了條件。「因此要向蘇聯人學習。」

　　9月21日正值中國共產黨全國政協會議開幕之際，毛澤東自豪地宣布：「中國人從此站立起來了。」「我們的民族將再也不是被人侮辱的民族了。」[167]9月25日，毛澤東和周恩來非正式地召集了十幾位政協代表商討國旗、國徽、國歌、首都和國慶節等相關事宜。[168]

　　會議一直開到9月30日。585位正式代表和77位候選代表選擇五星紅旗為國旗，《義勇軍進行曲》為國歌，[169] 定都北平並改名為北京，任命毛澤東為由180名成員組成的政協第一屆全國委員會主席，採用「法制建設」和劉少奇提出的《中國人民政治協商會議共同綱領》。劉少奇在講話中小心規避了那些疑似社會主義的東西。

　　10月1日[170]下午2點，毛澤東在主要的政治和軍事領導人、一眾民主人士的簇擁下，在天安門廣場的城樓上宣布中華人民共和國成立。他穿着四個口袋的中山裝，沒有戴帽子。然後是升國旗，54門大炮的28發禮炮齊鳴，象徵1921年成立的中國共產黨誕生28週年。毛澤東操着濃重的湖南口音[171]宣讀了之前在全國政協會議上選出的政府成員名單。[172]現場三十萬人歡聲雷動，隨即拉開了持續三小時的軍事演習的序幕，有謝爾曼坦克、吉普車、道奇裝甲車、吉姆西汽車，好像是從美軍手上繳獲的。夜幕降臨時，長安街上張燈結彩，人民群眾列隊而行，成千上萬的聲音齊呼「毛主席萬歲」、「中華人民共和國萬歲」。毛澤東用揚聲器回應「同志們萬歲」。燈籠和旗子構成一片紅色的海洋，伴隨着喇叭鑼鼓的喧鬧聲，成千上萬手持鐮刀、錘子、紅星的工人農民在跳躍舞動，拉開了毛澤東式遊行的序幕。21點25分，一場絢爛的焰火表演之後，毛澤東滿意地退下台來，對身邊的人說：「這場勝利，我們贏得很艱難！」

　　幅員遼闊的中國舉起了共產主義旗幟，這是跌宕起伏的「20世紀」[173]的又一次波瀾。6月30日，毛澤東發表了一篇文章〈論人民民主專政〉[174]，紀念中國共產黨成立28週年，誰會留意到這篇文章的不同之處呢？毛澤東再次重申了中國共產黨的明確立場：

　　其一，新的政體要以「人民民主專政」的方式聯合各個階級，主

要是佔總人口80%到90%的工人和農民的聯盟。工人階級(通過共產黨)領導以工農聯盟為基礎的人民民主專政。

其二,中國採取「一邊倒」政策,倒向蘇聯。要繼續通過學習社會主義「導師」蘇聯來建設新中國。

其三,即將建立的人民民主專政將保護人民,打擊反動派的反攻。人民民主專政是強有力的武器,會防止民族資產階級造反,並在時機成熟時使私有經濟國有化,發展社會主義經濟。

但是在毛澤東之前,還沒有任何共產主義領導人把共產黨比作一個成人,沒有人提及無產階級專政將不可避免地消亡。然而毛澤東幾乎在革命勝利的同時宣稱,將來有一天共產黨會消亡,階級會消滅,共產主義將繼承社會主義,人類將實現大同。他兩次提到大同,顯然參考了康有為[175]死後出版的《大同書》中的烏托邦思想。毛澤東想用自己的方式實現他的目標,只是遺憾專政必然是過渡性的。我們感覺到在時間問題上毛澤東不怎麼有耐心,在談到農民教育時,他認為時間是主要的問題,因為為了通過強有力的工業發展實現「全部的鞏固的社會主義」,就首先要實現農業社會化。[176]毛澤東在他的正文中有九次提到「社會主義」一詞,而與此同時周恩來和劉少奇在這個問題上都刻意低調。同樣地,當毛澤東提到那些立志向西方尋求「救國」道路的進步思想家洪秀全、康有為、嚴復和孫中山時,[177]我們在字裏行間能讀到他的言外之意。毛澤東認為是「十月革命一聲炮響,給我們送來了馬克思列寧主義」,而共產黨七大的決議中明確指出毛澤東實現了馬克思主義中國化,中國革命才取得成就。沒有毛澤東,蘇聯十月革命炮火的影響不會這麼深遠。毛澤東就此置身於現代中國思想大師的行列,甚至超過了他所有的前輩。

　　毛澤東說的有一點是正確的：中國革命還處在萬里長征的第一步。事實上，只看到他自我膨脹的雄心，認為他是紅色帝王[178]的看法是不對的，雖然他身上有一些帝王的特點。他自認為是偉大計劃的傳遞者。在民族主義背景下，一個野心家會對個人的成就感到滿足。而毛澤東想要徹徹底底地改變中國，使之「從苦海變成稻田和桑園」（滄海桑田），他堅信他的社會主義計劃能持續快速發展生產力，打破馬爾薩斯的所謂定律：他是不是在不同場合提到「奇蹟」？傳奇的個人經歷強化了他不切實際的唯意志論，但很快就遭到了經濟和人文的現實阻力：反覆發生的政治鬥爭成了毛澤東執政時期的主旋律，慢慢地他變得專制，這也是中國革命真正的悲劇所在。

第十二章

激進的創造者（1949–1956）

　　人們有時說「延安的圓桌會議」將一群粗獷的社會主義戰士集合到毛澤東的身邊，接受他的權威，團結一致地對抗日本和國民黨軍隊，他們共同的目標是將中國變成像一個世紀之前一樣的「人類進步的探路者」，建立一個公平正義的社會。這些久經沙場的領導者各自都有強大的人格力量，這在一定程度上緩解了毛澤東已經構建的個人權力集中的壓力。而且，所有人都意識到他們不僅僅是靠武裝力量先後贏得了抗戰和內戰，這場勝利也是政治層面的勝利。他們很清楚戰爭是另一種形式的政治。為了取得勝利，共產黨與農民階級組建同盟關係，吸引了一大批他們覺得並不靠譜的知識分子，使資產階級脫離麻煩纏身的國民黨陣營，變成中間派。這種妥協政治可以在1949年9月中國人民政治協商會議通過的《共同綱領》下被解讀為「人民民主專政」。共產黨的長遠目標是蘇聯模式的社會主義，這個轉型需要10到15年甚至更長時間。

　　然而，1949年到1957年間，在歷史大背景的多番衝擊下，新民主主義革命時期的統一戰線被解散，同時毛澤東的急躁情緒使得原本計劃好按部就班的社會主義建設被迫提速。

從1949年到1952年，毛澤東破除封鎖，試圖讓中國走向國際，在思想鬥爭領域非常鐵血。

從1953年到1954年，他提出「過渡時期總路線」，加快轉型節奏並克服了第一次重大政治危機。

1955年的「社會主義高潮」似乎證明了他的預見是正確的。

但是1956年對他來說是艱難的一年，在烏托邦想法的推動下，他發動了第一次「大躍進」，之後他不得不以退為進。同年2月，蘇共二十大的召開掀起了一場蘇聯社會主義模式的危機，到了秋天，東歐的社會主義陣營試圖尋找一條新的出路。毛澤東從掌權的前夕開始夢想的難道不是理想主義的大同社會嗎？

毛澤東破除封鎖（1949-1952）

幾個月內，軍事勝利的速度超乎預期，毛澤東要應對因此帶來的挑戰。他謹慎地讓最有管理理念的領導人負責具體事務，自己則投身國際關係中。要知道一開始只有蘇聯（1949年10月2日）和一些「人民民主國家」承認新中國。

「一邊倒」

事實上，內戰還沒有結束。蔣介石直到12月中旬才和二百萬支持者像在抗日戰爭中撤退到四川省重慶那樣退到台灣。1949年10月，人民解放軍在廈門對面的金門島登陸失敗，收復台灣的行動被推遲到1951年夏天，為解放軍訓練海陸空部隊共同出擊爭取時間。

台灣作為國民黨軍隊收復大陸的基地，一段時間內還很難被收

復。而西藏則完全不一樣，只有幾千裝備較弱的士兵。1950年10月初，解放軍解放了昌都縣。[1]

毛澤東首先要做的是廢除他認為的「最後的不平等條約」，即1945年8月14日蔣介石和斯大林之間的《中蘇友好同盟條約》。事實上，承襲了沙皇疆土的斯大林已經讓出了戰略基地遼東半島的旅順和大連港，並取消了在東北和新疆的經濟和礦產特權。[2]毛澤東的克里姆林宮之行準備了很久。劉少奇在1949年夏天去莫斯科走了一趟，斯大林在接見他時大方地提出雙方要忘記1927年和1936年他對中國內政的不合時宜的干涉。他說：「毛澤東知道如何取勝，勝利者總是對的。」12月21日是斯大林的70大壽，他以此為藉口沒有把這次到訪作為國事訪問，把1945年所簽條約的廢除問題搪塞了過去。這次邀請結束了雙方數月來或多或少的敵對情緒：1949年1月31日，蘇聯大使是唯一一個跟隨蔣介石乘飛機從南京去廣州的外交官。1949年2月13日，美國記者安娜‧路易絲‧斯特朗在莫斯科因被懷疑是「美國間諜」而被捕，後被驅逐出境。在她的《中國的黎明》[3]一書中，她高度評價了毛澤東，認為與斯大林相比，毛澤東懂得「在中國國情下創造性地使用馬克思主義」。1949年11月16日，劉少奇在北京主持了一次亞洲澳洲工會代表會議，他認為中國的革命是又一場無產階級革命，比蘇聯革命更適合「殖民地和半殖民地國家」，中國和蘇聯共同領導了世界革命。

12月6日，毛澤東坐火車前往莫斯科，隨行人員有從延安時期一直以來的馬克思列寧主義老師陳伯達，他的秘書葉子龍、翻譯師哲、警衛汪東興和蘇聯駐華大使及蘇聯經濟部部長：這是個規模上盡可能精簡低調的代表團。12月16日，毛澤東一行抵達蘇聯，斯大

林帶領整個中央政治局成員會見了他。毛澤東的表情有些凝重：有同志給他翻譯了宣布他訪問蘇聯的這一期《真理報》上一篇嚴厲批評鐵托的文章——下馬威？在斯維爾德羅夫斯克停站歇腳時，毛澤東在重壓之下出現了疑似神經衰弱的遲鈍反應，差點使他不能動彈。

在華美的克里姆林宮內，與斯大林的第一次會面讓毛澤東憂心忡忡，他期待雙方的會談不是「表面上順利」而是有「實質性突破」。這位格魯吉亞獨裁者拒絕對1945年8月14日的條約再做討論，他以這個條約來自雅爾塔協定為藉口，聲稱其不可能在不影響美蘇、英蘇關係的前提下做修改。毛澤東在蘇聯鄉間別墅苦苦等待了將近三個禮拜，只在12月21日出門去莫斯科大劇院參加盛大晚宴，為偉大的「人民的父親」唱讚歌，當時斯大林讓所有人全體起立為身邊的毛澤東鼓掌，斯大林和毛澤東競相奉承對方。但是12月24日新的會談沒有任何進展。毛澤東對身邊的人低聲嘲諷說，他只有三件事要做：睡覺、吃飯和拉屎。他抱怨膳食、床鋪、沒有蹲式便池，以及被困在積雪的森林裏：斯大林的安排是讓他儘量不要見到眾多在莫斯科的共產黨領導人。

兩個共產主義領導人之間的摩擦是間接的：毛澤東得知周恩來來莫斯科的訪問時間，試着改變代表團的性質來促進新一輪的中蘇談判。但是斯大林對其置若罔聞。他在住所與毛澤東的談話被西方記者走漏了風聲。1月2日，斯大林不得不匆忙在《真理報》上刊登了一個對毛澤東的專訪，毛澤東將計就計，借此機會表明想延長在莫斯科的停留時間——直到周恩來趕來。這場暗戰勞心勞力，斯大林妥協了：莫洛托夫通知毛澤東已邀請中國總理來莫斯科。可能1950年1月6日英國承認中華人民共和國加速了某些事情的進展。[4] 毛澤

東試圖讓別人知道他可以在讓人憤怒的「冷戰」中保持中立態度。在與斯大林發生了一系列新的摩擦之後，2月21日，兩位領導人進行了一次不溫不火的會晤，毛澤東對外蒙古獨立表示緘默。[5]1950年2月14日，在斯大林和毛澤東警覺的目光中，莫洛托夫和周恩來在克里姆林宮榮譽廳簽訂了一個全新的《中蘇友好同盟互助條約》。[6]本質上，這是個最低層面的協議：毛澤東承認1945年8月蘇聯與蔣介石的對抗日本軍國主義中蘇軍事同盟，其中包含了蘇聯對東北—西伯利亞鐵路的絕對控制權和蘇聯對大連港25年的租約，以及提供礦產開發的各種便利條件。（譯註：原文應有誤。同日簽訂的〈關於中國長春鐵路、旅順口及大連的協定〉規定，不遲於1952年年末，蘇聯將旅順、大連和中長鐵路的一切權利和權益歸還中國。）蘇聯五年內提供三億美元的貸款，與同期提供給波蘭的經濟援助基本一致。

後來，毛澤東領導的中國和蘇聯發生嚴重分歧的時候，毛澤東對這項條約給出了嚴苛的評價：

> 我們同斯大林有不同意見，我們要訂中蘇條約，他不要訂。等到他答應訂了，我們要中長鐵路，他就不給，但是老虎口裏的肉還是可以拿出來的……我的態度是：第一，你提出，我不同意者要爭；第二，如果你一定要堅持，我可以接受，但保留意見。這是因為要顧全整個社會主義的利益。[7]

事實上，這次艱難的談判使中國在世界強國中再次佔有一席之地。對國家而言，這個結果已經不錯了。更何況，3月3日，毛澤東返回北京的途中在瀋陽發表聲明，指出他對蘇聯將要提供的經濟援助感到滿意。[8]此外1944年蘇聯曾在新疆地區支持短暫的「東突厥斯

坦共和國」，此時同意中國在這片領土上重建權威，王震將軍帶領手下二十萬生產建設兵團的士兵立刻駐紮在新疆地區。在和蘇聯解決邊境安全問題後，毛澤東於3月4日回到北京，終於在紫禁城落腳，他批准了一系列建立新體制基礎的決定，並啟動了1951年「解放台灣」的軍事準備計劃。

基礎的改革（1950年6月）

新體制初期階段的立法情況中有兩件事值得關注：第一，主要的文獻中指出，從1950年冬天到1951年這段時間裏，中國與舊社會體制劃清了界限。第二，毛澤東雖不是發起人，卻也全程參與了這項運動。

毛澤東並沒有干涉1950年5月1日頒行的《中華人民共和國婚姻法》。這部婚姻法批准了八十萬包辦婚姻的婦女們提出的離婚申請。這無疑對當時的族長制大家庭帶來致命的衝擊。他很少過問由民族資產階級主導的制度推行和實施。誠然，新政體繼承了曾被日本人侵佔的國民黨龐大的國有化產業，從1949年開始，這些國有化產業佔工業生產值的34.7%。45萬私企有157萬工廠和作坊，產值從1949年的63.3%下降至1952年的44%。財政政策、原材料供應和合同都將這些企業與國有企業聯繫起來。對工會作用的肯定將私有企業主對獨立經營的渺茫希望徹底剝奪了。3月16日至4月中旬，中國共產黨第一次全國統戰工作會議[9]在北京召開，毛澤東明確指出，今天的主要鬥爭對象是帝國主義、封建主義及其代表國民黨反動派的殘餘，而不是民族資產階級。……從長遠和整體看，必須要民主黨

派。1950年6月6日,在中共七屆三中會議上,毛澤東作了〈為爭取國家財政經濟狀況的基本好轉而鬥爭〉[10]的報告,他重申:雖然已經在改革初期獲得顯著成果,但還不具備進行計劃經濟的條件。雖然改善了勞資關係,但「我們還無法實行社會主義」,因為中國的資本主義非常贏弱,新政體和民族資產階級之間的關係「空前緊張」,「工人階級和知識分子不滿意」。同時需要謹慎小心,「不要四面出擊」。面對一些對新政體心存疑惑的人,毛澤東表示寬容和理解。因此1950年冬天,一些共產黨幹部對寬大處理桂系將軍李濟深一事頗有微詞。這位1927年12月屠殺廣東公社的劊子手的收入相當於2,500公斤大米。可是毛澤東反駁道:雖然李歸附共產黨的時間有些遲,但他好歹「拯救了兩三萬同志的性命,也讓革命成功提前了一兩年」。[11]

毛澤東主要介入的是「新民主主義過渡階段」的主要改革,土地革命不能拖延:在這個領域,毛澤東的權威得到了所有人的認同。他的一系列指示和意見與劉少奇的立場完全一致,這點我們不難從土地法和1950年6月28日《土地改革法》中看出,卻與之後建立起的毛澤東思想的神話大相徑庭。因此,1950年3月12日,毛澤東發了題為〈徵詢對待富農策略問題的意見〉[12]的通知,提出冬天開始在南方幾省及西北某些地區的土改運動中,「不動資本主義富農」,「待到幾年之後再去解決半封建富農問題」。「孤立地主,保護中農,並防止亂打亂殺。」在6月4日給劉少奇的一封信中,針對劉少奇對土改法律的評論,為了防止再次發生「左」傾錯誤,毛澤東提到1946年至1947年的經驗教訓,並且補充了1934年運動中所做的階級分析:這樣的分析對保護中農有幫助。6月6日,毛澤東向中共中央做的報告

説得更加明確：「國家可以用貸款方法去幫助貧農解決困難，以補貧農少得一部分土地的缺陷。因此，我們對待富農的政策應有所改變，即由徵收富農多餘土地財產的政策改變為保存富農經濟的政策，以利於早日恢復農村生產，又利於孤立地主，保護中農和保護小土地出租者。」確實，四千七百萬公頃田地準備分配給三億農民，每個耕作家庭平均僅獲得一公頃土地，這就意味着貧農的貧困狀況不會得到多少改善。與此同時，土地革命在南部地區進展困難：遭到一些宗族的抵制。共產黨在那些地區既沒有支部也沒有積極分子，農民階級很難得到動員。此外，在中日戰爭時期部分鄉紳和共產黨地下黨員之間建立的聯繫很難切斷。計劃秋天的時候組織華北的復員軍人和革命老區的老幹部組成「工作組」南下革命，深入那些需要翻譯進行溝通的村落。但是工作組的工作很難推進，土改成果甚微，最貧困農民對土地的渴求難以解決。自秋天起，土改因為一件外部事件而加速發展，中國需要從貧農中招募「志願軍」參加朝鮮戰爭。

朝鮮戰爭（1950-1951）

1950年春天，毛澤東仍然把解放台灣和西藏放在第一位。這兩件事會延長中國的內戰，但他認為國際輿論無話可説。另外，美國當局的聲明都贊成這種解讀：美國的戰略利益不包括西藏，因為根據1914年《西姆拉條約》，西藏自治區保護國的角色從大英帝國變成了獨立後的印度。美國的戰略利益當然也不包括台灣，因為出於前車之鑒，杜魯門總統對蔣介石和國民黨軍隊的實力完全失去了信心。[13]

　　但是鑒於朝鮮半島局勢的發展，1950年8月4日召開的中央政治局會議不得不放棄解放台灣。[14]在日本戰敗投降的前夕，美國提出以北緯38度線即三八線為界，美國和蘇聯分別控制朝鮮半島的南部和北部。1948年朝鮮地區先後成立了兩個國家，由金日成領導的朝鮮民主主義人民共和國加入了蘇聯的陣營，由李承晚領導的大韓民國受到美國的保護。因冷戰而起的戰亂局勢嚴重傷害了朝鮮人民的愛國熱情：金日成想借助部分韓國民眾的支持重建由他執政的朝鮮國。但是他的想法卻沒有得到斯大林的支持。因為在一年前的柏林危機中斯大林吃了虧，知道美國不會任由蘇聯的衛星範圍擴張到日本的門戶。因此，金日成只好轉而向毛澤東求助，毛澤東沒有拒絕他的請求，中國重拾封建帝國時朝鮮保護國的傳統角色。2月，金正日還在莫斯科遇到了胡志明，而且向他提議倚靠中國對抗出征印度支那的法國遠征軍：在這件事上，毛澤東也採取了和封建帝王一樣的態度，因為越南君主是中國的旁系皇戚。在這兩件事上，毛澤東都得到了斯大林的鼓勵，斯大林對中國要求成立由北京主管的亞洲共產黨和工人黨情報局[15]一事作了有限讓步，因為這樣就能與莫斯科成立的歐洲共產黨和工人黨情報局相輔相成。儘管如此，毛澤東向金正日明確說明將在中國共產黨革命勝利後再介入朝鮮戰局。1950年5月13日，金日成在北京和毛澤東碰面時，沒有告訴毛澤東雖然斯大林對朝鮮的軍事行動開了綠燈，但不會因為局勢急轉直下而伸出援手。1950年6月25日黎明，朝鮮軍隊越過韓國邊界，快速向首爾進軍。6月27日，華盛頓宣布美國將派遣部隊支持李承晚，強大的美國第七海軍艦隊將他們在沖繩島和關島的航空母艦排布在台灣海峽。蘇聯沒有在聯合國使用否決權，因為蘇聯代表抗議

在聯合國安理會的中國代表席位被台灣國民黨政府繼續佔有。[16] 7月7日，朝鮮軍隊佔領首爾，抵達釜山地區，美軍收到恢復朝鮮半島現狀的命令。

8月4日毛澤東在政治局的講話思路非常清晰：雖然其他領導人為朝鮮的快速勝利感到高興，但也應防範美軍的反擊，那時中國就不可避免要抗美援朝。當時大家害怕美軍會轟炸中國的工業城市，甚至不惜使用原子彈。8月5日，毛澤東要求高崗在東北集合五十萬人的軍隊保衛邊境安全。8月20日，參謀部的一名官員提醒毛澤東要注意美國登陸仁川帶來的風險。這次登陸可能會顛覆金正日軍隊的部署，讓戰線拉長。9月15日，預期的災難爆發了：美國登陸引起朝鮮軍力的迅速崩潰。9月30日，韓國部隊越過三八線進入朝鮮。

對毛澤東來說，當時的局勢非常戲劇化。中國政府的干預不可避免，因為中國不能忍受本應該與國民黨軍隊合作出擊的一支敵軍出現在鴨綠江上。不過，他知道高層領導人內部意見不一致，大部分傾向於不參戰，他知道中國歷經多年戰亂，百廢待興，需要和平來重建國家。毛澤東憂慮焦躁，夜不能眠，只好依靠大劑量的安眠藥勉強入睡幾小時。10月1日他在中央書記處會議[17]宣布：如今的問題不是要弄清楚中國是否出兵朝鮮，而是何時出兵。同一日，斯大林要求毛澤東儘快派五六個師去朝鮮。10月2日，毛澤東寫了一份電報表示同意，但很快又修改了電報的內容，解釋說多數中國領導人對此表示沉默，並且要求延期。[18]在10月4日的中央政治局擴大會議上，林彪是這次軍事干預的主要反對者，之後朱德和劉少奇也加入到反對的陣營中。但是，周恩來卻支持毛澤東，而且不接受林彪的建議讓金正日以東北為大後方成立游擊隊。雖然這個建議非

常具有毛澤東主義的特點，但毛澤東堅決不同意，因為他不願意東部邊境不安定。10月5日，周恩來連夜通知印度駐華大使，要他轉告美國政府：若美軍跨過三八線，侵略朝鮮，中國不會坐視不管。與此同時，斯大林堅持認為台灣受美國軍艦的保護，中國政府的觀望態度不可能「解放」台灣。10月7日，美軍的戰車大舉越過三八線。10月8日，中國政府公開表示自10月2日起組織了一支由彭德懷將軍領導的中國人民志願軍，「幫助朝鮮人民抵抗美帝國主義的入侵」。10月10日，斯大林在索契約見周恩來和彭德懷。遵照毛澤東的指示，周恩來宣稱，既然斯大林在7月13日升級了124架米格-15戰鬥機和大量武器裝備，如果蘇聯不提供空軍和武器裝備的支持，中國將不會加入戰局。斯大林知道毛澤東只是虛張聲勢，因為他已經在這場戰局中投下重注，不然他也不會在10月8日致金日成的電報中宣布會儘快派遣中國志願軍進入朝鮮。因此，斯大林說如果中國認為軍事干預非常艱難，金日成將會以東北為基地組織游擊隊。大家不難發現這些正是10月4日林彪在政治局擴大會議上提出的建議。周恩來力爭到黎明，斯大林才同意提供蘇聯空軍保護，但只有當中國的城市被轟炸時才派出空軍。兩個月後，如何保護被送往朝鮮的志願軍才被列入考慮：在等待的這段時間裏，他們得在十分艱苦的條件下戰鬥。17日，多位將軍們提出來年春天再介入朝鮮戰爭，因為中國軍隊缺乏物資，無法適應朝鮮冬天寒冷的氣候，但早在10月13日，毛澤東就同意援朝了。

10月19日的夜晚，第一批志願軍跨過鴨綠江，隨後平壤被收復。美軍最初的幾次小型戰鬥將戰線向北方過度延伸，11月25日，彭德懷發起了一次空前的反擊，七週時間內殲滅了兩萬四千美國士

兵，光復朝鮮。1951年3月5日，漢城再度淪陷。中國軍隊付出了慘痛的代價，讓世界最強的軍隊蒙羞。當然，美國人利用絕對制空權，收復了部分失地。從1951年7月起，朝鮮戰爭進入休戰期。1953年7月27日，〈朝鮮停戰協定〉在板門店簽訂，重新確定了朝鮮和韓國的分界局面。這次血腥衝突帶來的後果十分慘重，官方統計中國軍隊損失了十五萬二千人。[19]

毛澤東在向中國志願軍發表的兩次講話[20]中指出：中國軍隊在朝鮮戰爭中獲得了寶貴的實戰經驗並且戰勝了世界最強的帝國主義。美國人都是「紙老虎」。但是毛澤東對蘇聯的信心開始動搖。更糟糕的是，毛澤東感覺整件事被斯大林操控和擺布。由此，中國的對外政策開始脫離早先毛澤東認同的斯大林模式。

彭德懷在整件事中汲取的經驗教訓是：中國的軍隊遭到重創。毛澤東式的軍事浪漫主義已經是過去式了，當務之急，中國應該建立一支適應新任務的現代化部隊：毛澤東堅持人民戰爭的觀點，彭德懷一直據理力爭。在朝鮮時，彭德懷多次違抗毛澤東下達的命令，因為在他看來這些命令都不切實際。他們倆之間的舊矛盾還沒有解決，又發生了新的狀況。1950年11月25日，志願軍司令部遭美軍轟炸，毛澤東擔任俄語翻譯的兒子毛岸英犧牲，年僅28歲。這個新的不幸又讓沒能好好保護他的彭德懷多了一個被反對的緣由。[21]

進藏（1950–1951）

朝鮮戰爭對中國共產黨具有十分重要的政治分量，同時也讓中共明確了要重建對西藏和新疆的主權。

　　1950年10月12日到18日，西藏部隊阻止解放軍在長江上游往西進發，被幾個師的解放軍輕鬆擊潰。雖然從未有任何國家官方承認過西藏的「主權獨立」，但慌亂的拉薩領導人仍舊在聯合國的即興演說中向美國、英國和印度呼籲「維護西藏獨立」，而幾個月後不得不同意派五位代表到北京和談。1951年5月23日，五位全權代表簽署了一份結束西藏非正式「獨立」的「十七條協議」，協議中承諾維持宗教文化自治。在此背景下，1951年8月17日在印度政治避難的十四世達賴同意回拉薩，並和毛澤東通信。1952年4月6日，毛澤東發表〈關於西藏工作的方針〉，明確指出在西藏事務上一定要遵從中央給西藏工作委員會的秘密指示。[22]毛澤東還將新疆問題和西藏問題相比。他認為，解放軍生產建設兵團的戰士們在新疆地區自給自足，不給別人添麻煩，被當地百姓們接受。但是西藏的實際情況更糟：地處偏遠，沒有漢族人口。長久以來，西藏民族都對中國的存在有所保留，所以長久以來中共都無法順利進行易於博得西藏人民好感的社會改革。達賴喇嘛和他的下屬們並非真正接受「十七條協議」的內容，毛澤東因此預測說對西藏問題欲速則不達，建議拖下去，一年或兩年後「一種是我們團結多數、孤立少數的上層統戰政策發生了效力，西藏群眾也逐步靠攏我們，因而使壞分子及藏軍不敢舉行暴亂；一種是壞分子認為我們軟弱可欺，率領藏軍舉行暴亂，我軍在自衛鬥爭中舉行反攻，給以打擊」。在這兩種情況下，可以進行延遲的改革，實施協議的所有內容，但那時，除了在拉薩駐紮了衛戍部隊，協議的其他內容都沒有實行。

　　和艱難的內戰時期一樣，解放軍在中國邊疆問題中扮演着決定性的角色，自1951年2月開始，氛圍更加緊張激烈，中國在西藏進行了徹底的土地革命。

密集的暴力階級鬥爭（1951–1952）

儘管有一些鎮壓和緩和的行動，但土地革命中的暴力現象經常發生。從1950年6月出台的法律中，人們可以解讀到，為防止經濟危機發生，毛澤東和劉少奇都意識到要疏導和控制事態的發展。但事實上，隨即出台的實施方法卻在一段時期內給中國帶來了大騷動。首先是成立工作組。由於共產黨成員只有四百五十萬，而要進行土改的新解放區擁有中國90%的農業人口，遍及九十萬村莊中的八十萬個，黨員人數不足以完成任務，更不用說多數黨員是因為在城市中建立新體制而入黨的。因此，共產黨員只佔工作組人數的10%，只有幾位幹部有華北土改的經驗。工作組的成員中還包括一兩名復員士兵，他們在內戰後剛參加了圍剿土匪和叛徒的行動，並且在農村組織了經過訓練的民兵支隊。大部分成員是從革命城市來的教師、中學生和大學生。他們的階級成分可疑，又年輕且缺乏經驗，憑着一腔熱情執行上級的指示。他們的首要任務是在各個村落徵收土地稅，這件事並不容易，三千多名工作組幹部為此丟了性命。但是，這些工作組成員住在當地百姓家裏，幫農民幹活，教文盲寫字，提供各種服務，逐漸贏得了一些農民的信任，更何況他們只針對富農。之後，他們就可以孤立那些過去的精英分子，確定其階級成分。工作組着手創立農會，主力軍是貧農。但是發展過程十分艱難，因為根據一份1951年年底的報告，這些農會中僅有20%擁有穩固的基礎，而且僅僅40%的農民參加了農會。接下來是召開集會，叫「批鬥大會」。[23] 個別與會者，通常是最貧困的那幾位，會揭露造成他們不幸生活的罪魁禍首是村裏兩到三戶地主家庭。可是，

大多數參與無止境批鬥大會的農民卻表現得沉默和無動於衷，因為長久以來他們對鄉紳充滿敬畏，而且害怕批鬥權貴以後會被打擊報復。之後，大會變成了暴力事件：有人提醒農民他們遭受到的不公平待遇，某個農會幹部把沒落的鄉紳打倒在地，得到鼓舞的農民一哄而上，羞辱、鞭打和虐待這些可憐的受害者，有時候被處私刑。通常情況下地主們會被逮捕，大批量地接受審判和被槍斃。超過二百萬的地主[24]就這樣被殺死，幾個月後主導農業社會幾個世紀的地主階級消失了。這是一場名副其實的社會大變革。這場殘酷的乞丐們的大反擊有時不區分地主、富農甚至中農。沒有人採用1934年毛澤東提出的標準來區分民選代表和死刑犯。農會幹部難免「矯枉過正」，更不用說他們知道，就像毛澤東所說，這場暴力風雲能將農民長期團結在共產黨領導下。1950年冬天，朝鮮戰爭、對美國攻打中國的恐懼、國民黨反攻、國家重建過程中遇到的經濟難題、土地再分配令人失望，都使得暴力事件雪上加霜。很快，暴力的氛圍蔓延到城市，人們開始追捕反革命分子。在1951年2月21日到5月底的「鎮壓反革命運動」中，71萬人喪生，這個數字在之後幾個月還有反彈。

毛澤東寫了一篇又一篇文章，發表了一次又一次講話。我們不難發現毛澤東關注、支持和引導着這場腥風血雨，並且任由事態發展。這讓人想起1926年冬天的毛澤東，那時他說：「革命不是請客吃飯」，為起義農民佔領了湘江流域的一些地區而歡呼。或者是1942年到1944年延安「整風運動」時期的毛澤東，受到革命信仰的啟迪，是一個冷酷無情的操縱者。

1950年年初，毛澤東第一次對新民主主義的穩健進程表現出不耐煩。在中共中央宣傳部部長陸定一的指令下，由香港拍攝的電影

《清宮秘史》[25]在北京放映。片中講述光緒皇帝和珍妃淒慘的愛情被慈禧太后阻撓，珍妃投井自盡。這部電影正面介紹了1898年被慈禧處死的革命家，而義和團拳手則是愚昧和排外的負面形象。這與共產黨實施的對知識分子的開放政策相符。電影的內容回應了1918年10月15日陳獨秀在《新青年》刊物上發表的諷刺文章〈克林德碑〉。但是毛澤東也許想起了1924年共產黨領導層的討論，那時他是組織部長，也參加了這場討論。討論的結果是1924年9月3日發行的《嚮導》中，陳獨秀發表了自我批評的文章，為義和團恢復名譽。因此，1950年3月，毛澤東說：「《清宮秘史》是一部『很壞』的電影，應該公開批判，被人們稱為愛國主義的影片，實際上是賣國主義影片。」

《清宮秘史》贊同溫和主義革命者，批判民眾暴力。一年後，另一部電影《武訓傳》也受到批評。武訓是杜撰的人物，1838年至1896年[26]在山東生活。他出生在一個非常貧窮的家庭，為大地主做長工。武訓早年沿街乞討，之後利用乞討得來的錢投資然後發家致富，創辦了讓寒門子弟免費上學的慈善學校。武訓得到光緒皇帝的嘉獎，成為群眾熟知的聖人。但不久被慈禧冷落。1934年國民黨發起新生活運動，在一些小學內立了武訓的雕塑。1944年，一些知識分子在重慶集會紀念武訓。著名文人陶行知[27]對武訓的評價非常正面。之後孫瑜着手開始編寫關於武訓生平的電影劇本，在共產黨員編劇夏衍的幫助下劇本於1950年完成。影片由當時的著名演員趙丹擔任主角，並且在上海的攝影棚完成錄影。大量新聞文章報道了電影的上映。這使得毛澤東大發雷霆，借由一篇江青[28]授意發表的批判《武訓傳》的文章，毛澤東嚴厲批判了這部電影和武訓這個人物。毛澤東認為武訓靠欺騙、高利貸和剝削農民發財，他辦義學的目的

是為了「傳播統治階級的文化，更好地奴役人民」。武訓崇尚意識形態模糊論，極力消除階級鬥爭的必要性。文章的結論具有威脅性：

> 特別值得注意的，是一些號稱學得了馬克思主義的共產黨員。他們學得了社會發展史——歷史唯物論，但是一遇到具體的歷史事件，具體的歷史人物（如像武訓），具體的反歷史的思想（如像電影《武訓傳》及其他關於武訓的著作），就喪失了批判的能力，有些人則竟至向這種反動思想投降。資產階級的反動思想侵入了戰鬥的共產黨，這難道不是事實嗎？一些共產黨員自稱已經學得的馬克思主義，究竟跑到甚麼地方去了呢？

毛澤東還宣布在黨內開展一場思想整頓運動，這讓人不禁想起當年整風運動最嚴厲的時期。

與此同時，伴隨着1951年10月23日中國人民政治協商會議第一屆全國委員會第三次會議的順利召開，三場大型運動正如火如荼地開展着：「抗美援朝愛國運動」，（自1950年11月、12月起）土改的深化運動，鎮壓反革命運動。[29]這些運動的開展引發了大量的暴力事件，其中不乏毛澤東的推波助瀾。每當事態發展嚴重，他會補充不應該「過早矯正」。[30]黃炎培給毛澤東寫哭諫書，轉達了浙江的地主朋友作為土改暴力受害者的訴苦和抱怨。1951年2月17日，毛澤東的回信中轉寄了前六個月給華東局關於鎮反工作和土改工作的兩個指示。毛澤東還向他建議到基層參觀，接觸實際，提高認識。但是毛澤東也表明對寬大處理那些反革命分子感到後悔，因為他們大肆造謠，影響群眾士氣。[31]

　　1951年毛澤東的其他文章承襲了同樣的風格[32]：堅持越來越嚴厲的路線，但保持謹慎。因此，2月28日，他要求不處罰那些被迫參與地主惡霸罪行的人們；3月9日，他明確指出鎮壓反革命已經結束，不應該再執行死刑：當然起不了甚麼作用。3月30日的文章中，他又明確說「鎮壓反革命無論何時都應當是準確的、精細的、有計劃的、有步驟的，並且完全應由上面控制」，「凡工作好壞，應以群眾反映如何為斷」。4月2日的批示要求「鎮壓反革命必須嚴格限制在匪首、慣匪、惡霸、特務、反動會門頭子等項範圍之內」。1951年9月18日，毛澤東在一封信中說：我們應該釋放某些反革命分子，監督他們的活動，因為我們已經勝券在握，他們已經對我們構不成任何威脅。要有藝術地進行觀察和調查。毛澤東明確說：「重罪輕判是錯誤的，輕罪重判也是錯誤的。」1951年5月8日，他的批示有明顯的收縮跡象：「凡應殺分子，只殺有血債者，有引起群眾憤恨的其他重大罪行……者。」5月15日，毛澤東提出鎮壓反革命要走群眾路線。他說：大批應判徒刑的犯人是數量很大的勞動力，為了改造他們，為了不讓被判處徒刑的犯人坐吃閑飯，必須立即着手組織勞動改造工作。毛澤東也是勞改制度[33]的創立者之一。

　　兩場群眾運動引發了各種運動，而這些運動的開展增加了成千上萬的受害者，證明了毛澤東施政中暴力的主要地位。1951年12月到1952年10月，「三反運動」旨在清除黨內的壞分子，反貪污、浪費和官僚主義。這些運動通常伴隨着黨員的階級成分調查。1952年1月到6月的「五反運動」則是反行賄、反偷稅漏稅、反盜騙國家財產、反偷工減料、反盜竊國家經濟情報。這項運動將矛頭指向民族資產階級不法資本家，有時非常暴力。例如，從1952年1月25日到

4月1日期間，上海累計有876樁商人自殺事件，負責調查腐敗的「工作組」長時間暴力禁錮這些商人，逼迫他們坦白交代。平均每天10起自殺事件。不過，鬥爭焦點集中在中小資本家身上，而在這場腥風血雨中大資本家受到保護：300名有一定身家的資本家在上海外灘著名的和平大飯店[34]集會，在統一戰線辦公室[35]負責人的熱情引導下進行自我批評。此外，毛澤東的行為一如既往地模棱兩可，當黃炎培[36]熱情建議各界「民主人士」採用一篇要求資本家們「完全接受無產階級思想」的文章時，毛澤東說應該建議他們「接受工人階級（即共產黨）的領導地位」，並補充說，在「一段時間內」必須承認私有經濟的存在，允許它在正確道路上發展。這樣的謹慎在1951年2月18日的決議中也能找到，這份決議要求春耕期間暫停農村的批鬥大會。1952年8月4日，毛澤東慶祝國家恢復了次序，要求大家「劃清敵我界限」。[37] 1953年1月5日，[38] 他重申說，許多幹部還沒有改正國民黨時期的惡習，宣布必須「清除」已經滲透進黨的「階級敵人」。「最嚴重者應處極刑，以平民憤，並藉以教育幹部和人民群眾。」

此時，我們看到毛澤東思想中的又一個精髓——通過「繼續革命」[39]來動員人民群眾：貧苦大眾自發革命，打倒他們的新舊壓迫者，以極高的熱情來工作和創造更多的價值。1950年6月23日，毛澤東在中國政治協商會議的閉幕演說中保證，新民主主義階段之後的社會主義階段會更加順利。這種令人擔憂的樂觀主義伴隨着對敵人的輕視。10月23日到12月29日，毛澤東發動了一項「增產節約運動」。1951年12月15日，這場運動延伸到農業領域，毛澤東命令印發一篇通知，建議「把農業互助合作當作一件大事去做」。[40]

1952年秋，成渝鐵路（成都—重慶）全線貫通，隴海鐵路延伸

至甘肅蘭州，[41] 寶成鐵路動工，毛澤東似乎感受到一種蘇聯式的熱情。他在鞍山鋼鐵廠參觀時（譯註：毛澤東給鞍鋼工人覆函，沒有去鞍鋼視察，此處似有誤），表揚那些工人在蘇聯工程師的幫助下滿懷「革命熱情」地工作，高爐生產能力超過資本主義國家。1952年10月底，毛澤東視察位於開封東部的黃河堤壩修葺工程現場 ── 1855年銅瓦厢地區的堤壩曾經決口，使得大量黃河水流向山東北部 ── 毛澤東詢問了隨同前來的工程師一些技術問題。吳芝圃為了迎合毛澤東對歷史的喜好，說起宋代在海濱發生的戰鬥，但是毛澤東絲毫不理會這個溜鬚拍馬的幹部。毛澤東詢問最多的是堤壩的高度、洪水的風險、加固堤壩的植被、這些植物做成飼料的可能性、在三門峽建立水壩的必要性和蓄洪區的建設。他顯得躊躇滿志：他將建設一個蘇聯模式的社會主義新中國。[42] 10月30日，劉少奇受邀去莫斯科講述新中國成立初期的情況後，向毛澤東傳達了斯大林的建議：儘快修訂憲法。毛澤東明白基本法的建立對於鞏固政體的合法性非常重要。對他來說，政體的性質不是支持資本主義的新民主主義，而是社會主義。1953年1月11日，他組成委員會着手修訂憲法。1月13日，毛澤東在國務院會議上批判了自清朝覆滅以來的中國的幾部憲法。同時，法律專家們研究了1918年7月的蘇聯憲法[43]和1936年的蘇聯憲法。之後，毛澤東對憲法的興趣似乎降低了。1953年2月15日到26日，他視察了武漢、南京和天津。事實上，他已經決定加快從新民主主義向社會主義轉變的進程，並在此框架內制定國家憲法。[44]

過渡時期總路線（1953–1954）

權力的孤獨

毛澤東1950年2月從莫斯科回來後，住在豐澤園內，此園位於紫禁城的中心、中南海的兩座湖之間。這裏是18世紀統治中國的乾隆皇帝的珍寶庫。豐澤園的南門上有一副乾隆的題字。頤年堂是毛澤東款待訪客、舉辦宴會和召開政治會議的地方，因為這裏有一個巨大的庭院。一條有屋頂的走廊將頤年堂與第二座院子相連，裏面種滿了松樹和柏樹，朝向主席的私人居室菊香書屋，毛澤東在北京居住時經常足不出戶。在這間房的中央，毛澤東放置了一張木質特製床，尺寸是一般床的兩倍大，床上堆着十幾本舊書，房間的窗戶一直緊閉着，拉上了厚重的絲絨窗簾。他在一張巨大的方桌上寫作，獨自用餐。飯廳平時很少使用，它把毛澤東的這個房間和江青的居室隔開了。江青的居室朝向一座種滿竹子、鮮花和葡萄藤的花園，園中的噴泉即使在北京的三伏天裏也能帶來絲絲涼意。毛澤東會在其中的一個小菜園裏修修剪剪，做做農活，另外還有一個25米的游泳池，[45] 一座叫「春蓮館」的舞廳。一個星期有好幾天，毛澤東和他的賓客們會與文工團的漂亮女孩子們跳舞，狐步舞、探戈或者華爾茲。1958年，毛澤東增設了一個會客廳，這樣可以讓他獨處一到兩個小時。解放軍有一支特殊部隊，叫8341部隊。這支部隊從各省市招募了好幾千士兵，由汪東興指揮，專門保護黨和國家主要領導人的人身安全。[46] 這支部隊在各個城市都有聯絡員，負責準備主席的訪問和挫敗可能的暗殺，很快成為毛澤東獨享的高效情報部門。

毛澤東越來越遠離群眾，他很少接待來訪者。他的生活很沒有

規律，這使他更加孤僻。凌晨三點甚至六點，他都還沒睡覺，需要服用大劑量的安眠藥[47]才能入睡，但是也只能睡幾個小時。有時候，他24小時不睡覺，之後再連續睡12小時[48]，白天他經常昏昏欲睡。當他精神好的時候，他很樂意和他的警衞們聊天，這些年輕人都是粗率的農民，會向毛澤東傾訴他們的困難。毛澤東也會向他們解釋他的失眠和腸胃問題。他特別欣賞警衞團團長一個叫李銀橋[49]的人。他有時候也會和他的秘書們交談，特別是田家英和葉子龍。毛澤東在北京的日子裏過着最高級別的隱遁的生活，但是他仍然保持着一個湖南農民的穿衣風格，吃飯離不開辣椒，不喜歡刷牙，也討厭洗澡。他的警衞們會用熱毛巾為他擦手，他的牙齒又黑又髒。[50]1954年，當李志綏[51]成為他的主治醫生時，毛澤東的健康狀況還算良好。他當時身高大約1.8米，體重只有85千克，身材不顯臃腫。他的主要問題是生物鐘不規律，由抑鬱引起的失眠、癬風、陽痿和頭暈時刻困擾着他，有時焦慮使他不能動彈。[52]

毛澤東既不喜歡北京城也不喜歡它的天氣，因此他喜歡到各省市視察。一有機會，他就會在別墅一連住好幾週，那些別墅多是逃跑的貴族留下的，或者是為了他的心血來潮而建造的，因此大多數都坐落在中國中部和南部。他出行時的交通工具通常是專列，[53]很少坐飛機。[54]毛澤東最喜歡的地方是廣東、杭州、上海和武漢。1959年，毛澤東在訪問韶山時說，希望今後能在「茅草屋」裏養老。[55]陶鑄是中國共產黨中南局的第一書記，他為毛澤東修建了一座非常奢華的住所名為「滴水洞」，[56]少年時的毛澤東很喜歡在附近的山坡上散步。

但是，毛澤東的生活越來越與世隔絕。此時，江青經常生病，

很多時候臥病在床。1955年，她開始在莫斯科接受子宮頸癌的鈷炮治療，並且在那裏休養了大半年。她還向一位蘇聯醫生透露她和毛澤東已經有一段時間不同房生活了。[57]總而言之，1952年到1953年，毛澤東給親友的信函中還語帶關切地提到他夫人的身體狀況，但是之後幾乎不再過問了。他每晚都和舞女們尋歡作樂，這些年輕的鄉下女孩都為毛澤東的偉人形象着迷。他的護士們也個個年輕漂亮千依百順。信奉道家傳統的毛澤東認為他與那十幾個年輕女子的性關係能幫助他延年益壽。[58]後來，當疾病把他折磨得難以忍受，他才擁有了一些真正的情婦。特別是1944年出生的張玉鳳，1962年和毛澤東相識，當時她是毛澤東專列上的乘務員。1969年開始，毛澤東的所有出差旅行都有她陪同，直到1974年成為毛澤東的專屬秘書。[59]毛澤東的書面報告經常是由文件和書信中的筆記整理而成的，而毛澤東從1958年開始已經不參加政治局的會議了。他的家庭成員非常少。沒有和他正式離婚的第二任夫人賀子珍1947年8月從莫斯科回來，在上海生活了一段時間後去了南昌，最後於1984年在南昌離世。她一直被精神錯亂折磨着，毛澤東再也沒有和她一起生活過。[60]他們唯一在世的女兒李敏於1936年在延安出生，生活在中南海並且在首都師範學院讀書。李訥作為江青唯一的孩子，於1940年在延安出生。她也生活在中南海，並且由江青的長姐照顧，直到1959年進入北京大學，像其他的所有學生一樣成為寄宿生。毛岸英在朝鮮犧牲後，毛澤東和楊開慧的兒子只剩下了1923年出生在長沙的毛岸青，但毛岸青卻患上了精神分裂症。毛澤東只和他的侄子毛遠新保持往來，毛遠新是毛澤民的兒子，他的父親在1943年被一個新疆的軍閥槍決。1941年出生的毛遠新也生活在中南海，之後進入

哈爾濱軍事工程學院學習，「文化大革命」初期他成為陸軍少將。在動盪的「文革」中，毛澤東和王海容就紅衞兵的問題有過一些政治對話。王海容於1938年出生，畢業於北京師範學院。除此之外，毛澤東在新中國成立初期與韶山和湘鄉的表親、楊開慧的兄長、長沙師範學院的一些老師和同學也保持着書信聯繫。這些連絡人中有部分人的家庭成員是土改的受害者。毛澤東向他們慷慨獻計，但似乎不起作用。他與哲學家李達通過書信，討論辯證唯物主義思想，向黨組織推薦過幾個親戚，從巨額稿費中拿出錢，給經濟困難的熟人匯過款，和周世釗一起追憶過去：風起綠洲吹浪去，雨從青野上山來。尊前談笑人依舊。[61] 這些昨日的聲音一點點變得模糊起來，輝煌的過去讓這些有血有肉的人物久久縈繞在毛澤東腦海裏，就像毛澤東1936年寫成、1945年發表的那首著名的詞〈沁園春‧雪〉所呈現的那樣。1954年夏天，毛澤東在北戴河邊散步，漁船甲板上的景色和岸邊被浪花拍打的礁石都讓毛澤東回憶起追求長生不老的始皇帝秦始皇和《三國演義》中「大江東去浪淘盡」[62] 的主角曹操。

之後，毛澤東開始了駛向烏托邦的冒險旅程。

加快過渡（1953）

早在1952年8月，毛澤東在分析過渡時期「總路線」的一份報告中保證，將有步驟、有計劃地對資本主義進行改造。[63] 1952年9月24日，毛澤東在秘書處談論第一個五年計劃。他說新民主主義階段已經接近尾聲，宣布「社會主義過渡時期」開始，70%的工業和60%的商業[64] 已經實現了國有化，10到15年後就能完成新民主主義到社

會主義的過渡。如此加速過渡的原因仍然是專家們爭議的內容[65]（本來這個過渡應該在1949年後的10到15年才開始），部分評論者堅持強調客觀原因：發展自身會推動國家進步，並帶來比預期更迅速的經濟復蘇。1953年2月7日，中國人民政治協商會議第一屆全國委員會第四次會議閉幕，毛澤東致閉幕詞，明確肯定蘇聯模式的經濟增長方式。[66]這種方式需要國家的規劃，只有當生產和交易國有化、農業集體化時才可能實現。1953年3月蘇聯給中國提供了重要的經濟支援，第一個五年計劃的方針被採納，不過計劃的目標到1955年7月才確定。

很顯然，毛澤東在這次縮短新民主主義階段的過程中起了主導作用。雖然務實派的毛澤東經常提醒他的合作夥伴要謹慎，但他一直將資產階級視為需要壓制、孤立和盡可能消滅的敵人。民族資本主義從前被歸類為需要保護的對象，但是這一時期包括民族資本家在內的整個資產階級逐漸變成了主要的敵人。「五反」運動期間，毛澤東在各種場合表達了這樣的意思。1952年1月5日，[67]毛澤東給北京市委批示，認為瀆職和賄賂是「資產階級存在我內部的堡壘」，他的結論是不能再維持「新民主主義」追求的公有與私有之間的平衡，因為「必須首先考慮國家的經濟利益」。1952年2月，公安部部長羅瑞卿報告：[68]發起「三反」運動時，「對資產階級猖狂進攻這一點，開始還忍着，以後總理、薄一波[69]同志就公開罵，講資產階級怎樣壞，怎樣猖狂進攻，忘恩負義。如果不反，就要成為資產階級，要求適合於資產階級的許多政策……『三反』運動最厲害，因此這次一定要搞徹底，否則共產黨一定要垮台」。1953年2月27日，薄一波受

到毛澤東的批評。毛澤東認為薄一波的公私一律平等納稅的計劃找資本家商量了，是「右傾機會主義」錯誤。事實上，毛澤東認為不能照顧資產階級，而是應該逐步消滅他們。[70]

1953年3月5日斯大林去世。斯大林的死使毛澤東成為國際共產主義運動中最有威望的共產主義領袖。在3月9日的一篇社論中，中國共產黨將斯大林比作「我們這個時代最偉大的人」，讓中國人民以他為榜樣「化悲憤為力量」。[71]顯然，首先要進行社會主義建設。1953年3月19日，毛澤東在一項指令中要求要解決「五多」問題：「任務多，會議集訓多，公文報告表冊多，組織多，積極分子兼職多」，[72]這五個問題使幹部嚴重脫離人民群眾。當今的首要任務是發展生產力而不是階級鬥爭。「目前我國的農業，基本上還是使用舊式工具的分散的小農經濟。」農民群眾佔全國人口的80%以上，因此，「不能對農民施以過多的干涉，還只能用價格政策」。出現這種睿智的想法在很大程度上可能是因為當時正值水稻插秧和春耕季節，不會持久：1953年6月13日到8月15日（譯註：應為8月13日結束，此處似有誤），全國財經工作會議召開，原本15天的會議卻持續了兩個月。從6月15日開始，毛澤東批評「某些幹部」想「仍然停留在原來的地方……還在繼續搞他們的『新民主主義』，不去搞社會主義改造，這就要犯右傾的錯誤」。[73]毛澤東批評了薄一波，但事實上，他瞄準的是這個次要目標背後的陳雲、周恩來和劉少奇。[74]與劉少奇一向交惡的高崗和認為自己上位時機成熟的饒漱石經過一番深思熟慮後，[75]指責劉少奇在1947至1949期間不同意毛澤東的意見。掌握了優勢的毛澤東順勢邀請高崗和劉少奇做檢討。相比不怎麼機靈的高崗，陳雲和鄧小平清楚毛澤東需要借助劉少奇的治國之才和他與蘇聯的良

好關係，不可能將他清除出中共的政權。[76]因此他們叫停了這次不合時宜的秋後算帳。[77]8月11日，周恩來非常配合地在大會上逐字重申了「總路線」，雖然與會代表意見不一，但一致通過了這條「總路線」。7月9日，毛澤東在周恩來經過討論的報告中補充了一條批示，表達他的意願：自1949年以來，這種「新式國家資本主義」是「用各種形式和國營社會主義經濟聯繫着的，並受工人監督」。雖然「工人們還要為資本家生產一部分利潤」，[78]但「帶着很大的社會主義性質」。在8月12日的閉幕致詞中，[79]毛澤東更是直言不諱地指出如果「左」的錯誤是普通錯誤的話，某些幹部的資本主義傾向則是「原則性的錯誤」，是「資產階級思想在黨內的反映」。「三反」「五反」活動嚴厲打擊了這種思想，但並沒有推翻這種「違背馬克思列寧主義」的立場。1949年3月，毛澤東在七屆二中全會（西柏坡會議）上強調了「糖衣炮彈」的危險。他認為財政部部長薄一波自己也受到了資本主義「糖衣炮彈」的影響，新稅制以公私平等為藉口，「發展下去，勢必離開馬克思列寧主義……向資本主義發展」。因此，我們要從「活動範圍、稅收政策、市場價格、勞動條件等方面加以限制」。我們要重點發展振邦興國的重工業，有序地引導資本主義經濟和商業轉變成國家資本主義，平穩過渡到社會主義，同時也要加強農業合作。薄一波認為農業合作是一種空想，這是錯誤的。「現在有兩種統一戰線，兩種聯盟。一種是工人階級和農民的聯盟，這是基礎。……將來國有制和集體所有制也是有矛盾的。這都是非對抗性的矛盾。工人階級和資產階級的矛盾，是對抗性的矛盾。」

讀這些文獻的時候，有件事讓我印象深刻。1957年後的「大躍進」和再之後的[80]「文化大革命」中使用的語言，在毛澤東此時的講話

中已有跡可循。他開始說「右派」，「兩條路線的鬥爭」，一條是他自己的路線，是「無產階級的路線」，另一條路線是共產黨變成資產階級政黨。他剖析「敵對或不敵對的潛在矛盾」，並強調「黨內存在資產階級思想」的危險。他開始重提延安的「整風運動」。1953 年 2 月 19 日至 22 日，毛澤東乘艦艇從武漢沿長江南下，他向船員們說：「我們的國家一窮二白。」[81] 他還沒有發現國家貧窮有甚麼好處，但是 1958 年他就發現了。此時他使用的某些表述和放棄蘇聯模式後的說法是一樣的。他參考蘇聯《政治經濟學教科書》也使我們隱約發現他對於蘇維埃社會主義性質的思考。當然，對他來說，社會主義首先是工商業的國有化及土地的集體化，這是他此時致力完成的事情。他此時所設想的社會主義是一種國家資本主義，有一些保障勞動者的社會分配手段，與蘇聯的社會主義不同。毛澤東是當時談論第二次過渡的唯一一個共產主義領導人，所謂第二次過渡是指，當所有的私有制和資產階級思想消失後，社會主義將過渡到共產主義社會，沒有階級，沒有社會主義政體，以「按需分配」為基礎。因此，他擔心在中國鞏固資本主義、削弱對群眾的必要動員將阻擋進入這個天堂的道路。毛澤東自認是這場在各方面受到資本主義及資產階級思想阻撓的革命的最佳代言人，甚至是唯一的代言人。

因此，我們能更好地理解為甚麼意識形態的鬥爭越來越激烈，而此時，1949 年勝利後的第一次政治危機也在幕後愈演愈烈。毛澤東需要掀起一場風暴，人為地製造革命的緊張情緒，這是他的空氣。

與此同時，毛澤東有效地鞏固了夏天以來的勝利。1953 年 9 月，他和周恩來與不同的「民主人士」討論「總路線」，他們認為這是「新民主主義」的必然發展趨勢。有些「愛國民族資產階級」嘗試建議

由國家負責重工業，由私營經濟負責輕工業，未果。只有梁漱溟認為加速工業化將給農民造成巨大的負擔。不久，他的這一想法引起毛主席極大的不滿，遭到痛斥。1953年9月23日，一屆全國政協常務委員會第五十次會議一致同意通過「總路線」。

之後，毛澤東重新投身到新憲法的修訂中。1953年12月28日，他在陳伯達、胡喬木及田家英的陪伴下來到杭州西湖邊著名的劉莊，這是乾隆皇帝非常喜歡的名園。在接下來的兩個月內，他不分晝夜地工作，處理了大量信件。[82] 1954年3月17日回到北京時，憲法草案已基本完成。隨後他組織了八千多人參與討論，提出了近六千條修改意見。這不是一個簡單的走程序的過程：仍然受到保護的資產階級建議將憲法第1章第11條進行修改，「國家保護公民的勞動收入」被改為「國家保護公民的合法收入」，而公民的私有財產的繼承權被寫入第12條。1954年9月20日，憲法最終公布實施，憲法強調中國是一個社會主義國家。[83] 憲法第1章明確指出，在建設社會主義的過程中，國家保證優先發展國營經濟，對富農經濟採取限制和逐步消滅的政策，改造個體經濟。國家資本主義經濟之路被堵上了。1954年6月14日，毛澤東出席中央人民政府委員會第三十次會議。本次會議對憲法進行了充分的民主討論，引起據說「一億五千萬參加者的討論」，事實上，這個數字包括由政府選定的代表和在集會上聽取講話後鼓掌的守紀律的群眾。[84]

與此同時，幹部及知識分子被要求進行無休止的關於意識形態的再教育，其間學員反覆學習關於馬克思列寧主義基本原理的語錄。[85] 1951年10月到1953年4月，《毛澤東選集》的前三卷先後問世（1925–1941），大大方便了這一培訓工作。對文本的選取及修訂工作

得到了蘇聯專家的幫助，補充了大量列寧─斯大林式的枯燥語言，毛主席親自蓋章。毛澤東成了一個負責的管理者、馬克思理論家、永遠正確的政治戰略家。文章的篩選標準很嚴格：在 2,212 篇文章中收錄了 159 篇文章，只佔總數的 7%。[86] 1960 年出版的第四卷收錄到 1949 年為止的文章，那時前三卷已經出版發行一千零八十萬冊。

第一次政治危機：高崗、饒漱石事件（1954）

1953 年，在昔日的偽滿洲國、現在的東北三省任主席的高崗（「東北王」）被毛澤東上調到中央，擔任國家計劃委員會主席。我們知道高崗接受這次晉升的時候有些猶豫，因為這樣他就得離開自己權力的基礎，就像「一隻離開自己山頭的猛虎」一樣。同時，他要與在經濟方面比他更有見地的陳雲和李富春共事。當然，長征結束時，他在自己的游擊區接待過毛澤東，這樣的往日情誼使他安心不少。另一方面，這個新差事對加速社會主義進程有戰略意義，這符合他深層次的意願。也許加速社會主義進程正是毛澤東選擇他的主要原因。[87] 同一個月，一紙調令也將饒漱石調到了中央。饒漱石和陳毅共同執掌華東區的政治及軍事大權，該區包括了上海及長江下游多個富裕的省份。但饒漱石和陳毅意見不合。饒漱石擔任中共組織部部長，是高崗掌權的國家計劃委員會的成員。高、饒二人私交甚淺且作風行為截然相反。[88] 高崗性子剛烈強硬，嗜酒好色，因斯大林贈予其蘇聯轎車常常自鳴得意；與他相比，曾在國外生活，且在上海社交圈歷練過的饒漱石就顯得優雅很多。但是，他們有兩大共同點。首先，兩個人各自掌握着新中國兩大重要的工業區。隨着

第一個五年計劃的推行，這兩大工業區的重要性進一步提高。其次，他們都與劉少奇關係很差，自1945年以來，劉少奇成為中共黨內的二把手。事實上，高崗與劉少奇的矛盾由來已久，與劉少奇關係較好的彭真在東北領導問題上和高崗長期相持不下。至於饒漱石，則是1941年在新四軍重組問題上與主掌華東地區事務的劉少奇產生了矛盾。[89]但是，兩人被先後升職到中央之後，因為宮廷的陰謀已經不可避免地互相靠攏，此時毛澤東已經成為一位遠離現實的紅色皇帝。[90]危機的爆發源於1953年春天毛澤東和高崗之間的三次談話。毛澤東在高崗面前抱怨劉少奇「右傾保守主義」，而周恩來「原地踏步」，沒有緊隨「群眾的革命熱情」。很快，高崗意識到主席邀請他的目的是讓他批判兩個自己不待見的人。而且，他掌管的國家計劃委員會與周恩來主持的政務院和財政經濟委員會存在深層次的權限衝突。財政經濟委員會由周恩來、陳雲、鄧子恢、李富春、薄一波和鄧小平組成。1951年7月，劉少奇批評山西領導試圖將互助組變成合作社，而此事並沒有諮詢毛澤東的意見，這讓毛澤東心生不快。從1951年9月的通信中可以看出，其實毛澤東想組織的是農業合作社。1953年3月至8月，毛澤東先後三次批評劉少奇和鄧小平在未經允許的情況下下達一些指示，提醒他們黨的七大[91]賦予了他否決權。缺乏判斷力又被野心衝昏頭腦的高崗認為，毛澤東有意拋棄劉少奇。饒漱石很自然地跟風而來，因為他討厭劉少奇和與劉少奇、薄一波關係密切的安子文。安子文在饒漱石之前曾任組織部長。一時間，黨的領導層格局似乎偏向於突然發難的「左」派，越來越失去耐心的毛澤東與更了解實際情況的周恩來、劉少奇、彭真和薄一波關於「總路線」問題存在分歧。實際情況是，1953年春天的人

口統計結果比預期多了近1億人，農業生產相對人口增長而言發展遲緩。1953年4月，一道指示結束了農民大規模湧入城市的風潮。社會關係的緊張使中央的鬥爭更加錯綜複雜。1953年6月13日到8月13日在北京舉行的全國財經工作會議上，這一場政治危機浮出水面。夏天的頭幾個月，毛澤東與劉少奇、陳雲、鄧小平及周恩來就執行總路線還是繼續新民主主義的問題有分歧，討論過很多夜晚，最終達成一致。毛澤東獲得了根本勝利，但大家各自有自己的立場。高崗完全沒有意識到危機，從1953年夏天到初秋，他在華南地區奔走游說，組織了一場實實在在的反對劉少奇及其同僚的黨內運動。高崗聲稱獲得主席的支持，並從饒漱石那邊得到一份秘密情報：包括「薄一波」在內的61名共產黨員的生平資料。1936年為了能從國民黨監獄中獲釋，他們按照「白區」領導人劉少奇的指示，[92]在懺悔書上簽了字。還有一份「八大」政治局委員和各部委分工名單。高崗說這61個人是叛徒，並煽動害怕落選的高級幹部的不滿情緒。

9月初到10月28日，劉少奇主持召開全國組織會議，為第一個五年計劃進行全黨動員。饒漱石在會議上突然發難。當議題進入到八屆全會的準備工作時，饒漱石揭露了薄一波和安子文「生平」的一些「污點」，直接與指示他們簽字的劉少奇針鋒相對。劉少奇馬上向毛澤東彙報了情況。毛澤東秉持張弛有度的處理態度，支持劉少奇：他祝賀安子文領導下的組織部在「三反」活動中取得重大成績。在這期間，高崗反劉少奇的活動也進展得不盡如意：彭德懷在1940年「百團之戰」後與劉少奇關係平平，一度比較認同高崗。而自認為與政治局關係疏離的林彪態度搖擺，但他對毛澤東的忠誠不容置疑。陳雲猶豫不決，但是高崗的左派想法他確實不認同。鄧小平用

兩個月時間來揣測毛澤東的真實用意,當他意識到高崗大勢已去時,向毛澤東告發了高崗,陳雲幾乎用了相同的處理方式。10月底高崗回到北京,立刻與毛澤東會面為饒漱石辯護──在主席看來,背後有個巨大的陰謀。1953年11月初,毛澤東告知負責公安部的羅瑞卿「對這麼遲才彙報高崗和饒漱石的分裂活動表示強烈的不滿」,並要求他對於正在進行的「陰謀」進行調查。

在此期間,毛澤東把黨的領導方向引向路線「左」傾,一切反對「總路線」的不同意見都得到清算:毛澤東不再需要兩個孤零零的野心家[93]的支持了。1953年9月16日至17日,中央人民政府委員會第二十七次會議舉行,本次會議邀請了一週前參加政協常委會的代表列席。會上毛澤東前所未有地粗暴批判了國學大師梁漱溟。[94]梁漱溟在政協常委會上質疑1951至1952年為朝鮮戰爭向農民徵收重稅的舉措,他說「工人生活在九天之上,農民生活在九地之下」,要求行「仁政」,反對毛澤東實施以韓非為代表的法家的「暴政」。[95]盛怒之下的毛澤東在台上破口大罵這個1938年在延安被自己稱為「大師」的人,「梁漱溟沒有一點功勞, 沒有一點好處⋯⋯ 你這是婦人之仁!」。梁漱溟為農民請命,與會代表對他的質疑聲此起彼伏,不讓他發言。作為農民的兒子,毛澤東對傲慢的文人一直有不屑的心理,年輕時的反儒思想再次發作。[96]這次激烈的爭論後,毛澤東批判梁漱溟走「資本主義道路,比薄一波更糟糕」。[97]毛進一步解釋說,如果使農民和工人的收入水平相當,就無法實現工業化、建設社會主義,這也就意味着他的發展戰略被全盤否定了。1953年10月26日至11月5日,在幾次預備會議後,第三次農業互助合作會議召開。[98]從10月15日開始,毛澤東與中共中央農村工作部的負責人談

話，請他們至少要走訪兩到三個縣級農業合作社[99]，他說：「各級農村工作部要把互助合作這件事看作極為重要的事。⋯⋯對於農村的陣地，社會主義如果不去佔領，資本主義就必然會去佔領。資本主義也能促進農業生產，但好行小惠，難矣哉。」毛澤東指出，劉少奇主持修訂的土地法中有些條款，如搞「四大自由」（指在土改後的農村中允許農民有借貸、租佃、僱工和貿易的自由），結果就是發展少數富農，走資本主義道路，必須禁止這些措施，大力發展100–200戶的合作社，將現有的合作社增加3倍，甚至5倍。「互助組」其實不足以發展生產。11月4日，毛澤東在討論中指出，要堅定地前進，1954年春天到秋收，要發展三萬二千多個合作社，1957年可以發展到七十萬個，1958年可能達到一百萬個，也就是說，新中國所有的農民都要加入合作社。毛澤東對於1953年春糾正「急躁冒進」風吹倒了一些不應當吹倒的農業生產合作社感到遺憾，認為急於求成是個錯誤，但是應當建立合作社的時候不建立也是錯誤的，而解散合作社就更是個錯誤。1953年12月15日，農業合作化運動重新發動。

與此同時，11月19日做出了另一個重要決定：建立一個由國家壟斷的統購統銷體制。至此，國家控制了糧食貿易，幾個月後又對油料作物和棉花實行統購統銷，這就完全杜絕了農業資本主義的發展可能性。1954年8月，糧票制度在農村建立[100]，旨在保障困難地區生活水平，提高城市生活水平，控制流動人口。1954年秋到1955年春，農村遭受水災，而農民需上繳的糧食增加了二百五十萬噸。為了反對那些逼他們加入合作社的領導幹部，他們宰殺牲口，砍倒果樹，避免使之成為公家財產，暴亂時有發生。1954年4至5月，中國陷入了糧食危機，政府開始嚴格控制國家糧食配送份額，這一方

面是為了防止農村幹部濫用職權，另一方面是為了安撫生產者。

在緊張的時局下，毛澤東迅速了結了高饒事件：這個事件在推行「總路線」時威脅到了黨的內部團結，是不合時宜的。12月初的一次政治座談上，毛澤東表示身心俱疲，想退居二線休息，把權力交給劉少奇。還沒有意識到危險的高崗，提議輪流主持中央工作，不設秘書長，增設總書記。高崗自己瞄準了這個位置。1953年12月24日，毛澤東去杭州前召開了一次政治局擴大會議，會上批評高崗進行分裂活動，和饒漱石成立了一個「地下司令部」。高饒兩人突然吃驚地發現他們已經被毛澤東拋棄，並完全孤立。1954年2月6日到10日，中共七屆四中全會繼續給高崗、饒漱石兩人施壓：2月15日到25日，由周恩來主持召開關於高崗問題的座談會，高崗被揭發生活作風腐化，濫用毛澤東的權威暗自在黨內策劃「建造獨立王國」，必須在24日做自我檢討。對於饒漱石的批判大會由對他深惡痛絕的陳毅主持。高崗在一次自殺未遂後於同年8月服藥自盡，這一行為被看作是「自絕於黨」。饒漱石被囚禁至1975年去世。與這兩位失勢領導人或多或少有關聯的人也在此時一一消失，包括以潘漢年為首的在上海搞多年地下工作的同志。1955年3月21日到31日，中國共產黨全國代表會議通報了高饒事件。[101] 為了弱化這次政治危機的嚴重性，陳雲、李富春和鄧小平首先發言介紹了「總路線」和準備在同年7月全國代表大會上討論的第一個五年計劃，隨後大家批判「高饒反黨聯盟」。在3月21日的開幕講話中，毛澤東介紹，隨着社會主義事業構建成功，「激烈的階級鬥爭就此展開」。在3月31日的總結報告上，毛澤東以非常斯大林式的口吻說這一事件是隨着社會主義建設的進展「階級鬥爭尖銳的表現」，這次會議是延安整風以來的又一

次整風會議。我們可以發現這兩次會議中，康生的暴力監察方式——打倒任何違背毛澤東意志的人——都起到了關鍵性的作用。毛澤東自己也承認案件的專斷性：「我們沒有材料證明高饒反黨聯盟，但即便沒有材料，很多事件證明了這個組織的存在。」梁漱溟有理由擔心以國家意志的名義回歸法家統治會造成「黨的意志唯上」，甚至是最高領導者的意志唯上。

與知識分子幾近決裂：胡風事件

與此同時，為了加強專制統治，1954年秋，毛澤東結束了1953年春以來寬鬆的意識形態政策，開啟了對著名知識分子俞平伯、胡風的瘋狂批判。[102]

1923年，北大學者俞平伯出版了第一部作品。得益於「五反」運動過激後得來的相對寬鬆的環境，他開始潛心研究著名小說《紅樓夢》，[103] 婉拒了毛澤東秘書胡喬木勸他放棄「理想主義」，多多參考「馬克思主義」的忠告，於1952年出版了他的一部紅學研究文集《紅樓夢研究》。俞平伯從胡適1921年發表的論文中得到啟示，認為《紅樓夢》是一齣愛情悲劇，也有自傳體的色彩。而毛澤東及其周圍的馬克思主義學者則認為《紅樓夢》是「對封建主義的批評」。1954年春，俞平伯將這篇文章的草稿送交胡喬木審批，胡喬木提了些意見，並要求他重寫。俞沒有修改，徑直把文章送到《新建設》雜誌發表。他拒絕承認黨在文化領域的領導地位，被認為是對1942年「延安文藝座談會」權威的挑戰。初秋，山東大學的兩個學生李希凡和藍翎在導師的支持下在當地雜誌上發表了兩篇文章，用馬克思主義

批判俞平伯的觀點。山東是康生和江青的故鄉，我們知道1951年毛澤東曾借助江青和一個年輕的學者批判電影《武訓傳》。當時《文藝報》的主編是魯迅的好友馮雪峰，雖然馮雪峰力主創作自由，但還是沒有同意發表共青團積極分子李希凡和藍翎的文章。接到上級的命令，1954年10月10日的《光明日報》和22日的《人民日報》先後刊登和轉載了這兩篇文章。16日，毛澤東給中共中央政治局及有關同志寫〈關於《紅樓夢》研究問題的信〉，認為對《紅樓夢研究》的批判是「反對在古典文學領域毒害青年三十餘年的胡適派資產階級唯心論的鬥爭」。他說，《清宮秘史》在全國放映以後，一直沒有被批判。《武訓傳》雖然批判了，卻沒有引出教訓，他認為身為共產黨人不宣傳馬克思主義是「可怕的」。接下來的數週，大量措辭嚴厲的文章開始抨擊不幸的俞平伯。被孤立的俞平伯不習慣這樣的待遇，在1955年3月15日進行了自我批判。然而，在此期間，隨着馮雪峰10月30日的自我批判，事情出現了一些轉變。《文藝報》主編被免職囚禁，女作家丁玲被疏遠，報紙及雜誌的領導被換成周揚推薦的觀念正統的專家。郭沫若在1954年12月初的《文藝報》上總結了這次批判運動的目標：「不只是文學、歷史、哲學、經濟、語言、教育和自然科學，所有這些方面都要進行階級鬥爭。」言下之意，黨要控制一切，任何創作都是宣傳的形式。

同一時間發生的胡風事件顯然更為嚴重，主要是由於胡風追求作家的創作自由和個性。從1930年開始，胡風就與中共文藝界領導人周揚的觀點相衝突，並拒絕毛澤東1942年在延安文藝座談會上提出的指導意見。1954年7月，胡風向中共中央政治局遞交了一份三十萬字的報告，說明自己對共產黨文藝政策的看法，報告的語氣誠

懇，胡風是把自己的舉動看作傳統文人的進諫。他在報告中提到「黨在作者頭上插了五把刀子」：創作主題服務於黨；必須參考馬克思主義文獻；革命是靈感來源；在工人、農民、士兵中選擇主人公；人物非善即惡，「不是紅色就是黑色，不存在灰色」，與現實明顯不符。胡風深受導師魯迅思想的影響，像魯迅一樣追求1919年五四運動提倡的創作自由。1954年12月，黨內展開對胡風的批判，毛澤東的兩篇文章一下子使他成為眾矢之的，一篇是1955年5月24日在《人民日報》上發表的評論，另一篇是6月10日為《關於胡風反革命集團的材料》作的序言。關於此次事件，我們能在「紅樓夢事件」中找到類似的邏輯，其中心內容是「揭露胡適的資產階級自由主義」。此時，毛澤東正在處理高崗和饒漱石事件，他認為還存在另一個陰謀。雖然毛澤東說「不能剝奪廣大群眾批評的合法權利」，但是一切對反革命的縱容都是不允許的。於是人們組織了輪番批鬥會，對胡風的家庭施壓，讓他的家人揭露他，批判他的文章劈頭蓋臉而來，以惡意歪曲他所有的文章。終於，他被認為與國民黨地下特務勾結，因為在1947年9月的一封信中，胡風請北京的一位朋友向警察局局長說情，營救一位可能被處決的共產黨嫌犯。如此，類似於1942至1944年延安整風運動的氣氛在知識界蔓延。康生的情報機構此時全力配合周揚，一百五十多位與胡風有牽連的文人受到迫害，數千名知識分子人心惶惶。在這次批判運動中，在西方大學特別是在美國受過教育的文人首當其衝。共產黨和知識分子的隔閡越來越嚴重。不久之前的擔心與猜疑現在成了事實，1955年5月25日胡風被作協除名。一年前，他在全國人民代表大會上被選為四川省代表，一年後被掃地出門。胡風5月18日被捕，先後在看守所和勞改

農場待了近四分之一個世紀，直到1978年才出獄。[104]陸定一在1955年7月27日的《人民日報》上指出了這次文人蒙難的癥結所在：「我們不可能在安定和平的環境中實現第一個五年計劃，只能通過尖銳、複雜的階級鬥爭來完成。」

我們會發現這是毛澤東喜歡的政治氣候，而國際政治局勢使得中國國內的政治氣氛更為緊張。

「社會主義高潮」（1955）

1953年7月，〈朝鮮停戰協定〉在朝鮮板門店簽訂，標誌着中美軍方達成一致，也標誌着中國回歸大國行列。1954年4月26日，日內瓦會議召開，主要討論如何和平解決朝鮮問題和關於恢復印度支那和平問題。在這兩次軍事衝突事件中，中國直接或間接的參與起到了決定性作用，因此解決方案與中國息息相關。美國氣急敗壞地宣布撤軍：1954年3月8日，美國國務卿福斯特‧杜勒斯威脅説美國將密切注意東亞局勢，「不排除使用大規模殺傷性新武器打擊軍事對象以求『保衛』台灣的可能性，但不會威脅任何不相關的居民區」。這番表態不可避免地引發了1954年9月台灣海峽的危機，1955年1月18日，解放軍開始驅除沿海諸島的國民黨駐軍。1955年1月28日，美國參議院通過了一條議案作為對此的回應：美國總統有權調度武裝軍力（包括核武器）來「保護」台灣及澎湖列島安全。同一天，毛澤東接受芬蘭大使孫士敦遞交國書時説：中國從不挑釁任何國家，新一輪世界大戰的危機是完全由好戰的美國一手造成的。如果強敵來犯，中國必定予以堅決回擊。美國的原子訛詐，是嚇不倒中

國的。幾個原子彈是戰勝不了六億中國人的。[105]毛澤東還加入了自己對災難的預測：

> 即使美國的原子彈威力再大，投到中國來，把地球打穿了，把地球炸毀了，對於太陽系說來，還算是一件大事情，但對整個宇宙說來，也算不了甚麼。……我們有一句老話，小米加步槍。美國是飛機加原子彈。……美國如果發動第三次世界大戰，那麼，算它要打八年或十年吧，其結果是美國和英國及其他幫凶國家的統治階級要被掃光，世界上大部分地方都要變成共產黨領導的國家。……那時候就要建立人民的聯合國，可能設在上海，也可能設在歐洲一個甚麼地方，也可能還設在紐約，如果那時美國好戰分子已被掃光的話。

毛澤東這番狂熱的表述是基於當時中國在世界上的地位較弱而作出的。在之後的很多場合，這番言論都被作了補充闡述。1955 年 10 月 15 日，毛澤東接見一個日本國會議員代表團時說：「從歷史上看，共產主義誕生在戰爭中，第三次世界大戰後 80% 的地區會實行共產主義，我們沒有任何理由害怕戰爭。」……我們可以打個賭，如果再打一次世界大戰，世界百分之七十、百分之八十不共產的話，我就不吃飯了，把飯都讓給你們吃。」[106]1955 年 4 月 24 日，周恩來從印尼萬隆的亞非會議上帶回好消息，25 個與會國領導人批判帝國主義曾經讓他們的國家飽受傷痛，並宣稱不會與之結盟。這個勝利推進了毛澤東對實力關係的分析。

在這種戰鬥和有些狂熱的精神狀態下，毛澤東經過長時間的猶豫，結束了領導層內關於是否要加速集體化運動的討論。首先，他

選擇了謹慎，因為諸多關於農民問題的報告讓毛澤東印象深刻。
1953年1月，劉少奇主持政治局會議（毛澤東缺席），任命鄧子恢[107]
為中央農村工作部部長，負責「鞏固」農村合作化運動，實現農業集
體化。1955年1月10日、15日和2月25日，農村工作部的通知和各
項指示要求幹部們對合作社採取三種態度：按不同地區來說：或者
停止發展，全力轉向鞏固；或者適當收縮；或者在鞏固中繼續發
展。[108]毛澤東和鄧子恢就1955年年底的目標達成共識──三分之一
的農民加入合作社，而不是之前預期的半數農民。由於合作社只聚
集了15%的農業家庭，主要是低級的小規模合作社，因此一年內合
作社數量要翻一番。1955年4月6日至22日，毛澤東到南方視察。
在他缺席的情況下，4月21日到5月6日進行的第三次全國農村工作
會議採用了鄧子恢的建議，解散了浙江一萬五千個合作社、山東四
千個合作社及其他地區的幾千個合作社。由於也有新建的合作社，
解散的合作社數目在兩萬個，所以合作社總數為六十五萬個。[109]接
下來的運動分兩個時間段進行：1951年以來，每年冬天都是推動運
動的大好時機，因為幹部利用農閑時間加大了對此的壓力。相反，
每年春天，成千上萬在壓力下誕生的合作社被農民們解散，因為收
成取決於插秧和春耕是否順利。毛澤東不接受這次新的退步。1955
年5月7日（譯註：據《毛澤東年譜》（1949–1976），卷二，頁369，應
為5月5日），他在頤年堂召見鄧子恢，並告誡他：不要重犯1953年
大批解散合作社的錯誤，否則又要作檢討。[110]他甚至否認了一個月
前他接受了的建議。事實上，他在長江中下游富庶地區的視察是由
江蘇省省委書記柯慶施仔細安排好的。在潘漢年因饒漱石「同黨」的
身份下台後，柯慶施成為上海灘的二號人物。這位最早的毛澤東主

義者向毛澤東提出：三分之一的幹部對於合作社發展的態度都是因為農村工作部引起的。5月9日，毛澤東與鄧子恢、李先念等負責人談話並很快得出了此次視察的結論：說農民生產情緒消極，那只是少部分的。我沿路看見，麥子長得半人高，生產消極嗎？！[111] 情緒激動的毛澤東質問鄧子恢是否無法在1957年前讓1.1億農戶中的40%加入合作社。鄧子恢回應說，還是更傾向於按照之前毛澤東認可的既定目標30%來完成。毛澤東說：農民對社會主義改造是有矛盾的。農民是要「自由」的，我們要社會主義。在縣、區、鄉幹部中，有一批是反映農民這種情緒的⋯⋯有百分之三十。不僅縣、區、鄉幹部中有，上面也有，省裏有，中央機關幹部中也有。5月17日，15個省市書記會議召開，毛澤東批評說：「在合作化問題上，有種消極情緒，我看必須改變，再不改變就會犯大錯誤。」6月8日他又去了杭州。窘迫的鄧子恢把這個問題提交到劉少奇主持的政治局會議上。劉少奇把這件事告知了23日回到北京的毛澤東。6月25日到7月7日，毛澤東閉門謝客，要給這個問題做個定論。11日，他召見了鄧子恢等主管農業的領導幹部，並指出：如果要達到一百萬個合作社，那麼還需要增加三十五萬個。為了達到一百三十萬個合作社，要在原有數字上翻番。鄧子恢被毛澤東的信口開河弄得手足無措，反駁說：還是應該堅持一百萬的既定目標。因為我們要謹慎對待那些內戰結束時解放的「新解放區」，鞏固「老解放區」內已建成的合作社。毛澤東批評鄧子恢，說：你自以為了解農民，又很固執。你想「砍」合作社。五個小時的激辯後，毛澤東對鄧小平說：「鄧子恢的思想很頑固，要用大炮轟。」7月18日，毛澤東調閱了由鄧子恢主持的第三次農業工作會議的文件後，認為鄧子恢思想右傾。劉少

奇建議毛澤東再次召開各省及自治區書記會議，弄清情況。7月31日，毛澤東採納了這個建議。自從回到北京，毛澤東已經多次派警衛前往他熟悉的河南、廣東、廣西及湖南做調研。7月19日，他整理了警衛們的來信。7月20、21、22日，他接待了陸續回到北京的警衛們。沒有任何值得寬慰的消息，深受洪災影響的河南某些地區，農民收成減半，大多以樹葉來充饑。但是毛澤東還遠遠沒有看出農民對集體化的消極抵制，譬如說宰殺牲口、砍伐樹木等問題，遠未受到應有的重視。毛澤東認為造成貧困的主要原因是單幹導致規模化程度不夠。大量的報告説，從私有化過渡到合作社，[112]每年的生產力會提高10%–20%，因而毛澤東總結要加快集體化進程。當然，他也深知斯大林強行推行集體化後，蘇聯連續兩年遇到生產力下降的困難。因而，7月29日，他強調要吸取蘇聯的錯誤經驗教訓，避免重蹈覆轍。然而，最大的錯誤難道不是消滅富農的舉措嗎？富農們又一次成為毛澤東的目標。[113]

7月31日，中共中央在中南海懷仁堂召開省、市、自治區黨委書記會議。毛澤東按照劉少奇的建議，做了〈關於農業合作化問題〉的報告。[114]前一天，第一屆全國人大二次會議審議通過了李富春7月5至6日提出的第一個五年計劃，通過了土地集體化的議案。[115]集體化被認為是一個漸進、自願的過程，伴隨着機械化和農業技術現代化的進程，1957年會涉及三分之一的農村家庭（23%的農業人口，比1956前增加了50%，等於在18個月內翻了一番）。

〈關於農業合作化問題〉的報告指出，有12個重要的不平衡。報告一開頭就説：

在全國農村中，新的社會主義群眾運動的高潮就要到來。我們的某些同志卻像一個小腳女人，東搖西擺地在那裏走路，老是埋怨旁人說：走快了，走快了。過多的評頭品足，不適當的埋怨，無窮的憂慮，數不清的清規和戒律，以為這是指導農村中社會主義群眾運動的正確方針。否，這不是正確的方針，這是錯誤的方針。[116]

　　文章的其餘部分沒有公開反對不久前在全國人民代表大會上被認可的決定，而是談到毛澤東幾週來進行的農村調查。在這個全年的關鍵時刻，毛澤東讓他身邊的警衛去農村進行調研，而此時農村正值青黃不接之時。毛澤東看了他們的報告並在他們回京後詢問他們，然後撰寫總結。8月6日，毛澤東離開北京來到靠近山海關的北戴河。北戴河是20世紀初建造的位於渤海灣的海濱浴場，有一些生鏽的小亭子。每天下午，毛澤東花3–4個小時游泳，然後叼着煙閱讀和批示文件，直到凌晨兩三點，帶着疲倦吃了安眠藥才入睡。23日，毛澤東給13位領導發了7月31日〈關於農業合作化問題〉的報告的修訂稿，並徵求他們的意見，但這些領導都沒有提出意見。[117] 26日，報告在領導層傳閱。9月5日，毛澤東回到北京，於次日即9月6日召開會議，並印發了一份黨內批示，指出合作社的發展必須動員共產黨的積極分子、貧農和中下層新老貧農，防止合作社的領導權被富農或中等偏上的中農篡奪。這段時間，毛澤東恢復每天閱讀到凌晨4點的習慣。13日，他召見了陳雲、劉少奇、陳伯達和楊尚昆，以確保獲得他們的支持。9月14日，他回到北戴河並一直休息到9月25日。他心情不錯，即使海況不佳，他每天下午也都會游上一場。毛澤東水性很好，有一天，他的警衛溺水，他用了10分鐘就

從風浪中成功助其脫險。毛澤東搜集了176篇材料，主要是地方領導的報告、新聞摘要和發言的書面稿。其中的121篇在1955年10月份冠以標題《中國農村的社會主義高潮》發表。毛澤東給其中的104篇寫了評論，並於9月25日發表了序文。10月，中共中央在北京召開擴大的七屆六中全會，[118]會上根據毛澤東7月31日〈關於農業合作化問題〉的報告通過決議，主要強調以下六點：

（1）既定目標是實現從1955年6月1,690萬農戶（佔總數的15.3%）參加的65萬初級合作社過渡到3,600萬農戶參加的1,300萬初級合作社，即提前1年達到30%的覆蓋率。因此，要防止出現任何解散合作社的可能，即使是匆忙建立的合作社。1954年6月同意解散合作社的行為，此時被定性為「右傾錯誤」。

（2）儘管經歷了土改，但農民仍然有困難。因為以家庭為單位還不足以提高產量，只有社會主義才能使60%–70%的農民走出貧困。我們發現，從家庭或互助組轉為社會主義初級合作社時，生產力能提高10%–20%。

（3）這些成功得益於對貧下中農的動員，他們對社會主義的前景充滿希望，相比之下，中上層農民則瞻前顧後，富農暗地裏更是抵制這次社會主義合作化高潮。因而，合作社應該掌握在貧下中農手中。

（4）我們要用三個五年計劃（從現在到1967年）來解決國家糧食需求與生產力水平之間的矛盾，否則就會危及正在進行的工業化過渡。重工業要優先發展，在此基礎上才能增加拖拉機、施肥車及交通運輸設備的產量。只有土地集體化才能積累大量資本。

（5）我們要從蘇聯吸取有用的經驗教訓，必須避免重蹈冒進的

覆轍，蘇聯曾在集體農莊建立後的兩年內糧食生產下降。我們應循序漸進，用18年時間到1967年完成最後的土地集體化。從1958年春天開始，我們將為2.5億農民，也就是50%的農戶組織社會主義初級合作社。機械化將在1975年完成。

(6) 從現在開始就要防止資本主義腐蝕。隨着富農階級的滋生，以及被迫賣地的貧農陷入破產，集中仍然有風險。

烏托邦的萌芽

研究毛澤東在編輯《中國農村的社會主義高潮》這本小冊子時如何將上述觀點寫入批示是件有意思的事。[119] 毛澤東選了104篇文章，在其中57篇中明確闡述了這樣選擇的理由。第5點吸取蘇聯的經驗教訓沒有出現——這是當然的。事實上，只有中央領導能提出這個問題。第1點中關於杜絕解散合作社的問題提到過三次，5月底這一點就實現了。毛澤東只在5份報告中提出了整體戰略意見（第4點），但是他也借助有關技術的問題表明指導性意見。毛澤東在女性的問題上堅持「同工同酬」，認為機械化能解放可支配勞動力。在文盲人數眾多的農村，培養計算「工分」的會計存在一些困難。有13個文件提到農村中出現了兩極分化，資本主義滋生的現象（第6點）：我們可以看到這是毛澤東一直擔心的事情。14個文件提到貧農的「熱情」（第3點）在短短幾個月內就把發展停滯不前的互助組變成了有幹勁的合作社，因為「人民群眾有無限的創造力」。23個文件提到最重要的問題——農民的貧困只有通過集體化才能得到緩和（第2點）。毛澤東先後6次強調了冀北王國藩「窮棒子社」的事跡。[120] 1952年，

退伍軍人王國藩帶頭組織本村23戶貧僱農辦起只有3條驢、15公頃
土地的合作社「窮棒子社」。幾百年來，這個村莊十分之一的人靠乞
討為生。1953年合作社運營非常困難，國家的貸款才使「窮棒子社」
免遭解散（也許王國藩保留着與解放軍的關係）。緣此，「窮棒子社」
開始走出困境，吸引了村裏的148個家庭。安徽鳳陽一個叫陳雪峰
的人也幹了類似的事情。長期以來，鳳陽都有乞討的歷史。在孔子
的故鄉曲阜，農民負擔在推進土地集體化後得以減輕，毛澤東很欣
慰，並批判孔夫子對農業生產的蔑視態度。孔子曾經因為弟子樊遲
「小人哉」而不願與他討論「君子之道」。[121] 毛澤東強調群眾「創造熱
情」的決定性作用，多次表明合作社的發展就像階級鬥爭的一個章
節，階級鬥爭是區分「社會主義道路和資本主義道路」的方法。劉少
奇因為對農村合作社猶豫不決的態度做了自我檢討，[122] 1955年春，
他在鄧子恢的建議下解散了兩萬個合作社。

　　10月11日，擴大的七屆六中全會閉幕，陳伯達代表中央政治局
提出加速土地集體化的建議，在這一有利形勢下，毛澤東寫了一篇
總結，指導了未來20年發展的方向：[123]

　　現在，我們還沒有完成農業合作化，工人階級還沒有同農民
　　在新的基礎上結成鞏固的聯盟⋯⋯過去我們同農民在土地革
　　命基礎上建立起來的那個聯盟，現在農民不滿足了。對那一
　　次得到的利益，他們有些忘了。

　　現在，農民還沒有共同富裕起來，糧食和工業原料還很不充
　　足。在這種情況下，資產階級就可能在這個問題上找我們的
　　岔子，向我們進攻。幾年之後，我們會看到完全新的形勢：

工人階級和農民在新的基礎上結成比過去更加鞏固的聯盟。以前那個反地主、打土豪、分田地的聯盟是暫時的聯盟，它鞏固一下又不鞏固了。……如果我們沒有新東西給農民，不能幫助農民提高生產力，增加收入，共同富裕起來，那些窮的就不相信我們，他們會覺得跟共產黨走沒有意思，分了土地還是窮，他們為甚麼要跟你走呀？那些富裕的，變成富農的或很富裕的，他們也不相信我們，覺得共產黨的政策總是不合自己的胃口。結果兩下都不相信，窮的不相信，富的也不相信，那末工農聯盟就很不鞏固了。……使農民群眾共同富裕起來……商品糧和工業原料就多了。那個時候，資產階級的嘴巴就被堵住了。

同資產階級的聯盟是暫時的。資本主義注定是要消亡的，資產階級到時會加入無產階級陣營。然而，與資本主義思想的鬥爭是長期的、持久的。土地革命過去被認為是資產階級民主革命，它廢除的是封建殘餘而不是資本主義屬性。土地革命以及「三反」「五反」運動後，

農業合作化使我們在無產階級社會主義的基礎上，而不是在資產階級民主主義的基礎上，鞏固了同農民的聯盟。這就會使資產階級最後地孤立起來，便於最後地消滅資本主義。……馬克思主義是有那麼凶哩，良心是不多哩，就是要使帝國主義絕種，封建主義絕種，資本主義絕種，小生產也絕種。……使資產階級、資本主義在六億人口的中國絕種。

12年後（1967年），中國將有能力生產1,800噸鋼（相比第一個五

年計劃,在十年內產值翻番),2.8億噸碳(增至3倍)以及1,600萬噸水泥(增至4倍);化學飼料產值增至7倍;糧食產值將達到3億噸,年增長約為8%;棉花產值增至4倍;機械種植面積將翻番,1977年計劃實現農業機械化。雖然起點很低,但是這些目標不是不切實際的。毛澤東相信依靠人民群眾的熱情和全民動員,「即使沒有資本」也能實現。他強調「在未來的五年內加強階級鬥爭」,和延安整風運動一樣,有必要消滅5%的反革命。1954年,由於國家壟斷糧食貿易和惡劣的氣候條件,農業生產力下降,只能種植糧食而不是棉花來防止大面積饑荒,但是卻直接導致了1955年的棉花工業危機。毛澤東把1955年春的這次危機歸因為糧食市場的投機,其實這只是一個後果。對此,他提出的解決辦法是發展合作社。

11月1日,[124] 深感寬慰的毛澤東離開北京動身前往杭州。[125] 一路上,他的專列多次停下來,方便他與地方領導交流。他從他們口中了解到新合作社正發展得如火如荼。也許當他在杭州着手準備一份由11篇文章組成的關於未來12年農業發展的計劃時,之前勝利的氛圍讓他有點眩暈。11月18日,毛澤東動身回到北京。20日,他在天津召集了包括內蒙古自治區在內的各地省委書記開會,討論農業發展規劃,稱為「農業十七條」,並於當晚回到北京。12月6日,毛澤東批評「農業部右傾保守主義思想」,「部分領導幹部缺乏兩線鬥爭的勇氣」。[126] 他強調這些天溝通下來的結果使他震驚。在他看來,「在合作化的基礎上,群眾有很大的力量」,強大生產力已經湧現,就像發現了新大陸一樣,那些擔心不平等和矛盾的人都是杞人憂天。[127] 中國的社會主義建設將比蘇聯快。毛澤東還提出了一句口號:「鼓足幹勁,力爭上游,多快好省。」

12月8日，毛澤東召集農學家們商談對付害蟲和鼠患的方法。12月27日，他給《中國農村的社會主義高潮》寫了新的序言。他肯定了所取得的成績超過了預期目標，在四個月中加入合作社的農戶數量增長超過300%。12月21日，毛澤東徵求黨內省級及地區領導關於「農業十七條」的意見，預計在1月10日召開會議，討論計劃中的建議是否都可行。[128]事實上，有些條目只是歸納了已經採用的做法。第2條提出對於「表現好」的地主和富農，可以吸收他們入社。山西、安徽、黑龍江已經採取這種做法。第2條提到三分之二的合作社領導是貧下中農，含蓄地承認了三分之一的合作社領導是上中農甚至富農的事實。第6條要求保護幼畜，確定繁殖計劃：誰會反對呢？大家都在談論在鄉村間修路，通過無線電廣播來通信，同時在全國範圍內推行一個在7年內所有人都掌握1,500個漢字的運動（第14–17條），但是人們質疑能否在短短7年內消滅害蟲、地方性疾病及水災旱災（第8、12、3條），也不敢確信在12年內能基本上消除荒地荒山，地方和合作社自己解決肥料的問題。第11條更加不現實：毛澤東認為未來12年的農業發展要立足於糧食產量增加100%–140%，棉花產量增加71%–185%。但是從11月底開始很多省份（山西、山東、江蘇）就打算在1956年12月底前實現1957年年底的計劃目標。到1956年1月23日，12年農業計劃有了增訂，已經有40條內容由中共中央政治局通過，稱為「農業四十條」，25日由最高國務會議討論後予以公布。經過一番討論，在原來的綱領基礎上又擴充了有重要意義的內容。第7條要求每個合作社都應有1–2年的糧食儲備，以防水旱災害。第5條指出對反革命分子要採取嚴厲措施。第15條指出要改善農民居住條件。第28條要求進行農藝研究。在新增

的第11條中，毛澤東指出要推廣在西伯利亞廣泛使用的二輪犁具，其實這對由水牛耕作的水田是完全不適用的，在一定程度上反映了毛澤東在農業生產方面的外行。但這個想法在五年計劃上被重提，儘管與會者中有不少農業專家。這個12年農業計劃怎麼看都是無法實現的，但更困難的還在後頭。其實「農業四十條」一發表，黨的各級領導便就農村生產力展開了瘋狂的數字競賽。福建領導人提出從1962年起提前五年實現每公頃土地60公擔的水稻產量。廣東省領導人對外宣布廣東省要在一年內將水稻產量提高18%。福建領導因在春天時大規模廢除匆忙建成的合作社而受到毛澤東的批評，打算在一年內將水稻產量提高16%，是預期的兩倍。到了「鄉」這個級別，這個開始看似難以實現的[129]目標任務在領導人的熱情下被提高到40%：大家的想法是寧願犯「左」傾錯誤也不可以犯右傾錯誤。毛澤東的「群眾路線」變成了一部可怕的機器。「總路線」的空想取代了「新民主」的實用主義。

1955年對推行土地集體化採取保留態度的農民在六個月內就接受了這一政策：就在12年農業計劃正式實施時，91.2%的農戶（即1億940萬人）加入了合作社運動，其中61.9%是加入高級合作社。[130]那麼為甚麼能取得超過毛澤東自己樂觀預期的成績呢？[131]可以關注以下四方面原因。

（1）土地革命的效果。土改是新政權的產物，打破了富農在傳統鄉村的主導地位，軍隊依靠土改積極分子動員農民參軍。獲得土地的農民們對共產黨感恩戴德，這次的集體化運動要把土地收回來，他們非常失望但沒有發生暴動。而蘇聯農民是靠自己奪得土地的，蘇聯政權要收歸國有的是農民自己的土地。在中國，集體化運

動之前先進行了一場運動消滅了兩百萬人，隨後1955年夏天「肅清隱藏的反革命運動」使農村裏瀰漫着一種恐怖氣氛。此外，土地革命形成了一股新的勢力，三百萬貧農成為當地領導，舉行「對黨的感恩大會」，通過對封建社會的苦難進行控訴來加強黨和農民的深層聯繫。

（2）毛澤東用他所推崇的馬克思主義社會學熟練地控制區分農民陣線。1953年開始就把中農分為富裕中農或上中農（20%–30%）和下中農（60%–70%）。後者加上貧困農民共佔農業總人口的四分之三，無疑是革命的主力軍。黨要借助他們的力量從資產階級革命階段過渡到社會主義革命階段。這些貧下中農沒有生產資料，他們認為合作社能使他們獲得資源。而且，他們也可能指望獲得富裕中農的土地，就像沒收地主和富農的土地一樣。這些在薄一波的回憶錄[132]中都有披露：「實際上，貧下中農的社會主義熱情只是分享富農和上中農土地的平均主義。而與此同時許多我們批判的資本主義傾向，只是從他們角度出發保護勞動成果不被沒收的合法行為。」

（3）接着，1953至1954年毛澤東採取了一系列戰略決策後，整個社會環境已經使農民失去了抵制的可能性。國家壟斷糧食貿易，在避免了糧食投機風險的同時，也使農民為了養家糊口必須依附於國家。1954年8月採用了糧票制，後來實行生活必需品票據制。雖然控制人口流動的戶籍制度[133]在1958年春才建立，但在1954年3月已經有規定禁止農村人口盲目流向城市，農民對土地的依賴使他們除了整理關着他們的籠子外，幾乎沒有其他的選擇。

（4）在毛澤東的大力推動下，黨在農村強有力的存在進一步強化了對農民的限制：22萬個鄉中設有17萬個黨支部、400萬黨員。

這樣進行集體化的工作組就有一個很好的基點[134]展開工作。黨內定期的肅反運動及為最忠誠的積極分子提供晉升使這批新的精英自願遵守紀律。通過土地集體化，這些幹部獲得了一種強大的支配農民的能力：他們組織文化活動、收割糧食、配發飼料、分配任務、評估每個人的工作後計算工分。他們通過合法的演講確保農村的意識形態：集體化符合歷史唯物主義法則；集體化將在滿足最廣大人民利益的情況下實現10%–20%的增產。

1956年1月13日，當人們慶祝農曆猴年時，毛澤東覺得自己正在實現他的夢想。

農曆猴年的疑問（1956）

1979年1月11日，陳雲在香港《明報》上寫道：「假設毛澤東在1956年過世，他無疑是中國人民的偉大領袖」。事實上，1956年毛澤東一手促成的社會主義建設已經取得了令人矚目的成績。中國在東南亞政治舞台上重新扮演起了不可忽視的重要角色。在三十年的內戰和抗日戰爭結束以後，國家重新獲得和平，生產力恢復到戰前的最佳水平。土地集體化沒有引起像蘇維埃政權下那般嚴重的創傷。土地革命及紅色恐怖中的粗暴行為可以看做內戰的延續及痛苦年代的縮影。1956年上半年，成績還是不錯的：社會主義在城市中推廣。蘇共二十大上尼基塔赫魯曉夫揭露了斯大林的罪行，毛澤東予以回擊。「百花運動」向文化界拋出自由的橄欖枝。但是八大一再延期使得下半年充滿了不確定性：毛澤東試圖避免讓蘇聯尖銳的危機波及中國。

中國資產階級有規劃地逐漸消失

1955年10月11日，毛澤東在中共七屆六中全會上指出，他已經下決心使「資本主義絕種」。[135]此時採取的平和做法與土改大相徑庭：不會再採用「五反」運動時在農村使用的威嚇手段：確實，那些痛苦的日子足以讓沒有逃亡的資本家反對紅色政權！公私合營企業的迅猛發展迫使中央思考為合併私企做準備。在香港，他們用貓來比喻[136]接下來的局勢發展。劉少奇、周恩來和毛澤東討論如何讓貓吃辣椒。劉少奇作為強權代表，提議強行把辣椒塞進貓嘴裏。崇尚智取的周恩來提議把辣椒放進肉餡裏，餵給貓吃。毛澤東是權利鬥爭的勝利者，他認為可以把辣椒擦在貓屁股上，當它感到火辣辣的時候，它就會自己去舔掉辣椒，並為能這樣做感到興奮不已。事實上，毛澤東想讓中國的資本主義家親自參與消滅資本主義經濟的過程。

1956年1月初，在陳毅市長的陪同下，毛澤東來上海與七十多位上海市各界人士及黨內高級幹部座談。[137]毛澤東讚揚「在場各位同仁的國家資本主義」過去為國家做出了巨大貢獻。然後他補充說：今天我從北京過來聽取大家的意見。許多生意人想知道我們加快了對資本主義工商業的社會主義改造，擔心國家資本主義經濟會拖後腿。我不這麼認為，我對這個問題的信息不夠全面。我想聽聽你們的意見。這次我只帶了一副耳朵過來，要是你們打算從我這裏了解甚麼可能要失望了。兩個小時的討論以後，所有人都認同應該加快社會主義改造進程，大概花五年左右時間完成社會主義改造。毛澤東補充說，正考慮1957年在上海增加合營企業。1956年3月5日，毛澤東在幾個月內就手工業的社會主義改造這個問題做最後一次指

示：[138]農業集體化後，城市社會主義改造勢在必行。機械生產有利於提高產值，有利於國家的現代化進程。儘管如此，質量和進程還是要把關的，因此不可冒進。但是黨內高層被熱情沖昏了頭腦。在北京，在彭真和他的團隊的施壓下，貿易在幾週內自行停滯。1956年1月15日，二十萬遊行者在天安門廣場慶祝私企在首都消失。接下來就是武漢。陳毅也不甘落後，1月20日在上海的人民廣場（昔日的跑馬場）慶祝資本主義工商業改造的成功。短短一年之內，在不動用武力的情況下，中國的資本主義經濟被消滅。

對蘇共第二十次代表大會的強烈反應

在蘇共二十大上，尼基塔・赫魯曉夫突然對斯大林發難，毛澤東試圖借助這個看似對他不利的情況把中國推到社會主義國家首席位置。但進展並不如意。2月4日，朱德帶領中國代表團抵達莫斯科，2月11日，鄧小平趕來會合。1月28日，所有到達莫斯科的外國代表團被接待方告知大會上赫魯曉夫會對「斯大林個人崇拜」進行批判：這個克里姆林宮的主人生前掀起了一場以他為中心的狂熱運動，直到他去世。中國共產黨中央發給蘇共代表大會的電報經過毛澤東同意，將蘇聯的成就歸功於「由列寧創立，斯大林及其戰友領導的」蘇聯共產黨。[139]雖然當時中國代表團缺席，但中國領導不可能完全不知道1月28日蘇方傳遞的信息。毛澤東利用中國代表團姍姍來遲的契機高度讚揚了斯大林。14日，赫魯曉夫發表長篇開幕演說，批判斯大林。即便如此，他的陳述口吻也相對審慎，內容很抽象。他主張社會主義陣營與帝國主義陣營和平共處，實現社會主義

和平過渡，避免引起第三次世界大戰及任何內戰的可能性。2月19日，《人民日報》指出，赫魯曉夫的報告是「對馬克思列寧主義作了創造性的發展」，與毛澤東的想法大相徑庭。毛澤東沒有急着提出質疑，他是不是贊同萬隆會議上印度領導人尼赫魯、緬甸領導人吳努、印度尼西亞領導人蘇加諾及其他不結盟運動參與國領導人提出的中立主義呢？周恩來在萬隆會議上成為明星，而在1952年以前，他還指責這些第三世界國家的領導人是「帝國主義的走狗」。2月15日，朱德向大會致簡短賀詞，沒有提及斯大林。他很可能是接到了這方面的命令。2月9日，毛澤東在給赫魯曉夫的問候中提議兩人要好好討論討論，蘇共秘書長的報告在毛澤東看來是多少有點拙劣的。9月，毛澤東在接見意大利共產黨人大衛‧拉約洛時解釋説：「我們不討論蘇共二十大以免影響社會主義陣營的團結。……我們不能質疑蘇聯共產黨在國際共產主義運動中的領導作用。」[140] 25日，赫魯曉夫向大會的蘇聯代表做報告，揭露了斯大林的許多罪行。包括中國共產黨在內的外國共產黨代表團也在當晚獲悉了會議內容。這個報告引起了混亂，打亂了毛澤東的平衡遊戲。這次尖銳的批判譴責斯大林是嗜血成性的暴君與罪犯。中國代表團大為驚駭。3月3日，回到北京的鄧小平就這個問題向政治局做了彙報。7日，朱德堅持去格魯吉亞的哥里市斯大林故居紀念他，接到指示不要對蘇共第二十次代表大會上對斯大林的批判做任何評論。這個尷尬的緘默一直持續到4月5日：3月5日，毛澤東談論手工業問題，7日參與血吸蟲病防治工作，4月2日接待了一些食品合作社成員。毛澤東一直對赫魯曉夫發表極具爭議的報告前沒有與他作任何協商耿耿於懷。4月6日，米高揚來北京，毛澤東當面表示了不滿。

　　在此之前一天，《人民日報》終於發表了中共中央委員會關於揭露斯大林個人崇拜及其後果的「秘密報告」的第一篇評論文章。[141] 毛澤東即使不是作者也是授意者。文章題為〈關於無產階級專政的歷史經驗〉，用詞恰當，語氣平和，和赫魯曉夫失去控制、充滿逸事的報告形成了鮮明對比。文章一開始就擴大了辯論的範圍，這是蘇聯領導人沒有達到的水平。文中承認斯大林犯了一些「重大的錯誤」，「在肅反問題上擴大化；在反法西斯戰爭前夜缺乏必要的警惕，對於農業的進一步發展和農民的物質福利缺乏應有的注意；在國際共產主義運動中出了一些錯誤的主意，特別是在南斯拉夫問題上作了錯誤的決定」。在間接批評了斯大林的部分錯誤後，文章轉而凸顯這位格魯吉亞專制君主[142]的偉大「歷史功績」。「他創造性地運用及發展了馬克思列寧主義。」除了在反希特勒愛國戰爭中的卓越功績外，斯大林創造性地運用和發展了馬克思列寧主義；在保衛列寧主義遺產、反對列寧主義的敵人——托洛茨基分子、季諾維也夫分子和其他資產階級代理人的鬥爭中，他表達了人民的意願，不愧為傑出的馬克思列寧主義戰士。同時，「馬克思列寧主義者認為領導人物在歷史上有很大的作用。人民和人民的政黨需要有能夠代表人民的利益和意志、站在歷史鬥爭的前列，而領導人民群眾的先進人物。否認個人的作用，否認先進人物和領導人物的作用，這是完全錯誤的」。很明顯，中共領導人擔心對「斯大林個人崇拜」的批判會轉移到毛澤東身上。但如果將這篇文章限定於此，可能就大大削弱了文章的意義。我們還能從文中看到為無產階級專政進行的辯護。斯大林對無產階級專政的濫用影響了它的形象。中共的反應集中體現在這兩方面。不過評論文章的立意更為高遠，旨在解釋赫魯曉夫並不具備的

「個人崇拜」：毛澤東認為這是「過去人類長時期歷史所留下的一種腐朽的遺產」。這種崇拜的根源是集體化之前在中國佔優勢的小農經濟。[143]「在無產階級專政建立之後，即使剝削階級消滅了，小生產經濟已經由集體經濟所代替了，社會主義社會建成了，但是舊社會的腐朽的、帶有毒素的某些思想殘餘，還會在人們的頭腦中，在一個很長的時期內保存下來。」此外，「有一些天真爛漫的想法，彷彿認為在社會主義社會中是不會再有矛盾存在了」。在生產力與生產關係之間，創新思想與保守思想之間存在矛盾，個人崇拜和社會主義社會的發展也一樣。答案是，要堅持1943年在延安提出的「群眾路線」。曾經，蘇聯是中國社會主義建設的導師，現在，以毛澤東為首的中共中央給蘇聯人上了一課！同時，中共堅持認為斯大林是國際共產主義運動的偉大思想家。不僅如此，4月份政治局還多次召開擴大會議。4月25日，毛澤東做了轟動世人的報告——〈論十大關係〉。[144]報告分析了中國社會主義建設中所遭遇的各種矛盾。

（1）「重工業和輕工業、農業的關係，沿海工業和內地工業的關係」應該避免「有的社會主義國家」犯下的錯誤，犧牲輕工業和農業來優先發展重工業。應該重視農業和輕工業，獲得更多的積累，在更堅實的基礎上發展重工業。

（2）「沿海工業和內地工業的關係」。之前認為新的工業應該放在內地是正確的，以使工業布局逐步平衡並且利於備戰。但是我們忽略了重工業和輕工業70%在沿海地區。如果我們不發展輕工業，我們就不能發展好重工業，如果我們忽視沿海工業，我們就不能發展好內地工業。

（3）「經濟建設和國防建設的關係」。軍政費用佔國家預算全部

支出的比例由32%下調到20%，這有利於積累資金，造中國人自己的原子彈。

(4)「國家、生產單位和生產者個人的關係」。隨着整個國民經濟的發展，我們提高了工人工資，解決了失業問題，激起了勞動熱情，增加了生產。但是1954年我們在農民問題上犯了錯誤（暗示國家對糧食的統購統銷）。1954年我國部分地區因水災減產，我們多購了三百五十萬噸糧食。但是「一九五五年就少購了七十億斤，又搞了一個『三定』，就是定產定購定銷，加上豐收，一少一增，使農民手裏多了二百多億斤糧食」。

(5)「中央和地方的關係」。應當在鞏固中央統一領導的前提下，擴大一點地方的權力，給地方更多的獨立性。但這種分權要受到限制，不能再出現類似「高崗獨立王國」的事件。

(6)「漢族和少數民族的關係」。我們要着重反對大漢族主義。

(7)「黨和非黨的關係」。「所有民主黨派和無黨派民主人士雖然都表示接受中國共產黨的領導，但是他們中的許多人，實際上就是程度不同的反對派。」

(8)「革命和反革命的關係」。應當肯定一點：1951年和1952年鎮壓反革命是必需的，現在仍舊存在着一小批反革命積極分子。「今後社會上的鎮反，要少捉少殺。」「他們中的多數」要進行「勞動改造」。就像之前在延安一樣，「一顆腦袋落地，歷史證明是接不起來的，也不像韭菜那樣，割了一次還可以長起來，割錯了，想改正錯誤也沒有辦法」。

(9)「是非關係」。「對於犯錯誤的同志，採取『懲前毖後，治病救人』的方針」，避免以王明為首的教條主義，在黨內不允許人家改正錯誤，「不准革命」是不對的。

　　(10)「中國和外國的關係」。要向外國學習，但是不能崇洋媚外。雖然「我們一為『窮』，二為『白』。『窮』，就是沒有多少工業，農業也不發達。『白』，就是一張白紙，文化水平、科學水平都不高。從發展的觀點看……窮就要革命……我們是一張白紙，正好寫字」。

　　毛澤東在政治局會議上評論〈論十大關係〉的講話更加清晰地反映出他的深層意圖。[145] 首先，毛澤東否定了優先發展重工業、強制過度徵收的蘇聯模式。他還提出「不能盲目追隨」批判斯大林後在蘇聯知識分子界發展的「解凍」運動。蘇聯過分強調中央集權和武力鎮壓，但是毛澤東認為從延安時期以來中國已經在很大程度上限制了拘留，不再執行死刑。儘管蘇聯經驗中「有一些好的東西」，但「不能說蘇聯的屁都是香的」，「關於斯大林的負面的東西一定要到縣委書記[146]一級為止」。此外，〈論十大關係〉第一次對有中國特色的道路進行了思考，即在黨的統一領導下，適當下放經濟管理的權力——積累佔30%左右，反對「左」傾和右傾，王明這兩個錯誤都犯了。中國相對落後的處境被認為是一大優勢，因為「窮人最有革命性」。在人民民主問題上，中共開始離開其一直篤信的那條道路。

第一次「百花運動」

　　在〈論十大關係〉中，毛澤東指出，要取得工業平衡發展，中國要有40萬技術幹部。然而1955至1956年，中國只有10萬知識分子，384萬人或多或少地接受了中等教育。[147] 1955年，只培養了4,800名高級幹部，大學生總數也只有28.8萬人：接受高等教育4到5

年。填補快速增長的需求空缺需要將近10年時間。1956年1月20日，毛澤東指出，中國「精密的儀器不能造，大的機器不能造」，只能靠進口。這次，毛澤東收回了對知識分子的成見及對自學成才者[148]的讚賞，他提議在「經驗豐富的工人中」僱用大量必要的工程師。這實在有點不切實際。因此他必須從現有人才中尋找。他認為現有的人才只有40%值得信任，40%中立且大多數為保守派，剩下的是或多或少反對新政權的敵人。而且諸如「胡風事件」等使得早先歸附中共的知識分子心生不快，也使留洋的一些知識分子打消了回國的念頭。因此，毛澤東希望安撫這批人。[149]他把這些不可逆轉的變化稱為「解放」，請知識分子們以勞動者的身份加入到中國的現代化建設中來，成為先鋒隊之一。[150]雖然他們創造了物質財富，但也傳播了思想，應該能為政治及意識形態轉型做出巨大貢獻。毛澤東認為他們不會形成一個獨立的階級，而是依附在最初的階級——資產階級上，是「皮毛關係」。上層建築落後於新的經濟基礎，影響了進步。對於老式知識分子來說「就是要他們幫助褪下已經過時的舊皮，換上無產階級新皮」。這個過程是痛苦的，更何況毛澤東在講話中確認中國的兩大王牌正是「中國人民貧窮和缺少教育」：增加高水平技術幹部，使之失去其中一個優勢。毛澤東意識到他沒有讓所有與會者心悅誠服，以挑戰式的民族主義論調結束了發言：美國那點東西，一億噸鋼，幾百個氫彈，算不了甚麼，中國要超過它，第一步是接近它。[151]

在這個大背景下，1956年5月2日，毛澤東引用十幾個世紀前周朝統治者的說法，提出「百花齊放、百家爭鳴」的口號。5月26日，陸定一作報告進行闡述，中國將要經歷一個和春秋戰國以及

1919年五四運動一樣的「黃金時代」。事實上，毛澤東傾向的是1942至1944年延安整風運動時的「工作作風」，不會出現「百花運動」是中國的「解凍」運動[152]這種字眼。他把矛頭指向蘇聯發展模式中大量存在的官僚主義，而自由批評政治是不可能的。1955年12月，毛澤東和周恩來在不同場合表示將於1956年9月召開的中共八大上要批判革命中的右傾危險，並沒有提到言論自由。

中國的主流知識分子沒有犯糊塗。他們對毛澤東的講話持謹慎的態度。1956年5月，一些經濟學家在《經濟研究》雜誌上對馬克思主義的現實性提出質疑，一個150年前誕生的理論怎麼去描述現有世界；社會學家對限制人口問題表現出了濃厚的興趣；一些留美深造的學者對李森科[153]觀點的科學性提出質疑。不過這樣的聲音很少。事實上，比起毛澤東提議的含糊的自由大辯論，蘇聯的「解凍」運動在中國的反響要熱烈得多。《人民文學》和《文藝學習》兩本雜誌上刊登了俄語作品的中譯版。4月，四十多歲的共產黨人劉賓雁發表了報告文學《在橋樑工地上》，批判了一個專橫小領導的無能。6月，他借《本報內部消息》中的女記者之口爭取新聞自由。9月初，22歲的共產黨員、小說家王蒙發表了小說《組織部來了個年輕人》，[154]故事的主人公是一個充滿理想的年輕人，被分配到北京的一家麻袋廠工作，他發現共產黨幹部不思進取，除了戲弄工人，對提高生產力水平完全不上心。其中一個積極參加過內戰的幹部和一個失去味覺的廚子因為共同的興趣走到了一起。這些文章和其他同題材的作品被閱讀、評論和翻印，對小小的知識界產生了影響。

1956年春，隨着土地集體化，工業、通信、銀行、貿易國有化

的完成，社會主義的基礎得以建立。共產黨支部遍布各地，構成社會中堅力量，農民的遷移被控制在合作社內。在城市裏，單位為每個勞動者提供住所，解決他們的溫飽和醫療問題，居民會從旁協助。建立了與蘇聯「勞動收容所」類似的勞改體制，已經關押了五百萬苦役犯，扼殺了所有對社會的不滿。[155]

因此，5月初毛澤東坐專列去武漢時非常樂觀。他從武漢出發游到漢口，順流游了二十公里，沿途由一艘小艇護航。5月30日，他在長沙的湘江游泳，試着找回年輕時的感覺。6月，他又在長江游了十二公里，這次是從漢口到武昌。在長沙時，他穿着泳褲傾聽農民們訴説生活的艱辛，安撫他們説日子會越來越好。在武昌，毛澤東參觀了預計1957年取代渡輪連接長江兩岸的武漢長江大橋工程後，創作了〈水調歌頭・游泳〉。[156]

才飲長沙水，又食武昌魚。
萬里長江橫渡，極目楚天舒。
不管風吹浪打，勝似閒庭信步，今日得寬餘。
子在川上曰：逝者如斯夫！

風檣動，龜蛇靜，起宏圖。
一橋飛架南北，天塹變通途。
更立西江石壁，截斷巫山雲雨，高峽出平湖。
神女應無恙，當驚世界殊。

秋日的惆悵

　　但是，毛澤東的樂觀情緒逐漸變為日益滋長的不安。春末，他非常重視的一項計劃碰了壁：4月4日，中央委員會及國務院聯合要求暫緩12年農業計劃。冬天時，為了實現農業計劃，熱情高漲的幹部動員了數千萬農民大規模擴建高級合作社，農民沒有其他謀生的方式。家庭小塊土地被沒收充公，農貿市場被迫關閉，兜售販賣也被喊停。合作社被重組成超過千戶家庭的大社，農民與土地間固有的聯繫被切斷了。讓呂克多・梅納克在河南省調研分析後認為如此揮霍資源犯了「小型大躍進」的錯誤，違背生產力發展規律的弊端很快便暴露出來，即將到來的秋收不能不讓人擔心。[157]

　　管理經濟的領導人陳雲和李先念非常明智，在6月的全國人民代表大會上，他們迅速採取了一系列補救措施：重新開放農貿市場，鼓勵手工業生產，自留地重新回到農民手中。不久，新鮮蔬果大量上市，豬的飼養數量增加，糧食增產7%。集體工作的單位重新變為同一個村莊的17個家庭。毛澤東不得不接受這些措施，後來他把它們定義為「農村的右傾」。7月15日，在北戴河召開中央委員會時，李先念提出「反冒進」，同時指出在全國水災大背景下，補救措施使糧食增產25%。[158]毛澤東雖然做出讓步，但沒放棄他的計劃。6月20日，《人民日報》指出，我們既要避免「保守主義」也要反對「急躁情緒」。毛澤東評論說將反右鬥爭中所取得的成績看作一場大捷，之後要進行反「左」鬥爭是錯誤的。這就好比「秦瓊賣馬，減頭去尾要中間一段」，要從「全局的角度」出發，繼續與右傾作鬥爭。[159]

　　東歐社會主義國家的危機讓毛澤東憂心忡忡，他更傾向於把天

平偏向「左」派。6月，波茲南的工人罷工運動被無情鎮壓。10月21日，因為支持「波蘭社會主義道路」而被波蘭統一工人黨開除的哥穆爾卡 (Władysław Gomułka) 重新掌權。在匈牙利，裴多菲俱樂部的知識分子在公眾中獲得了越來越多的支持，加強了對現行體制的批判。10月23日，匈牙利事件突然將矛盾激化，共產黨改革派納吉·伊姆雷 (Nagy Imre) 借此成為國家領袖。社會主義陣營瀰漫着緊張的氣氛，在這種背景下，中國共產黨第八次代表大會在北京召開，1,026位代表參加會議，五十多個海外社會主義代表團出席。[160]

一次戰略會議

在會上毛澤東出人意料地低調，發言兩次。但與過去不同，這次他沒有做總結報告。

8月30日，毛澤東在八大預備會議上確定了討論的範圍：[161]總結1949年以來取得的巨大成績，中國要在50年內追上「紙老虎」美國。[162]要實現這個目標，黨要堅持與宗派主義和主觀主義作鬥爭，同時擴大政權的政治基礎。對斯大林的評價要三七開，三分錯誤，七分功勞。他的錯誤都歸咎於官僚主義。可以借鑒過去延安整風運動的經驗，黨要接受批評。談到黨章的時候，毛澤東沒有引用七大時寫入黨章的「毛澤東思想」。事實上，在幾週後由鄧小平主持的選舉大會上，「毛澤東思想」在新的黨章中被刪去。[163]「文化大革命」期間，人們對鄧小平的這一次刪除口誅筆伐，但可以確定這是毛澤東本人贊同的。[164]逄先知找到一份中國共產黨中央宣傳部1954年12月的指示，該指示明確表示不要使用「毛澤東思想」以免引起任何解釋

上的錯誤，取而代之的是「馬克思主義普遍真理與中國的具體實際相結合」。[165]在反主觀主義和個人崇拜的大背景下，這樣的做法非常合適：毛澤東不需要做任何實質性的妥協。9月25日，毛澤東在接見拉丁美洲共產黨代表團時指出堅持「群眾路線」和「調查」是中國共產黨成功的法寶。[166]我們知道這兩點都是「毛澤東思想」的重要組成部分。

毛澤東的第二次講話是大會的開幕詞，整篇致辭都很平淡，除了一句話：[167]「蘇聯共產黨在不久以前召開的第二十次代表大會上，又制定了許多正確的方針，批判了黨內存在的缺點。」沒有比這更謹慎的了。毛澤東沒有參加之後的討論。[168]在修訂黨章的討論中，鄧小平贊同毛澤東主張傾聽黨外批評聲音的意見，而劉少奇認為只限於在黨內解決。不過劉少奇贊同毛澤東加速經濟建設的提議，儘管周恩來、薄一波和李先念提出穩紮穩打落實第一個五年計劃。毛澤東也沒有評價劉少奇完全斯大林式的生產本位主義。劉少奇認為中國的主要矛盾是先進的社會主義體制和落後的生產力之間的矛盾，只要發展生產力，一切都會解決。新中央委員會的選舉是各派靈活妥協的結果：毛澤東仍然掌控全局，他在領導機構裏增加了自己的信徒。鄧小平被選為總書記，毛澤東得以在1962年70大壽之際退居二線，把權力交給黨的二號人物劉少奇。[169]

此時，蘇聯裝甲師在布達佩斯武力鎮壓了暴動，納吉‧伊姆雷被捕。[170]毛澤東支持哥穆爾卡和他的民族社會主義對蘇聯的抵抗，認為發生在匈牙利的鎮壓是反革命行為：在他眼裏，納吉的罪行是要脫離社會主義陣營，結束無產階級專政統治。1956年12月29日，《人民日報》發表的〈再論無產階級專政的歷史經驗〉是對蘇聯共產黨

的一次關鍵支持，以反帝鬥爭的需要為名與鐵托劃清界限。[171] 在中國內部，秋天開始的鬧事事件有所升級。河北石家莊的正定地質學院學生由於無法分配工作，被迫延長一年學制。他們在街上遊行示威，高喊口號「打倒法西斯」、「社會主義制度行不通」，並包圍了廣播台。知名學府清華和北大有反對無產階級專政的聲音。後來，毛澤東談論起此事，稱之為「小匈牙利事件」。1956 年 11 月 10 日至 15日，中國共產黨第八屆中央委員會第二次全體會議舉行。毛澤東的總結發言與八大的「總路線」[172] 有所不同。他仍然接受劉少奇關於主要矛盾是生產本位主義和機械主義的闡述，但是他對赫魯曉夫的批評開始變得尖銳起來：

> 我看有兩把「刀子」：一把是列寧，一把是斯大林。現在，斯大林這把刀子，俄國人丟了。…… 我們中國沒有丟。我們第一條是保護斯大林，第二條也批評斯大林的錯誤…… 我們不像有些人那樣，醜化斯大林，毀滅斯大林，而是按照實際情況辦事。列寧這把刀子現在是不是也被蘇聯一些領導人丟掉一些呢？…… 赫魯曉夫的報告說，可以經過議會道路去取得政權，這就是說，各國可以不學十月革命了。這個門一開，列寧主義就基本上丟掉了。

回到經濟快速增長的問題上來，毛澤東不指名地批評了周恩來：

> 要保護幹部和人民群眾的積極性，不要在他們頭上潑冷水。有些人曾經在農業的社會主義改造問題上潑過冷水，那個時候有個「促退委員會」。後頭我們說不應當潑冷水，就來一個促進會。本來的安排是用十八年時間基本完成所有制方面的社會主義改造，一促進就很快。

　　另一方面，毛澤東安慰不要害怕「大民主」。「學生上街，工人上街，凡是有那樣的事情，同志們要看作好事。」「現在，有這樣一些人，好像得了天下，就高枕無憂，可以橫行霸道了。……以後修改憲法，我主張加一個罷工自由，要允許工人罷工。」因此，毛澤東打算再來一次新的整風運動，一次新的「五反」。

　　他說民主黨派和資產階級害怕「無產階級的大民主」，大學教授擔心被學生批判。如果他們想「要搞資產階級大民主」，我們就掀起一場整風運動。[173]他動員大學生們去糾正反對派的意識形態。「他們要打破框框。」前景讓人憂心。

　　年末的氣氛變得非常詭異，毛澤東的態度前所未有地含糊。12月8日，毛澤東和出席中華全國工商業聯合會第二屆會員代表大會的各省市代表團負責人座談。[174]他表現得很隨和，談及經濟話題時連稱外行，對在場的人大加讚賞，其中包括「大學生中百分之七十是資產階級的子弟」。毛澤東提議定息還要搞七年，這個比預期要長一些，完成社會主義改造還要三年，實現全面的轉變還要七年。1957年1月，當意識形態學者們對王蒙小說的猛烈批鬥達到頂峰時，毛澤東選擇替王蒙辯護。[175]11月15日，毛澤東的講話已經有一些「文化大革命」暴力的影子。這和任何一種自由主義都沒有關係。此外，達賴喇嘛去印度暫未返藏，說了不少詆毀中國共產黨的話，毛澤東堅持自己一貫的思想，很樂觀：這樣局勢就變得更加明朗了。毛澤東最後總結打算在1957年開展整風運動「打倒主觀主義、宗派主義和官僚主義」，並讚揚中國人民解放軍的犧牲精神[176]。

第十三章

烏托邦在掌權（1957-1959）

1957年11月17日，毛澤東在莫斯科與中國留學生會談。談話的內容沒有記錄，非常輕鬆，他對學生們說，「世界是你們的」，「因為你們好像早晨八九點鐘的太陽」。10月4日，蘇聯成功發射衛星「斯普特尼克」，68個國家的共產黨和工人黨代表團訪問莫斯科，其中12個國家由共產黨掌權，證明社會主義的力量超過了帝國主義，「東風壓倒西風」。「現在全世界共有二十七億人口，社會主義各國的人口將近十億，獨立了的舊殖民地國家的人口有七億多，正在爭取獨立或者爭取完全獨立以及不屬帝國主義陣營的資本主義國家人口有六億，帝國主義陣營的人口不過四億左右。」談到中國的情況，毛澤東又補充了一句意義重大的話：「在我國，真正的社會主義革命的勝利，有人認為是在1956年，我看是在1957年。1956年所有制改變了，這是比較容易的，較困難的倒是人心，是人心之所向，是人們的思想。」但直到1957年，我們才在政治和意識形態方面贏得了社會主義革命的勝利。[1]

事實上，1956年推出「總路線」之後，毛澤東一直在猶豫，他希

望加快革命進程，卻又考慮到存在現實的阻力。1957年，他決定並確立「左」傾方向，這在接下來的20年裏都沒有改變。他想要改造世界，但似乎越來越多地失去與這個世界的接觸。在他身上，空想社會主義戰勝了實用主義，儘管他有幾次心甘情願停下來過。就像有些人成了瘋狂崇拜上帝的人，他成了社會主義的狂熱分子，將他的人民逐漸引向災難，和古典悲劇的英雄一樣，他感覺到威脅，卻無力回天。這一齣悲劇共分為五幕：

(1)「百花運動」的序幕。

(2)「百花運動」。

(3)發動「大躍進」。

(4)共產主義過渡。

(5)「大躍進」的後果。

第一幕：「百花運動」的序幕

毛澤東在1956年4月進行的第一次「百花運動」[2]中有功有過：蘇聯社會主義模式的危機主導整個政治舞台，任何其他事件都無法與之相比。1957年5月準備要召開人大，6月召開全國政治協商會議，毛澤東認為進行整風運動的時機已經成熟。1955年11月15日，他在中央政治局會議上提出打擊農村集體化過程中出現的幹部「右傾」的問題。[3]1957年1月18日到27日，全國各省、市、自治區黨委書記會議[4]召開。毛澤東在會上的講話可以概括為五個斷言。[5]

第一個斷言：自1956年第二季度以來，[6]一股右傾之風吹得昏天黑地，我們必須通過說服工作戰勝它，消滅它，而不是「用槍桿

子」。為此，黨需要理論家，「一兩個馬克思，一兩個魯迅」。

第二個斷言：在中國存在社會不安。

在農村，人們對農業部的工作感到失望（農業部的幹部通常來自地主、富農家庭，「家裏人就講那麼一些壞話」），加上1956年糧食收成不好，大家都有些氣餒，因此放棄了被視為冒進的12年農業計劃。不過，發揮集體農業的優勢需要時間。這個計劃勢在必行，並用11年時間來貫徹。

在石家莊和北京清華大學等高校中存在着一些問題。畢業生就業是個老大難。有些人想在中國發起「匈牙利事件」，建立「裴多菲俱樂部」。80%的學生來自富裕階層，同情哥穆爾卡、鐵托和卡德爾。一些民主黨派的領導人和許多有特權背景的教師也有同樣的感覺，還懷疑共產黨治理國家的能力。許多農村幹部受到梁漱溟的影響。「江蘇作了一個調查，有的地區，縣區鄉三級幹部中間，有百分之三十的人替農民叫苦。」這是一種欺騙，因為他們「大多數是家裏比較富裕，有餘糧出賣的人」，「他們不是代表廣大農民群眾，而是代表少數富裕農民」。[7]反對派人數有限：「大的省份三萬人，中等省份兩萬人和小省份一萬人」。[8]

第三個斷言：這種不安是有益的。不能抑制工人罷工、學生罷課或農民遊行，因為「要揭露矛盾，解決矛盾」。在一個六億人口的國家中，有少數人鬧事，並不值得大驚小怪。如果反對派[9]「有屁就讓他們放，放出來有利，讓大家聞一聞，是香的還是臭的」。「壞事裏頭包含着好的因素。……同樣，好事裏頭也包含着壞的因素。去年這一年的大勝利，使有些同志腦筋膨脹，驕傲起來了，突然來了個少數人鬧事，就感到出乎意料之外。」[10]毛澤東舉了鄧小平「親自

出馬到清華大學作報告」的例子，誇他處理困難問題的能力是幹部的榜樣，柯慶施「要想盡一切辦法」克服江蘇的困難，還提到一個不起眼的上海記者姚文元的一篇文章。毛澤東感到遺憾的是許多幹部「和匈牙利的拉科西一樣」，不聽批評，實行壓制。他要求將內部發行的出版物《參考消息》的印刷量增加到四十萬份。這份面向中高層幹部的刊物整理外國新聞機構的電訊，使幹部對敵對思想「免疫」。他數次談到自己宣揚的「百花運動」，「在批判了胡風反革命集團之後」提出我們需要「合乎辯證法」的思想。他進一步解釋說：「匈牙利事件的一個好處，就是把我們中國的這些螞蟻引出了洞。」不僅要放香花，還要放毒草。鋤掉的毒草可以用來肥田，即做反面教材教育人民。因此，毛澤東發動「百花運動」的目的[11]與1955年年底提出的黨的八大的目標是一樣的：不要揭穿右派，給他們設一個陷阱：他有足夠的時間來確定哪些是反對他的「總路線」的人。這樣做可以迫使幹部們和右派作鬥爭，同時糾正其潛在的右派傾向。對毛澤東而言，反右鬥爭與共產黨開誠布公接受批評之間存在的辯證關係，遠遠大於兩者之間的區別。簡言之，這是毛澤東對蘇共二十大後如何避免官僚僵化和斯大林主義致命惡習的回應。只是毛澤東必須先回應蘇共二十大在社會主義陣營中造成的危機，這使他不得不曲線救國。「百花運動」是一項新的「整風運動」，反右運動也是其中之一。正如鄧小平對清華學生所說，必須用「小民主」解決人民內部矛盾，對討論進行控制，遇到特別嚴重的官僚主義情況時，可以毫不畏懼地使用「大民主」：罷工、遊行示威和集會，讓犯錯誤的幹部接受群眾的批評。因此，為了今後更好地實行無產階級專政，「百花運動」必須在一段時間內放寬無產階級專政。

　　第四個斷言：「對蘇共『二十大』，我們黨內絕大多數幹部是不滿意的，認為整斯大林整得太過了。」他說：「對蘇聯的東西還是要學習，但要有選擇地學，學先進的東西，不是學落後的東西。」1月18日周恩來、賀龍、王稼祥在莫斯科會見蘇聯領導人。[12] 毛澤東打電話給周恩來，讓後者「傳達他的不滿」[13] 說「這些人利令智昏」。說到斯大林，毛澤東認為，斯大林在辯證法上有錯誤，不講否定之否定，十月革命否定了資本主義，但他不承認社會主義也會被否定。「按照辯證法……社會主義制度作為一種歷史現象，總有一天要滅亡，要被共產主義制度所否定。如果說，社會主義制度是不會滅亡的，社會主義的生產關係和上層建築是不會滅亡的，那還是甚麼馬克思主義呢？那不是跟宗教教義一樣了？」由於不能辯證地思考，斯大林不能接受自己遭到反對，1936年和1937年處死了很多人，1938年略少，1939年更少，因為他不可能殺死所有對手。

　　第五個斷言：國際局勢似乎不那麼危險。當然，「要防備爆發原子戰爭。但是這沒多大機會發生，因為帝國主義非常害怕我們，他們的陣營中有很多矛盾。在蘇伊士運河事件[14] 中我們已經看到了帝國主義和帝國主義之間的矛盾，例如美國和英國、美國和法國之間的矛盾。其次是被壓迫民族和帝國主義之間的矛盾。第三是帝國主義國家和社會主義國家之間的矛盾。[15] 而且，在帝國主義國家內「還有我們的人，就是那裏的共產黨、革命的工人、農民、知識分子和進步人士。我們裏頭有他們的人」。但是帝國主義之間的矛盾更尖銳。我們應該對未來感到樂觀，「總有一天，美國要跟我們建交」。

　　毛澤東意識到聽眾的抵觸，在不同場合再三強調這些觀點。2月14日，[16] 毛澤東接見全國學聯委員，提到1月在大學校園內的幾

起鬧事時，他説：「社會主義建設比革命更困難。」2月16日，他在中南海頤年堂接見五十多位非黨員學者和知識分子：他談了王蒙的小説和對它的批評，劉賓雁和其他幾人應他的要求批評了體制中的問題。[17]大家還談到中國人民解放軍總政治部文化部負責人之一的陳其通1957年1月7日在《人民日報》上發表的文章。這篇文章對黨在文學和藝術創作領域的領導作用提出了質疑。毛澤東為他們辯護：王蒙的小説《組織部來了個年輕人》是膚淺的。他應該描寫積極的正面人物。「一千兩百萬幹部當中的幾個」，「是小資產階級，沒有無產階級思想」，但是批評官僚主義是好事。應該批判，學習馬克思反對杜林，列寧反對盧那察爾斯基，而不是像斯大林那樣「封閉在自己的院子裏，朝人們扔石頭」。1月12日，毛澤東給《詩刊》主編寫了一封信，並寄給他18首詩詞，作為與知識分子和解的努力。毛澤東在信中説因為是古體詩，所以他猶豫了很久才決定發表這些詩。他要求編者的選擇應以新詩為主，承認文學創作有其特殊性，不是一種宣傳方式，這和他1942年在延安時的立場不同。[18]

2月12日，由周恩來率領的代表團訪問波蘭、匈牙利和蘇聯後回到北京。這肯定對2月中旬毛澤東再次提出「百花齊放」的口號起到了重要作用，因為百花在盛開前有枯萎的危險。[19]2月9日至11日晚上，周恩來見到了毛澤東，彙報了訪問情況。地點可能在杭州。冬天，毛澤東在杭州休養，在北京是為了盡到國家元首的義務。總理報告了社會主義陣營危機的演變，人們認識到錯誤後情況有所好轉。但這不是蘇聯領導人或劉少奇、彭真等中共領導人的意見。他們把匈牙利問題主要歸咎於帝國主義的干涉，主張進行最大限度的封鎖。

一次煽動的演講

毛澤東認為鎮壓解決不了任何問題。我們必須揭開傷口，面對批評，允許反駁。2月27日，在一千人參加的籌備會議後，毛主席召開了最高國務擴大會議：他對一千八百多名共產黨員和非黨員發表了題為「關於正確處理人民內部矛盾的問題」[20]的講話。他的講話充滿激情，不時詢問這個或那個聽眾，旁徵博引，有時候還偏題了。他共提到了12個可能會引起矛盾的問題。

第一個是無產階級專政。它不應該用來反對人民，而是人民利用集會、言論、結社和言論自由，「在法律的框架內」實行專政。事實上，這是一個「小民主」，由民主集中制領導的「民主」，不是無政府主義或歐洲議會制度的「大民主」，那是「資產階級獨享的自由」。與斯大林不同的是，我們不應該混淆人民內部矛盾和敵我之間的矛盾，後者唯有進行鎮壓才能解決。「民族資產階級」從根本上反對工人階級，但它接受了社會主義道路，這個矛盾不是對立的，可以通過討論進行調整。例如，1942年在延安時採取了「團結—批評—團結」的方法解決了所有的矛盾，不像斯大林「在基督徒的天堂裏尋找異教徒」。

第二個是肅反問題。誠然，「1950年和1952年之間我們肅清了一批反革命分子。一些有嚴重罪行的反革命分子被處了死刑」，否則「人民群眾就會抬不起頭來」。這樣做也是為了「在新的生產關係下面保護和發展生產力」，不需要特赦。最近中國只經歷了輕微的考驗，「比如春雨在池塘上形成的漣漪」。事實上，「反革命分子的主要力量已經肅清」。

　　第三個是關於農業合作化的問題。農業合作化是毛澤東必須捍衛的運動。1956年下半年「吹來了一股小颱風」，「說合作化不行」。大家可以借鑒遵化縣王國藩的「窮棒子社」在山區辦社成功的經驗。當然，仍然有10%到15%的農民沒有足夠的糧食，但我們將在三四年後結束他們的苦難，有一天農民會比工人更富有。

　　毛澤東談到的第四個問題是通過再教育將資本家改造成工人。他舉了榮毅仁的例子，曾經的上海申新紡織九廠老闆，已經被改造成為一名工人，不反對現政權。把所有的資本家改造好之後，我們可以放棄無產階級專政。毛澤東還談到了他自己的情況：童年時他在母親的影響下拜佛，並去衡山朝拜。他在成為馬克思主義者之前，曾經被無政府主義和康德的理想主義吸引。通過研究，他改變了主意。這個轉變和美國人說的「洗腦」完全不同。

　　第五個是知識分子和青年學生問題。思想政治工作被忽略了一段時間，毛澤東感到很遺憾。

　　第六個是增產節約，反對鋪張浪費，遺憾的是管理等級制度滋長了「計較名利」的傾向。

　　第七個問題是國家統籌兼顧。現在計劃生育是需要的。中國人多，是好事，但也有困難和新的矛盾，因為你要養活這些人。毛澤東欣慰地談到經濟學家馬寅初[21]和邵力子（兩人都出席了會議並鼓掌）。他們倆因為寫了人口均衡增長的文章，於1955年受到審查。同樣，國家對糧食貿易的壟斷雖然受到一些人的批評，但是可以幫助遭受自然災害的受災群眾和三百萬城鎮失業人員。不過，毛澤東認為，為了解決上海和廣州的失業問題，有必要在「八到十年內凍結或降低工資」。最後，新的畢業生必須耐心等待由中央分配工作。

教育系統重組仍然沒有完成，這一年40%的兒童仍然沒有入學，九萬高中生沒有進入大學。

第八個問題為「百花齊放，百家爭鳴，長期共存，互相監督」。這一部分是1957年6月19日講話發表之前改動最多的。[22]毛澤東提出了「人民內部矛盾」這個概念。他聲稱贊同列寧的權威，反對斯大林放棄辯證唯物論的做法，尤其反對他的《簡明哲學詞典》。[23]斯大林有形而上學、不辯證的觀念，並且拒絕承認對立階級之間、戰爭與和平、生與死之間存在着同一性：資產階級變為無產階級，無產階級從被統治者變為統治者，戰爭醞釀和平，和平醞釀戰爭，生死互相轉化。百花齊放就是認識到這些社會矛盾。通常，發現了這些矛盾的人和大多數開創者一樣不受歡迎，[24]在中國也是如此。因此，中國共產黨的宣傳部和《人民日報》沒有回應質疑「百花運動」的一些人。[25]「教條主義喜歡機會主義，機會主義喜歡教條主義。」

當然，在談到第九個問題時毛澤東說「必須容忍」罷工和遊行，不逮捕領導者。[26]這些人通常是知識分子，是「犯了錯誤的教員」。第十個問題談到鬧事「又好又不好」。在3月1日致閉幕詞時，毛澤東又談到這一點：我們不應該害怕批評。[27]共產黨有一天會消失。我們遵循的方法是「小民主」。但是，如果不能糾正官僚作風，「大民主」就會和罷工、各種動亂一起出現。「罷工是一種鬥爭形式」，這一點沒有寫入憲法，但此時是合法的。[28]

在1956年西藏康巴動亂和達賴喇嘛[29]滯留印度的背景下，毛澤東把第十一個問題定為少數民族問題，特指西藏問題。

這一條明確而乾脆：如果西藏想獨立，藏民們就會動亂。但是，我們不願意，我們有「十七條協議」。[30]

　　第十二個問題為「中國工業化的道路」。毛澤東重提1956年的〈論十大關係〉，確認了中國發展的道路並非完全遵循蘇聯的模式。蘇聯把90%的資源投入重工業，儘管重工業的出路是輕工業和農業，[31]但這樣做使社會關係緊張。中國的重工業和輕工業比例從8：1微調至7：1。

　　如此一來，毛澤東給「百花運動」定的目標更加清晰。和1941至1945年延安整風運動、1947至1948年解放區的土改一樣，毛澤東希望人人開口，使黨的幹部接受批評。[32]這種自由化本身不是目的，而是一種手段：毛澤東不會結束無產階級專政，就是說結束強大的共產黨領導，而是想讓這種專政被更多人接受。事實上，黨接受批評能打擊幹部的教條主義傾向和類似王明、李立三的機會主義。在這個階段，幹部必須捍衛社會主義道路，反對右傾機會主義的傾向。因此，反右運動不是「百花運動」的對立面，而是它合乎邏輯的延伸，有別於蘇聯的中國社會主義道路也將逐漸浮出水面。

　　在接下來的兩個月裏，毛澤東迫使「百花運動」不限制在黨的理論家、作家和一些著名的教授這個圈子裏。事實上，黨的幹部更傾向於將百花當做毒草拔掉，而知識分子仍然在觀望，「一朝被蛇咬，十年怕井繩」，他們還記得胡風事件。[33]毛澤東必須從北京開始採取行動。3月6日和7日，九個省或直轄市（包括天津、上海）的宣傳、文化和教育負責人[34]舉辦了一個論壇，聽了毛澤東講話的錄音。在接下來的討論中，康生和周揚在會上發了好幾次言，但是沒能讓聽眾放心。毛澤東必須在多個場合親自講話。他重申支持王蒙的作品，考慮把姚文元分析姚雪垠小說的方法作為範例。姚雪垠批評茶館變成合作社後官僚化的管理方式，批評的行為是好的，但是態度

有些居高臨下。王蒙和姚雪垠「走中庸之道」，毛澤東認為可以解禁
26部被視為不健康的劇本，不應該害怕魑魅魍魎和一些害蟲。也許
因為稍微有些放心了，老舍、茅盾、巴金和著名演員趙丹參加了討
論。3月10日整整一個下午，毛澤東一直在康生的協助下參加新聞
界非黨員人士[35]的討論。令人意外的是，毛澤東回憶了教條主義的
危險，說「1943年第三國際不解散，中國革命永遠不會勝利」，諷刺
共產黨情報局的作用，並認為新的共產國際毫無用處。提到新聞紙
短缺的問題時，毛澤東說他更喜歡「小民主」，覺得法國共產主義報
紙《人道報》對匈牙利問題的處理最典範。[36]在另一次發言時，毛澤
東說亞洲比美國和英國更先進，那裏的生活水平低得多，「而且窮人
要革命」。根據其民粹主義的傾向，他還補充說美國和英國不革命的
另一個原因是人口的教育水平太高。毛澤東還談到將在3月12日中
國共產黨全國宣傳工作會議上講話。這次會議於3月6日至13日召
開，[37]彙集了三百八十多名參與者，聽取了一百份報告和一百二十
次發言。毛澤東回顧說，必須對知識分子進行再教育，整頓黨的作
風。他感到遺憾的是大家往往忽略了批判修正主義：「修正主義是比
教條主義更有害。」他還補充了一句話，這句話在接下來的幾個星期
裏反覆出現：「急風暴雨式的群眾階級鬥爭已經基本結束，但是還有
階級鬥爭，主要是政治戰線上和思想戰線上的階級鬥爭，而且還很
尖銳。」很顯然，毛澤東並沒有忘記「百花齊放」是蘇共二十大之後
進行反右運動的手段。1956年11月開始，他就打算進行反右鬥爭。

　　3月17日至4月7日，[38]毛澤東乘專列（坐了幾次飛機）在各省視
察了三週。[39]他稱自己為「遊說先生」。[40]3月17日中午到天津。第二
天在濟南。19日到徐州，中午乘飛機到南京，住在以前的美國使館

內。20日飛到上海。21日會見包括「老朋友周穀城」[41]在內的復旦大學教授。同一天乘火車到杭州，待在那裏直到4月7日。其間與周恩來、陳雲、薄一波、李先念和黃克誠[42]談話。4月4日至6日，接見了上海市（柯慶施）、江蘇、浙江、安徽、福建（葉飛）的黨委書記。在此次視察期間，他不知疲倦地講了相同的主題。最重要的是3月20日在江蘇、安徽兩省及南京軍區黨員幹部會議上的講話。也許是為了安撫他的聽眾，毛澤東強調暴力階級鬥爭已經結束，我們正在進入一個與大自然作鬥爭的時期。他讚賞南京大學生的示威遊行遵守紀律：「當他們走過官方建築的大門，一字排開，高喊『打倒官僚主義！』如果他們在斯大林面前這樣做，頭早就滾到地上去了！但是他們沒有一個人是反革命。他們都是好學生，官僚主義確實存在！」毛澤東還指出我們需要知識分子，「只有10%的知識分子接受了馬克思主義」，「我們必須爭取他們，但要改掉他們的傲慢和對工人的蔑視，就像翹尾巴的狗，如果朝它潑一桶冷水，它就會逃走」，[43]「我們不應掩蓋階級出身的問題：魯迅、列寧和馬克思都出身資產階級。我們連根拔除了中國知識分子的社會根源，皮之不存，毛將焉附，很容易改造」。因此，必須對他們進行說服，而不是抑制，聽不好聽的話，接受鬧事和罷工，但不容忍騷亂。

返回到北京之後，[44]毛澤東於4月8日接待了一個波蘭代表團。之後，毛澤東和北京的「無黨派民主人士」談話，[45]他指出，階級鬥爭已經結束，我們已經對自然宣戰，他重申《人民日報》4月10日的社論〈繼續放手，貫徹「百花齊放、百家爭鳴」的方針〉。[46]但是他對《人民日報》忽略2月27日的講話和3月12日全國宣傳工作會議上的講話感到不滿。他穿着睡衣召見了《人民日報》主編鄧拓，指責他不

宣傳黨的政策。「過去我説你們是書生辦報，不是政治家辦報。不對，應當説是死人辦報。」

4月中旬毛澤東讀到13日的《大公報》，感到非常滿意。《大公報》的社論明確支持黨開展的「百花運動」。[47]毛澤東下達開展「百花運動」的指示，27日以中央通函的方式發出。5月1日，《人民日報》用大標題頭版報道了「百花運動」：毛澤東終於成功地拉開了黨的機構強加給他的門栓。

第二幕：「百花運動」

事實上，這是一次雙重豪賭：一方面毛澤東希望對黨的批評是溫和的，另一方面他希望黨的幹部能夠面對批評。[48]很快他就明白他可能把事情弄得不可收拾了。[49]人們對制度的不滿意似乎壓抑了很久，當他們終於可以説話時，出現的不是預期的和風細雨，而是一場真正的風暴：知識分子和民主黨派成員舉行會議激烈討論，在不直接附屬於黨的報紙上寫文章抨擊，同時創建《廣場》等報紙。北京大學的教師和學生在廣場牆壁上貼滿海報和牆報，很快此處被稱為「民主廣場」。[50]

其他學校也有抗議的熱潮，在武漢的遊行中，中學生將市政府洗劫一空。鋪天蓋地的言論和文章突破了毛澤東制定的框架。大家攻擊官僚主義、共產主義小頭頭的怪癖和特權、荒謬複製蘇聯模式的教科書……但是，更重要的是，他們譴責一黨專政，痛斥缺少民主自由，建議與知識分子認可的「小黨派」進行真正的共同執政。另外，中產階層對共產黨放棄「新民主」的承諾感到失望。

6月1日的一次會議上，才華橫溢的記者儲安平在掌聲中發表了「中國已經成為黨天下」的講話，大家對「小和尚」（基層幹部和一般黨員）「權力大，能力小」提了不少意見，但沒有人對「老和尚」（毛主席和周恩來總理）提意見。當時儲安平是《光明日報》[51]的主編。1946年至1948年，他就曾創辦報紙《觀察》抨擊國民黨。5月8日的一個論壇上，交通部部長章伯鈞[52]要求共產黨和政府分離，並在6月13日的民主聯盟會議上重申了這個建議。他領導的「農工民主黨」的黨章中刪除了接受中國共產黨領導和馬克思列寧主義的內容。6月6日，章伯鈞召集中國人民政治協商會議（政協）文化俱樂部包括費孝通在內的民主人士，討論中國共產黨和各民主黨派之間的新關係。在談到各民主黨派之間的權力交替時，章伯鈞要求的其實是恢復1949年的情況，人民政府的三個副主席中有兩個不是共產黨員。

另一個也是來自小黨派的森林工業部部長羅隆基[53]同意章伯鈞的想法，還建議在全國人民代表大會和政協的控制下建立一個平反委員會來重新審查反革命分子的情況。5月16日至18日，人民大學和北京大學的新聞系召集從北京、上海、瀋陽、太原趕來的記者，對新華社的作用和黨管新聞提出異議。許多大知識分子和機構則表現得極為謹慎——和其他抱怨的人比起來，他們不也是享受特權者嗎？——我們聽到的很多意見倒是出自對國民黨失望後歸附共產黨的溫和派民主黨人（如章伯鈞和羅隆基），還有嚮往蘇聯的共產主義的「修正」知識分子（如劉賓雁）。

他們的講話真誠卻不夠靈活。5月24日，曾是共產黨地下黨員的葛佩琦在人民大學的會議上發言，肯定「如果共產黨員不為人民服務，人民有權力推翻或處死他們」。[54]這樣的話如果斷章取義，無異

於進行起義的號召。這種對社會的不滿很快就吸引了許多在紅旗下長大的大學生和青年學者。他們震耳欲聾的呼喊遠遠抵消了長輩們的沉默。於是就有了林希翎，[55]她要求釋放胡風，並批評1942年延安整風中毛澤東關於文學和藝術的思想。「毛主席的話又不是福音，為甚麼不反對？」她還說：「中國的社會主義不是真正的社會主義，而是一個封建社會主義……缺乏民主。」她清醒地認為在這場精英運動中，人民是缺席的。

事實上，人民不是缺席，而是沉默。上海和廣州的工人舉行罷工抗議工作日過長或要求更高的工資，農民拒絕向當局提供糧食。除了一些工會領袖譴責黨想讓工會擔任傳話筒的角色，這些暴力反應並沒有被看作政治立場有問題。社會和政治的分離大大消除了不滿意見的力量。就像西方有些學者認為的那樣，這種分離讓毛澤東肯定，如果他的目的是制約體制平衡的話，那麼這種考驗並沒有甚麼風險。但情況顯然不是這樣的。

事實上，毛澤東積極關注運動的發展：4月8日回北京後，他一直在北京待到7月1日上午。5月4日，他下了一個批示要求「向前邁進」，雖然有些批評沒有道理，但「沒有社會壓力，整風不易收效」。[56] 5月13日，他撰寫了《人民日報》社論〈談職工鬧事〉。[57]毛澤東沒有舉任何實際的例子，肯定地說「工人是國家的主人」，他們和企業領導之間的矛盾不是對立的。5月15日，他認為「事情正在起變化」，[58]同時表達對影響的關注：「事情正在走向反面。」

於是，反對教條主義和「左」傾機會主義的批評開始轉向「右傾機會主義和修正主義」，這和計劃完全相反。4月17日，他設宴招待4月15日至5月26日期間訪問中國的伏羅希洛夫榮譽元帥，並在訪

問結束時發表了一次演講，關注中蘇友誼的發展。他閱讀了很多書籍，尤其是各朝代的歷史書，還向他的秘書們特別是林克要馬克思主義理論的讀書筆記和列寧經典書籍《做甚麼？》和《四月提綱》，他要豐富自己的論點來反對資產階級思想。[59] 1965年8月，他對安德烈‧馬爾羅説「我孤單一人率領群眾」，[60] 也許就是在這幾個月裏他體會到這種感覺。事實上，毛澤東知道自己很受歡迎，當他出現在天津著名的「狗不理」[61] 餐館的窗口時，擁擠的人群為了近距離看到他開始騷動。不過，他已經不和普通人接觸，這越來越扭曲了他的判斷。他生活在夜晚，白天吃很多安眠藥，在清晨和下午睡覺，然後跳入心愛的游泳池：花一整天泡在游泳池裏，發胖的身體使他偏愛繫腰帶的浴袍。一個星期舉行幾次舞會，傍晚時分，大家到主席家裏跳舞：毛澤東踩着笨拙的舞步和汪東興從解放軍文工團挑選的女孩子跳舞，然後在書房裏堆滿了書的床上和她們做愛。他經常問警衛他們的村莊發生了甚麼事。相反，他和黨的高級官員的接觸都比較正式，尤其是高崗不能夠很好地理解他的意圖而下台之後。毛澤東不信任劉少奇、周恩來，也不信任鄧小平，1956年和1957年他們曾是最親近他的人。

每一天很晚才醒來後，他先閱讀由康生的團隊寫的關於政治形勢的報告和汪東興控制的8341部隊[62] 特派員的報告。他不喜歡北京的天氣，在北京感到不舒服，他喜歡到各省視察，好比他著名的江西調查。他的專列受特級保護，地方幹部會確保主席看不到甚麼令人不愉快的東西。因此，無論是在北京還是在全國其他各省，毛澤東都生活在虛假的布景中。雖然他知道所有信息的細節，但是撰寫

信息的人或能夠接近他的領導者讓信息通過棱鏡的折射，展現給毛澤東一個他希望看到的世界。

從5月11日開始，毛澤東和李淑一互寄信件，信中透露出毛澤東的擔憂。[63] 李淑一是毛澤東第一任妻子楊開慧的朋友，柳直荀的遺孀。柳直荀是湖南農民工會領導者之一，1932年9月在反對國民黨的戰鬥中被殺。李淑一在送給毛澤東的一首詞中哀悼她早逝的丈夫。作為回應，毛澤東寫了一首名為〈蝶戀花・答李淑一〉的詞，將兩位烈士的姓用諧音寫進詞裏：

> 我失驕楊君失柳，[64] 楊柳輕揚直上重霄九。
> 問訊吳剛[65]何所有，吳剛捧出桂花酒。
>
> 寂寞嫦娥[66]舒廣袖，萬里長空且為忠魂舞。
> 忽報人間曾伏虎，[67] 淚飛頓作傾盆雨。

這首談論勝利的詞卻散發出一種憂鬱的感覺，兩個仙人因為過於大膽（楊開慧和柳直荀參加革命？）受到懲罰居住在月亮上。這首詞表達了毛澤東的失望甚至惱火：我們做出如此大的犧牲是為了現在這樣？

5月15日，毛澤東在一個下發到各級黨組織的內部指示上寫道[68]：「幾個月以來，人們都在批判教條主義，卻放過了修正主義。……右派……先爭新聞界、教育界、文藝界和科技界的領導權。他們知道，共產黨在這些方面不如他們……毒草共香花同生，牛鬼蛇神與麟鳳龜龍[69]並長。」毛澤東用威脅的語氣結束了這篇文章：「右派先生們」或者承認自己的錯誤，改邪歸正；或者堅持挑起事端，自

取滅亡。5月25日，他在共青團第八次代表大會上說：「一切離開社會主義的言論行動是完全錯誤的。」[70]1958年1月28日，毛澤東指責陳銘樞：「『偏聽偏信』，不可不偏，我們不能偏聽右派的話，要偏聽社會主義之言。」[71]對毛澤東而言，法律只是階級鬥爭的工具。

反右運動

6月8日，毛澤東在黨內下達指示——〈關於組織力量準備反擊右派分子的猖狂進攻〉，[72]發動反右運動。同一天，毛澤東在《人民日報》發表社論〈這是為甚麼？〉。[73]5月25日在國民黨革命委員會[74]的會議上，一些幹部被指責「為虎作倀」，證明「階級鬥爭並沒有消失」。[75]6月9日的文章〈我們應該接受積極評價，並作出適當的反應〉記錄了6月7日發生在上海復旦大學的類似事件：一位教授為過度批評中國共產黨感到遺憾，被一位質疑黨的領導作用的副教授突然打斷。面對後者要求的言論自由，毛澤東提到「社會主義勞動人民的言論自由」，因為「階級鬥爭還沒有結束，資產階級思想總是和無產階級思想發生衝突」。6月10日，一篇新的社論討論了前幾天工廠裏的工人論壇對資產階級思想的譴責。6月14日，毛澤東引用了姚文元反對《文匯報》右派路線的文章，再次提醒說：我們必須始終確定階級定位，才會重拾人民內部矛盾。6月19日，《人民日報》刊登了2月27日毛澤東發動這場運動的講話〈關於正確處理人民內部矛盾的問題〉，不過經過了刪節和補充。毛澤東在原文基礎上加入了六個區分「毒草」和「香花」的標準。「這種標準可以大致規定如下：（一）有利於團結全國各族人民，而不是分裂人民；（二）有利於社會主義改

造和社會主義建設，而不是不利於社會主義改造和社會主義建設；
(三) 有利於鞏固人民民主專政，而不是破壞或者削弱這個專政；
(四) 有利於鞏固民主集中制，而不是破壞或者削弱這個制度；(五)
有利於鞏固共產黨的領導，而不是擺脫或者削弱這種領導；(六) 有
利於社會主義的國際團結和全世界愛好和平人民的國際團結，而不
是有損於這些團結。」毛澤東對所有希望插手新體制的知識分子關上
了門。

　　6月8日的通知和後續的具體指示徹底扭轉了運動的方向：不再
糾正黨的「左」派的錯誤或某些幹部的官僚作風。現在唯一的打擊對
象是右派分子和與他們勾結的幹部。當然，右派只佔人口的1%，沒
有甚麼好怕的。但是，我們必須阻止他們的進攻，阻止壞分子進入
工廠和學校，必須防止不同政見和社會活動結合起來。毛澤東進一
步說：在此期間，工人不應該問生活條件和工資的問題，應團結起
來反對要推翻工人階級政權的反對派。

　　他為各級黨組織提供了具體的作戰計劃，從而證實了他對他們
缺乏戰鬥性是如何失望：(1) 激起「左派和中間派」對打擊右派的反
應。(2) 讓群眾通過大字報反駁這些錯誤的觀點。(3) 學習區分建設
性的批評和破壞性的批評，無情鎮壓後者，不壓抑前者。(4) 讓無黨
派人士加入辯論。(5) 通過大約一個月的討論，[76]「由有威望的共產
黨負責人」得出結論。6月份的社論旨在展現這些計劃。7月1日，
毛澤東在《人民日報》發表最後一篇文章，[77]標題為〈《文匯報》的資
產階級方向應當批判〉，結束了北京的運動。[78]文章背景是6月24日
上海復旦大學在北京舉行了一個新聞記者會議，這次會議推翻了5
月16日所採取的立場，批評頭腦中還殘存着的資產階級辦報思想。

文章措辭嚴厲地批評「章伯鈞—羅隆基反革命聯盟」，與批判虛構的高崗—饒漱石同謀案或胡風案件不相上下。毛澤東認為這個「黑聯盟」到處點火，煽動工農、學生，以便於接管學校，大鳴大放，天下頃刻間大亂。

同時，自6月8日起全國各地開始殘酷的反右運動，一直持續到10月9日，由鄧小平負責。和以前的運動一樣，所謂的「右派」或被地方黨組織負責人指定為右派的人要接受公眾的批鬥，並被勒令進行自我批評。如果「群眾」認為自我批評不夠深刻，他們的苦難將重新開始。6月14日羅隆基、章伯鈞的第一次自我批評被拒絕。7月15日，他們在人民代表大會上做第二次自我批評。[79]同時他們被剝奪了一切政治職務，被其政治上的朋友批評。他們的親戚和朋友也要參與批判，否則會受到牽連。

在一篇或多或少有些自傳體性質的小說《布禮》[80]中，王蒙寫道，通常這樣的考驗最終會說服被批判者，讓他內疚，讓他對自己進行譴責。大約有一百萬人接受了這種考驗，主要是小知識分子、教師、地方官員和省級記者。一半人做了自我批評，材料留在他們的個人檔案裏。被貼上右派的標籤後，隨後的20年裏，他們最有可能成為未來活動的受害者，他們的直系親屬和其他「黑五類分子」一起成為社會的棄兒。其中52萬人，即5%–10%的知識分子和基層幹部被流放或勞改，直到1978年平反。中央在所有生產經營單位和政府機構中確定了5%的「右派」名額。

和早春推出「百花運動」時一樣，毛澤東不辭辛苦地視察了各個省份。這一次，他用權威給幾個月前他不遺餘力鼓動參加評論的人貼上了右派的標籤。[81]7月1日早上飛往杭州，休息了幾天。6日到9

日在上海召集了黨的地方幹部，跟他們解釋類似的整改運動將在未來定期推出。他和柯慶施一起參觀了機床廠，在那裏了解了反右大字報，對幹部們說「這些是好東西」。[82]前一天，他發表了關於知識分子的講話。一方面，他說：「智慧來自群眾」，應該打擊右派知識分子，他列舉了一些名字；另一方面，他認為需要知識分子，「不應該把他們扔進黃浦江」，而要幫助他們改正。7月17日至8月11日，他待在青島，[83]主持了一個重要的省委書記會議，再次談到這個問題。他把他們比作著名通俗小説《西遊記》[84]中的主人公孫悟空：完全不守紀律，在被觀世音菩薩收服之前做了很多蠢事，後來成為保護玄奘去印度取經的人。毛澤東舉了解放軍在內戰期間實行的「三大民主」為例：戰士能批評領導，又不破壞後者的權威。此外，他不排除採取鎮壓措施。浙東80%的合作社解散，一百萬農民鬧事：18日，毛澤東認為要保留死刑。20日，他談到蘇聯，為赫魯曉夫的上台感到遺憾，並回憶1949年冬天和斯大林進行過多麼艱難的談判。會議接近尾聲時，毛澤東發了「青島文件」[85]，總結了反右運動的中期成果。用他自己的話說，他認為這篇文章[86]是對2月27日〈關於正確處理人民內部矛盾的問題〉的辯證補充（「陰陽形成一個整體」）。2月份的講話組成了整風運動調解的一面，「夏季形勢」組成了進攻的一面。其實，毛澤東似乎已經到達了一生中最高的位置，直到他生命結束，也沒有再登上這個位置。社會主義道路和資本主義道路之間的鬥爭是生死之爭，因此人民和「資產階級右派分子」之間存在着不可調和的對抗性矛盾。任何反革命分子都必須被清除。這場戰鬥將持續10至15年，在此期間，要奠定工業和現代農業的基礎，工人階級要培養自己的知識分子。再用8到10個五年計劃，中

國將趕上甚至超過美國。至於蘇聯，它似乎逐步成為吃力不討好的角色，是社會主義建設道路的反面教材。

8月11日，毛澤東返回北京。經過兩個月的反右運動，毛澤東再次提到農業集體化的問題，一切都已經準備就緒。8月18日至28日，他在北戴河與陳伯達、田家英一起修改10月初中央全會的指令，1956年經過討論的12年農業計劃變成「農業四十條」。9月3日至18日兩週內，毛澤東先後去了河北、湖北（7日在武漢長江游泳）、湖南、江西、浙江、江蘇和上海。毛澤東最後修訂了這份農業計劃。9月11日，他乘汽車離開杭州，參觀了海寧的七星寺，觀看了秋分時的錢塘江大潮，並有感而發寫了一首短詩。[87] 17日晚，他抵達上海，和兩個「右派」舒新城和趙超構吃了晚飯。[88] 18日上午，到上海國棉一廠讀大字報。在完成了實地調查之後，9月20日至10月9日，他參加了中共八屆三中全會的討論。這段時間他還在為去莫斯科參加十月革命40週年[89]做準備，所有國家的共產黨都要參加這次會議。

為時7–8個月的整風運動從「百花運動」開始，以反右運動結束，是中華人民共和國歷史上的交替期。事實上，它們的政治成本非常高，已經動搖了知識分子與黨的關係。這些知識分子感覺被欺騙了，對毛澤東失去了信心。至於幹部，從此以後，他們認為犯「左」傾錯誤比右傾錯誤好[90]，從而把這個國家引向了災難。[91]毛澤東在這些事件中的責任重大。他並沒有被某種自由衝動驅使，但他為避免蘇聯式的退化[92]發動了新形式的整風運動，改變了黨的工作作風。

第三幕：發動「大躍進」

在一年時間內，偉大的舵手將船駛進了烏托邦迷人的水域。

9月20日至10月9日，八屆三中全會在北京頤年堂舉行，四百名黨的負責人參加。這次會議上建成了一艘載滿了瘋子的輪船。7日，毛澤東發表講話，9日，致閉幕詞。因為會議時間太長，他感冒了，但他很高興，因為他取得了全面的勝利。[93] 9月23日，鄧小平關於反右運動的報告[94]堅持對「資產階級右派分子」和那些與右派有「共同階級利益」的人進行必要的批判，這是毛澤東所希望的。被批判的人包括大多數大知識分子、小民主黨派領導人和許多黨的幹部。在這一點上，毛澤東的評論事實上拋棄了八大的論點 —— 階級鬥爭已經結束，從今以後根本的矛盾是先進的生產關係和落後的生產力之間的矛盾。[95]相反，鄧小平和毛澤東認為資本主義道路和社會主義道路之間的衝突繼續存在，資產階級是社會主義革命的主要對象，但因為策略的原因，他們一致強調譴責官僚主義。鄧小平也要求結束1956年下半年運動中的「反右擴大化」：停止農村人口外流，關閉農貿市場，重新開始毛澤東看重的12年農業計劃。1957年冬，六十萬到八十萬農民遠離自己的家園，參加了這個農業計劃中水利工程的興修。數百萬城市幹部被簡政下鄉。小的農村合作社合併成越來越大的合作社，這些合作社通常有兩至三百戶人家。1958年6月，在河南南部甚至出現了號稱一萬戶的巨型合作社。大規模的即興動員和管理不善造成大量無用的繁重勞動，甚至違反了生產規律，在農村形成了一種不理性的氛圍：努力兩到三年，就是黃金時期了。毛澤東已經顯露出第一個失控的迹象[96]：他要求按照12年

農業計劃的建議提高糧食產量。這些建議包括密植，推廣一年前農民不願意使用但適合於西伯利亞的重型犁，認為中國將在未來成為世界上糧食產量第一的國家。他提出了不需要農業機械化就能達到每公頃產糧一百公擔這個神奇的數字：很快我們就不需要兩畝地養活一個人，一畝地就夠了。[97]據他說，在湘潭縣（毛澤東老家）一個人每年的糧食消費為509斤，[98]其實400斤就足夠了。在湖北「農民哭饑荒」，但他們有360斤大米，「是以前有錢人消費的數量。320斤就足夠了」。因此只要我們能消滅「四害」──老鼠、蚊子、蒼蠅和麻雀，農民生活富足，就可以節省出基礎建設和社會救助的成本（集體投資）。在1958年的頭幾個月，數以百萬計的志願者在麻雀休息時吆喝呼喊，直到它們飛得力竭而亡；連蒼蠅飛過的聲音也聽不到了。但是毛毛蟲的數量因為失去天敵而劇增，收成遭到破壞。這些對毛澤東來說都無關緊要，他繼續自己神奇的計算。他認為所有這些措施至少會增加五分之一的產量，這樣的積累可以在三個五年計劃之內讓鋼鐵產量增加四倍，加上利用小村莊三萬噸產量的小鍋爐，到20世紀70年代初能達到兩千萬噸。生產要「快、好、多、省」。就像寓言故事中頂着牛奶鍋的佩雷特，毛澤東制訂的糧食和鋼鐵生產計劃不切實際。1957年冬天「大躍進」已經誕生，接下來要做的事情只是如何命名這個運動而已。

10月4日蘇聯成功發射第一顆人造衛星，11月3日成功發射了第二顆。取得這樣的成績與毛澤東對蘇聯政治和經濟表現不佳不斷增長的失望形成了對比。而且毛澤東反對激進地譴責斯大林（他的畫像已經在莫斯科消失，但還掛在天安門上），也不同意赫魯曉夫與帝國主義和平共處和以非暴力手段奪取政權的論點。但蘇聯火箭的

力量是一個強大的武器，因為美國還「甚至無法把一顆土豆送上太空」：毛澤東想要拔掉紙老虎的鬍鬚。這增強了毛澤東的積極性，並打消了他最後的顧慮。

這一陣毛澤東的樂觀情緒表現為10月13日他在最高國務會議[99]上的講話言詞柔和了很多：我們不應該把右派當作以前的地主和反革命來處理。我們甚至可以在一段時間後摘掉其中一些右派的帽子：「幾年的體力勞動也不是那麼可怕，不可能讓費孝通嬌弱的雙肩挑扁擔！」[100]毛澤東甚至設想在不久的將來——兩三個五年計劃之後——農民在國營農場勞動，資產階級成為工人，無產階級培養出自己的知識分子。簡言之，這是一個和平社會主義的天堂。

毛澤東的第二次莫斯科之行

11月2日，毛澤東帶領13人代表團飛往莫斯科參加會議，此次會議國際上共有64個重要的共產黨代表團參加。[101]這是毛澤東第二次去「紅色首都」，氣氛比第一次好。[102]毛澤東十分活躍：他參加了所有全體會議，接待了十幾位重要人物，和代表團成員整夜討論文章和決議。[103]他多次會見當時的共產黨領導人，兩次與意大利共產黨領導人陶里亞蒂（Palmiro Togliatti）交談，11月8日會見了莫里斯・多列士（Maurice Thorez），11月17日會見了雅克・杜克洛（Jacques Duclos）。[104]他沒有給任何人上課，沒有將中國革命作為典範，只是強調中國革命的具體情況。雖然毛澤東已經把鐵托看作修正主義者，11月19日他還是謙虛地對南斯拉夫代表團說，中國已消除了發展的政治障礙，但它需要再過15年才能消除所有經濟障礙。[105]他無

疑是本次共產黨論壇的明星，這堅定了他在中國推行新的「總路線」的決心。他的五次正式發言證實了他在新的國際共產主義運動中的地位。對於斯大林問題，他相當智慧地採取了低調的態度，讓恩維爾・霍查和阿爾巴尼亞代表團非常失望。實際上，11月6日一支強大的中國軍事代表團來到莫斯科與陪同毛澤東的彭德懷會合：在三個月內這個代表團將一步一步與蘇聯協商1957年10月15日的協議中承諾的軍事和科學援助。1958年1月18日簽署的新協議為中國提供了造原子彈的機會，[106]這是毛澤東自1956年4月以來的願望。面對如此熱情的主人，毛澤東需要適度改變對其修正主義傾向的譴責。他正是這麼做的。在這場博弈中，[107]赫魯曉夫處於防守地位，毛澤東進行了進攻。11月6日，毛澤東在最高蘇維埃的講話中表達了對赫魯曉夫的支持，[108]並強調社會主義陣營需要團結，同時肯定主要的危險不是教條主義而是修正主義，並保證如果帝國主義決定發動第三次世界大戰，這種瘋狂的舉動會讓資本主義制度自取滅亡。11月14日，在12個執政的共產黨代表團在場的情況下，毛澤東重申必須由蘇共領導社會主義陣營，並將其領導作用縮小為召集其他各方進行磋商。毛澤東順便回憶了因為斯大林不友好的行為，他的第一次莫斯科之行非常不愉快。他認為斯大林是一個不了解辯證的形而上學的學者，拒絕與其他共產黨建立平等的關係。最後，毛澤東將蘇聯人把半噸重的衛星送上天的能力和軍事實力直接聯繫起來，儘管這和蘇聯的和平保證相悖。[109]16日，毛澤東在同一個地方説，蘇聯代表團沒有經過大範圍討論的「莫斯科宣言」是「好的」：「既不是修正主義，也不是冒險主義」，「能讓馬克思、恩格斯和列寧都滿意」。17日，他對在蘇聯留學的中國大學生説了本章開頭那番樂觀的

話：未來屬社會主義。毛澤東的主要聲明是在11月18日最後一次全體會議上的發言。[110]他坐着[111]介紹了他的矛盾辯證觀點：社會主義陣義陣營和全球反帝國主義陣營，這兩個陣營「必須合二為一」，同時避免機會主義和修正主義。因為世界上「東風壓倒西風」，而帝國主義只是紙老虎。他稱，中國15年後會有三千五百萬到四千萬噸鋼，[112]而英國年產三千萬噸鋼，蘇聯將超過美國。當然，還有原子彈和氫彈的問題，但這已不再是帝國主義的壟斷，因為蘇聯已經有了。「核戰爭有甚麼了不起，全世界二十七億人口，可能損失三分之一；再多一點，可能損失一半⋯⋯如果糟到不能再糟，一半人都死了，那另外一半人還活着，帝國主義將被夷為平地，全世界將成為社會主義的；多少年內又會有二十七億人而且肯定會更多」。這令人震驚的話語，[113]加上我們之前列舉的糧食和鋼材產量失控的數據都揭示了毛澤東自信、傲慢、玩世不恭和幾乎不人道的特點。他認為自己是中國命運的承載者，並開始懷疑他是不是體現了唯一正確的革命道路。11月21日下午他回到北京，比以往任何時候都渴望在中國建設不同的社會主義。

各處視察的毛澤東

接下來的幾個月，毛澤東所有的精力都用來說服黨的幹部。「大躍進」的基本口號是「多、快、好、省」，目的是為了實現在莫斯科逗留期間提出的15年趕超英國計劃。中國代表團在莫斯科完成了大部分「大躍進」草案，12月12日由《人民日報》的社論發表。1月1日，毛澤東親自撰寫社論鼓勵群眾「乘風破浪」，「盡一切可能前

進」。這些主題貫穿了1957年12月2日劉少奇在中國工會第八次代表大會上的講話，幾天後，毛澤東在向各民主黨派和無黨派代表做莫斯科會議報告時沿用了這些主題，12月1日籌備第二個五年計劃的全國計劃經濟會議投票通過的決議也包含了這些主題。[114]

　　這還遠遠不夠。12月中旬，毛澤東乘飛機離開北京[115]前往杭州，陪同的有陳雲、鄧小平、彭真和薄一波。劉少奇、周恩來和彭德懷留在北京。40天時間內，毛澤東通過一次又一次會議再三重申三中全會和莫斯科會議上的思想。1958年1月31日，〈工作方法六十條(草案)〉終於誕生，這是了解「大躍進」機制的重要文件。[116]為了落實地方分權和架空部長的計劃，他需要有實權的省級黨委書記的支持。12月16日至18日，他在杭州首先召集了中國東部省份的省委書記以探探底。1月3日至4日，他表揚了40條12年農業計劃。他在莫斯科時的狂熱進一步發展，[117]提出積累50%到55%的糧食收成，抨擊那些1956年下半年批評12年農業計劃為「冒進」的人。[118]6日，毛澤東飛到南寧。[119]他精神很好，冒着寒冷在邑江游了兩次泳(水溫為攝氏17度)。他讓周恩來和劉少奇到廣西的省會參加11日至22日舉行的會議。[120]他開始批評周恩來、薄一波和李先念：「去年你們當中有人批評冒進，我是罪魁禍首。你不是反冒進嗎？我是反反冒進的！」他譴責1956年6月16日(譯註：應為6月20日)《人民日報》的文章〈要反對保守主義也要反對急躁情緒〉以及財政部放棄12年農業計劃的各種指令。他說：「給廣大人民群眾的積極性潑冷水是錯誤的。」1月19日，周恩來進行了自我批評。晚上毛澤東和他進行了私下交談。第二天，周恩來和劉少奇先後在會上發言，捍衛毛澤東新的「總路線」：最後一道反對烏托邦過度躍進的屏障消失了。在廣州

休息兩天後，1月26日毛澤東回到北京。1月28日至30日，[121]他在最高國務會議上講話。他重申「去年大鳴大放的經驗」（「百花運動」和反右運動），獲得的成功令他感到滿意，另外還有15年趕超英國計劃、12年農業新計劃和除「四害」。他說中國「一窮二白」，不「富裕」，「一張白紙，沒有負擔，好寫最新最美的文字」，而且「群眾熱情很高」。「我們要十五年趕上英國。十五年後，要搞四千萬噸鋼，五億噸煤，四千萬千瓦電力；農業發展綱要四十條，八年可以完成。」毛澤東認為這是「繼續革命」的階段：繼續進行動員，「趁熱打鐵」。

〈工作方法六十條（草案）〉[122]由毛澤東起草，在杭州和南寧會議上進行了討論，取代周恩來重新成為毛澤東左右手的劉少奇對這個文件的起草做出了重要貢獻。「六十條」提出，要激發群眾的巨大能量。許多列出的條目是純粹技術性的。但是，其中有五條值得注意。第16條提出農業合作社的積累和消費之間的比例從40：60變為50：50，然後是60：40。「如果生產和收入已經達到當地富裕中農的水平的，可以在經過鳴放辯論取得群眾同意以後，增產的部分三七分（即以三成分配給社員，七成作為合作社積累），或者一兩年內暫時不分，以便增加積累，準備生產大躍進。」這一條的後果很嚴重，導致百萬農民在第二年餓死。特別是再加上第17條，要求結束目前農民家庭60%到70%的收入來自副業和經營自留地的情況。「在鼓勵農民生產積極性和全面發展生產的基礎上，使農家的收入中個體經濟和集體經濟的比例，在幾年內逐步達到三比七或者二比八（即農民從合作社得到的收入，佔家庭總收入的百分之七十或者八十）。」如此一來，農民對幹部的專制便完全不設防了。第18條規定開發地塊

的方法是推廣試驗田，這樣可以全面推動試驗擴展。這種方法造成了各式各樣的投機活動。第54條舉了一個例子，湖北糧食產量每公頃80公擔，這混淆了土壤肥沃的田地和一般農田的產量，更何況從18世紀以來勞動工具並沒有改變。第60條與其他條目不同的是：毛澤東提出辭去國家主席職務，以便有時間投入到黨主席的工作中。人們錯誤地以為他的影響會有所減少。在中國，共和國主席很大程度上是禮儀性的，毛澤東覺得這個職務單調乏味：他不能像接待中央政治局成員和中國的知識分子一樣，穿着浴袍接待國家元首。

毛澤東參加了2月1日到11日的一屆全國人大第五次會議，不過2月5日和6日他乘專列去了濟南，2月12日飛往瀋陽，之後在撫順、吉林、長春短暫逗留，14日回到北京。2月18日，他參加了政治局擴大會議，119名與會者通過了「六十條」。3月4日，他乘飛機離開北京前往成都，經停西安。3月9日至26日，他在四川省省會主持召開了一次會議，發表了六次講話。[123]與會的有很多中央領導，使得這次會議有點像政治局擴大會議。[124]雖然南寧會議上的氣氛非常緊張，但在成都時毛澤東心情不錯。他下榻在美麗的金牛壩，一個植被茂密的公園裏，還饒有興致地觀看了一場當地的戲曲表演。[125]他參觀了詩人杜甫生活過的平房，欣賞乾隆的書法。毛澤東確定不會再遇到領導人反對之後，繼續他的攻勢。他在三次講話中批評盲目模仿蘇聯，闡述了個人崇拜的合法性，悲嘆過度尊敬一些「偉大導師」。在一次冗長的題外話中，他指出孔子、耶穌、佛陀和馬克思等思想領域的創新者震驚世界的時候仍然非常年輕或沒有受過甚麼教育，而「那些老吹牛的人一直反對年輕人」。「事實勝過知識。最好是又紅又專」。他還嘲笑一個在美國受教育的中國學者對他的責備：

「好大喜功，急功近利，鄙視既往，迷信將來」。他評價説：「無產階級就是這樣嘛！」[126] 他提到河南省的路線[127] 和河南省委書記吳芝圃的例子，指出對一些統計數據和報告表示懷疑。雖然他覺得一些幹部提出的18至27%是「冒險主義」，不過他能接受農業增長率為10%或以上。

毛澤東已經逐漸失去與現實的接觸，在接下來的幾個星期裏，這一點得到了證實。3月29日，毛澤東在重慶乘船出發，沿長江而下，欣賞著名的三峽風景。陪同的有李井泉、王任重和柯慶施[128]，分別是四川、湖北和江蘇省省委書記。4月1日至9日，他停留在武昌東湖，在漢口召開了中國東部和中南部黨的領導人會議[129]，他強調過渡階段階級鬥爭必然艱巨。12日，他乘飛機抵達長沙，仍然心情很好，在一家著名的魚餐廳吃了飯，第二天飛到廣州。4月15日，他寫了一篇文章，題為〈介紹一個合作社〉[130]：這個合作社位於河南封丘附近的黃河北岸，土地排水不良，這個合作社的12年農業計劃是每畝產糧400斤，增量150斤。這篇文章引用縣委書記提交的一份報告[131] 説，因為「共產主義精神在全國蓬勃發展」，取得這些勝利的速度比預期快。毛澤東住在一所豪華的住處，每天傍晚乘船到珠江游泳。4月22日，他和許多政治局成員會面，討論5月5日即將召開的八大二次會議：調整18個月前的八大一次會議上投票通過的決議，給人的印象是兩次會議具有連續性。劉少奇[132] 介紹了他要做的報告內容，報告被採納。4月27日至29日，討論繼續，這次是關於工業的。5月1日，毛澤東乘飛機離開廣州前往武漢，5月2日返回北京。當天晚上，他與劉少奇、周恩來、陳雲、鄧小平、董必武、彭真、陳伯達、胡喬木和楊尚昆開會，為大會的召開做最後準備。因此，這十個人負有共同推出大躍進的責任。

第四幕：共產主義過渡

5月5日至23日，中國共產黨第八次代表大會舉行第二次會議，劉少奇做報告，題為〈目前形勢，黨的社會主義建設的總路線和今後的任務〉。[133]這篇平淡的文章沒有甚麼新的內容。它為12年農業計劃的「盲目冒進」辯護，介紹南寧和成都會議的主要口號，廣大人民群眾對「大躍進」在15年內趕超英國充滿信心，生產要達到「多、快、好、省」。[134]讀完這份報告，我有兩點評論。

第一個是，劉少奇定的目標仍然十分模糊，特別是在農業生產方面。雖然提到王國藩「窮棒子社」的勝利，並為冬季偉大的水利工程感到振奮，但生產情況仍然不佳，削弱了「大躍進」的基礎。1957年的收成比1956年增長了5.8%，但是沒有甚麼意義，因為作為參照標準的前一年的收成特別不好。事實上，糧食產量的增長趕不上人口的增長，而讓最貧困的農民不陷入饑荒的安全值仍然很低。當然，新的農業部門負責人譚震林5月17日談到了農民的積極性和產量的提高，但他也沒有談到更多的細節。劉少奇在秋收後與持懷疑態度的人約談，這是一種挑戰。因此，我的第二點評論是，劉少奇在講話中一直在回應這樣或那樣的批評，包括1958年春天毛澤東視察的那些省份的官員和政治局一部分成員的批評。對「大躍進」的異議記錄往往是粗略的，但在正式文件中有記錄。從第二年冬天開始，這些異議都被證明是恰如其分的。而且，大多數情況下，它們都是常識。我們應該得出這樣的結論嗎：在黨的領導集團內達成的共識不過是一種休戰，而不是一場不可避免的清算？

這可以解釋毛澤東在這次會議中發言五次，[135]而在1956年9月

的第一次會議中他唯恐避之不及。發言的重點有三條：

（1）應該「消除中國人民對權威的迷信」：以前是對孔子，後來是對外國人，現在輪到蘇聯。中國革命比馬克思活着的時候做的還要多。他再次提到他的「白紙」論和沒有受過甚麼教育的年輕人在創新中的作用，[136]毛澤東還提到之後成為民粹主義信條的一番話：「勞動人民的創造性、積極性，從來就是很豐富的，過去是在舊制度壓抑下，沒有解放出來，現在解放了，……我們的辦法，就是揭蓋子，破除迷信，讓勞動人民的積極性和創造性都爆發出來。」

（2）必須辨別哪些是群眾的想法。毛澤東提到1942年至1944年延安的「群眾路線」：來自人民的新建議必須經過黨的評估，黨要聯繫群眾，用馬克思列寧主義的理論武裝自己，在反饋和使用這些建議之前進行必要的選擇。1958年，林彪提出：「聽毛主席的話永遠不會錯。」毛澤東批評了這種想法，並說：「任何捍衛真理的人都應該聽，不論是淘糞工還是清潔工。」但他仍然在5月25日大會結束後指定這位奉承拍馬的元帥林彪為政治局常委，居國防部部長彭德懷之上。很顯然，對他的個人崇拜沒有使他不快，他越來越覺得他是黨的化身，只有他的思想是對的。林彪大聲說出了他私下的想法。

（3）林彪的這一晉升也符合毛澤東對國際形勢的分析。毛主席一直強調美國的經濟困難造成帝國主義陣營的危機和不斷高漲的第三世界解放鬥爭。另一方面，他認為社會主義陣營增強了團結，「因為南斯拉夫不再是社會主義陣營的成員」。他對鐵托的強硬態度使得蘇聯於4月3日決定不派代表團出席南斯拉夫共產主義者聯盟大會。5月5日，毛澤東痛斥南斯拉夫為修正主義者，此後認定鐵托元帥為「叛徒」。他不希望蘇聯是對付修正主義的攻擊者，因為他懷疑蘇聯

有同樣的嫌疑。而且，3月31日赫魯曉夫向核大國建議暫停在大氣中進行氫彈試驗，該建議被美國接受，也得到了蘇聯的確認：此時是中共八大第二次會議的前幾天，這使毛澤東感到沮喪，他的夢想是打造中國的原子彈。但是彭德懷帶領「中國人民志願軍」在抗美援朝戰爭中發現了解放軍的缺點，他建議中國軍隊必須專業化，改進落後的武器和戰術，接受蘇聯的核保護傘，限制龐大的國防開支。毛澤東更喜歡林彪的戰略：中國製造自己的原子彈，用裝備簡易的民兵對付潛在的侵略者，讓他們淹沒在民兵的汪洋大海裏。本次秘密辯論可從5月17日毛澤東贊成核武器的講話中一窺端倪。根據他的說法，中國在過去經歷過慘重的傷亡，特別是在戰國時期，有兩次人口從五千萬減少到一千萬。「但是，第一次世界大戰只造成一千萬人死亡，第二次世界大戰兩千萬」。在過去已經失去過四千萬居民的中國熬過了這一次大屠殺。中國不害怕原子彈。此外，戰爭的風險是非常有限的，如果第三次世界大戰爆發，「它只會持續三年」，社會主義將在全世界取得最後的勝利。

5月25日，大會結束後的中央委員會會議證實毛澤東完全控制了黨的機器：周恩來不敵劉少奇，林彪爬上梯級，陳雲退出了前台，李富春和薄一波進入中央書記處，他們不再提反對意見，也許指望能將損失降到最低。

大家都忽略了在集體化過程中已經形成的陷阱：地方和地區幹部不是因為他們的管理能力和洞察力得到提升，而是因為他們在政治上順從。從5月中旬開始，他們將開始與之前晉升得更快、更高的人競爭。閱讀《人民日報》是特別有啟發性的事情：每天的報紙都充斥着縣、鄉或合作社要求在一年內糧食增產15%到20%的決議，

而在一些省份，有所保留的省委書記被撤職或被毛派狂熱分子取代。毛澤東也在其中發揮了一個壞榜樣的作用，5月31日到6月19日，他對鋼鐵和機器生產表現出濃厚的興趣。6月7日，毛澤東參加李富春主持的討論，得出的結論是，1958年至1959年鋼產量可以增加一倍，從537萬噸增加到1,070萬噸。他立刻給鄧小平寫信，覺得不難達到美國的鋼鐵產量：如果我們繼續以每年翻一番的速度生產鋼，1962年鋼產量將達到6,000萬噸！在第二個五年計劃期間將超過英國，在下一個五年計劃期間趕上美國。[137]在這種奇怪的統計數據遊戲進行的同時，數十萬官員從關鍵部門被「精簡下放」到農村，統計信息由宣傳部門控制。

漸漸地，這股歪風吸引了最優秀的人才：6月17日，李先念在一份報告中期望小麥產量一年內增加33%。6月18日晚工作會議的前夕，毛澤東在游泳池裏游泳，叫來了冶金部部長王鶴壽，[138]並詢問鋼鐵產量是否可以在一年內增加一倍。王回答說，第二天他會採取必要步驟以達到這個目標。接下來的會議肯定了這個目標。6月22日，薄一波表示「除了電力」，從1959年開始能源生產將在所有其他領域超過英國。毛澤東在這份報告上的註釋寫道：「超過英國，不是十五年，也不是七年，只需要兩年到三年。」「這裏主要是鋼，」他說，「只要一九五九年達到二千五百萬噸，我們就在鋼的產量上超過英國了。」因此，在幾個月時間裏，趕超英國的目標時間從十五年縮減到三年，年產量幾次翻倍，卻沒有進行任何的調查，也沒有任何技術研究。[139]

在此期間，中央軍委召開了一次重要會議，召集了解放軍一千名高級軍官，會議時間為5月27日至7月22日。6月29日，毛澤東

在會上講話。[140]他列舉了中國大量的軍事典籍，[141]批評對蘇聯軍事模式的盲目迷信，稱必須用我們自己的創造性精神，將謹慎審議與討論相結合。林彪認為「學習蘇聯的戰術沒有用，因為我們有毛澤東同志制定的戰術」。5月23日，《解放軍報》發表了一篇文章，一位叫劉亞樓的人要求優先學習「毛澤東的軍事思想」。毛澤東沒有提到這篇文章，但是在講話中對作者大加讚揚。很多發言的人批評蘇聯繼承了沙皇軍隊很多的做法。為了突出解放軍原來的特徵，毛澤東建議軍官當一個月普通士兵。這一措施從1959年2月開始實施，十五萬人參加，其中包括一百六十名將軍。這個決定具有「延安精神」，黨的最高領導人起了表率作用。5月25日下午，包括毛澤東等幾十位參加八大的代表為首的五百人在十三陵附近的水庫工地勞動，他們拿着鐵鍬、鋤頭和扁擔忙了幾個小時。第二天，中國報紙刊登了一張主席微笑勞動的照片。[142]

在積極參加中央軍委組織的會議的同時，6月底毛澤東把注意力從鋼鐵產量問題重新轉向農業問題。[143]他閱讀了河南的幾個縣，[144]送來的各種報告，[145]這些縣發展的合作社覆蓋了整個鄉，包括近一萬個家庭。毛澤東想起年輕時讀康有為的《大同書》，[146]顯得很激動，他開始和身邊的人談論在農村建立各種不同的自治社團，整合農業、工業、商業、教育、醫院和民兵。7月1日，陳伯達在北大紀念中國共產黨成立的一次會議上說起了主席的這個願望。同一天，《紅旗》刊登了署名陳伯達的一篇文章，題為〈全新的社會，全新的人〉。文章評論了湖北鄂城旭光合作社的轉型問題。[147]通過建立小工廠，工人和農民互相轉換，取得了優異的成績。陳伯達引用了恩格斯的觀點，提出是不是有跡象表明中國能夠「以史無前例的高速度發

展社會生產力、能夠比較迅速地消滅工業同農業之間的區別以及腦力勞動同體力勞動之間的區別,從而為我國順利從社會主義過渡到共產主義創造條件」。7月14日,在華北六省市農業協作會議上,農業部部長譚震林也談到了「農民公社」。此時全球正處於危機之中:7月13日,巴格達發生軍事政變,推翻了親西方的政權——哈希姆王朝費薩爾二世,導致美國和英國在黎巴嫩和約旦進行軍事干預。7月這段時間,毛澤東向中央政治局提議,作為回應,解放軍炮擊國民黨的前哨島嶼金門和馬祖十幾天,這和他在1954年9月的做法如出一轍。[148]因技術的原因,敵對行動的爆發推遲了。在此期間,蘇聯建議美國、英國和法國在巴黎舉行首腦會議,成功地緩和了緊張局勢。毛澤東覺得這是投降,特別是蘇聯領導人認為應該同印度聯盟和聯合國對話,這讓毛澤東很不悅。同時,大概是為了提高跟美國人磋商的籌碼,赫魯曉夫建議和中國在太平洋戰區進行軍事合作,在中國安置一個功能強大的廣播電台,溝通遠東地區的核動力潛艇艦隊,艦隊的蘇聯工作人員擁有在中國居留的權利。出乎蘇聯領導人的預料,毛澤東的反應非常強烈,[149]他認為這一舉措試圖恢復蘇聯在中國的租界,就像以前的旅順和大連。此外,毛澤東抓住機會表達了對蘇聯與帝國主義陣營和平共存以及在大氣層結束核試驗做法的不滿。赫魯曉夫認為必須訪華,他在國防部長羅迪·馬利諾夫斯基(Rodion Malinovsky)的陪同下匆匆趕到北京。最初計劃訪問一個星期,結果只待了四天,即7月31日至8月3日。[150]這是一次徹頭徹尾的失敗。在莫斯科受到極大尊重的毛澤東穿着浴袍在游泳池裏接待了赫魯曉夫。開始討論時,毛澤東舒服地待在水裏,而克里姆林宮的主人尷尬地套着一個游泳圈(他不會游泳),在翻譯和警衛之

間趨水。毛澤東肯定台灣問題是中國的內政，忽略了對台灣的軍事干預這會導致美國的反華反應，[151] 蘇聯將不得不按照1950年的《中蘇友好同盟互助條約》介入。除非廣播電台由中國控制，否則不接受這一建議，建立聯合艦隊的條件是艦長們是中國人。這顯然是「K先生」不可接受的，他努力與美國達成的妥協已被破壞。

赫魯曉夫一走，[152] 毛澤東就開始了新一輪的各省視察。從8月4日到13日，他訪問了河北（4至5日）、河南（6,至8日和12日）、山東（9日和13日）和天津（10至13日）。[153] 8月7日，在河南省省會鄭州火車站，他在專列上接見了省委書記吳芝圃。後者告訴他去浙江省諸暨縣訪問的情況，諸暨的目的是建立「共產公社」，但吳更喜歡稱之為「人民公社」。毛澤東說，這個名字好。第二天在新鄉縣七里營村，毛澤東看到一塊寫着「人民公社」的牌匾，說：「人民公社？好啊。法國工人奪取政權之後建立了巴黎公社。我們的農民建立了人民公社這個經濟政治組織，這是朝共產主義邁進了一步。人民公社，好！」9日，山東省委書記譚啟龍提交了一份報告，內容是關於在曆城縣北園籌備成立「大農場」，毛澤東說，他更喜歡「人民公社」這個名字。8月18日《人民日報》正式公布了這個名稱。

中國變成了大公社 [154]

8月17日，中共中央在北戴河召開政治局擴大會議，中央政治局委員，各省、市、自治區黨委第一書記以及政府各有關部門黨組負責人參加會議。前一天「人民公社」的名稱得到通過。[155] 這次會議直到8月30日才結束。毛澤東主導了這次超長的會議。他致了開幕

詞，21日上午和下午參與討論，30日做總結。他的心情很愉快，每天到海裏游泳，雖然海浪很大，還讓其他領導人也做同樣的挑戰。與其他人不同的是，他在海裏搏擊海浪的時候四面圍着健壯的警衞。1958年7月1日，毛澤東聽説血吸蟲病重點流行區域之一的江西省余江縣消滅了血吸蟲病，欣然提筆，寫下了一首短詩〈送瘟神〉[156]，詩中提到了對農民的大規模動員：

春風楊柳萬千條，六億神州盡舜堯。[157]
紅雨隨心翻作浪，青山着意化為橋。
天連五嶺銀鋤落，地動三河鐵臂搖。
借問瘟君欲何往，紙船明燭照天燒。

毛澤東對科學的無知是驚人的，多年來近乎迷信李森科、米丘林和瓦西里·威廉的理論。[158]他認為通過簡單的深耕和密集播種可以顯著提高農業生產。不需要科學研究、農學家或任何機械，只要積極性、紀律和在惡劣的條件下工作，每個月休息兩天就可以達到。此時，欠發達的亞洲國家已經知道「綠色革命」，以選種、選擇肥料、機械化的勞動和專業技術為基礎。當時普遍的氛圍有利於這樣的行為：美國培養的核物理學家錢學森本着愛國主義返回祖國，投身建設中國第一顆原子彈，告訴目瞪口呆的農學家們明智地使用太陽能將有助於農產量提高十倍，甚至上百倍。[159]嚴謹的聶榮臻在他的回憶錄中說，他相信一個文盲農民成功地完成了蘋果和葫蘆的雜交。[160]此時，尼基塔·赫魯曉夫號召蘇聯青年將哈薩克斯坦一百五十萬平方公里貧瘠的大草原改造成玉米的海洋，十五年內建成蘇聯共產主義。我們生活在一個瘋狂挑戰大自然的時代，這個時代開

始於斯大林統治下的蘇聯第一個五年計劃，尼基塔・赫魯曉夫用自己的方式在繼續。[161]

北戴河政治局擴大會議[162]是一種毛澤東主義者的大型彌撒，所有發言者都爭先恐後地登上這艘愚人船。秋季的收穫聽起來很棒：糧食產量比1958年增加69%，即由300萬到330萬噸。[163] 8月11日，譚震林在《人民日報》上發表的一篇文章中談到收成為240萬噸，「甚至有300萬噸」（譯註：原文有誤。譚在文章中講到的以小麥為主的夏糧產量為1,010億斤，換算為噸，應為5,050萬噸）。「通過兩到三年的奮鬥，實現極大物質豐富」。人們開始在農村用磚和砂漿建造4–5米的小高爐，用來熔化鋁錠，而沒有求教工程師。[164] 毛澤東的腦海滿是這樣的畫面，農民穿着過節的衣服，拉着橫幅，高喊革命口號到田裏去勞動：他坐着汽車參觀過或在專列上望見過的地區組織了歌頌他的大型歌劇。[165] 他在會議開場詞中列出了17個要討論的問題，包括五年計劃、鋼鐵產量增加一倍、人民公社的經驗、實踐教育、幹部參與體力勞動、國際形勢和深耕。談到深耕問題，即第15個問題時，毛澤東說這種技術能將農業產量提高兩倍。然後，他突然講道：「幾年之後，畝產量很高了，不需要那麼多耕地面積了，可以拿三分之一種樹，三分之一種糧，三分之一休耕。」毛澤東最終提到的第17個問題是，由農村適齡人口組成民兵的問題。[166] 他說，「全民皆兵」[167]是一個好口號。「再過六年，四分之一的人口有步槍，一億枝槍！」。

毛澤東強調人民公社的問題，是8月29日通過的簡短決議[168]的主要鼓動者，這個決議建議推廣合併農業合作社，使之變成二至七千戶的大型集體。[169] 12月底，合作社達到26,578個，包括1.24億個

農民家庭，即平均每個合作社有4,665個家庭，15,000至20,000人。在理想的情況下，合作社包括農業、工業、學校、醫院、食堂、託兒所、幼兒園、養老院，以及一個常設民兵隊，由幹部訓練所有達到入伍年齡的公民。[170]合作社的基本原則是勞動力的「一平二調」，農民可以變成工人，工人可以變成農民，所有人都參加體力勞動，這顯然只可能適用於不怎麼需要或根本不需要學習的基本勞動，如著名的小高爐煉鐵。農民會逐漸失去他們的自留地，把所有的時間投入到集體中。他們分成小隊工作，小隊組成大隊，並可能形成像山西那樣的「勞動大軍」，離開村莊參與運河、堤壩等「重大基礎設施建設」。大約十年前，土改確保土地歸農民所有，十年後，農民和他們的土地之間的聯繫被切斷了，很快，豎起來的標語牌證明了這一點。然而，土地的所有權仍然是集體制，「在五、六年或者更長一些的時間」後才會實現「全民所有制」。農民仍然是合作者，並沒有成為地主，將繼續按照「各盡所能，按勞分配」的原則進行分配。事實上，要注意在貧農和中農的壓力下合併富裕的公社和貧窮的公社，像決議所講的那樣，均衡所有成員的收入，並尋求免費供應糧食和衣物，取消工資。毛澤東在講話中強調了男女平等。他說，婦女要從家務勞動中解放出來，和男人一樣參加田裏的勞動和各種社會政治活動。有人還出版了詩歌，農民歌唱他們的快樂，把炊具扔進小高爐，去學習認字。河南省開列了一些食譜，改進集體食堂單調的菜單。幾個世紀以來，數以百萬計的家庭第一次熄了自家的灶火。最貧窮的人相信他們將最終不再害怕幾百年來常常降臨中國農村的饑荒：吃幾年苦，最終會享福。毛澤東多次在他的演講中提到「延安精神」，對這種精神充滿了懷念。現在公社宣布這種精神回來

了。[171]毛澤東說，中國將很快成為一個大公社，所有的人口分布在幾個主要城市和幾十萬個公社裏，包括一些城市公社，例如河南鄭州的公社。公社將取代鄉作為行政管理的基礎。但是，毛澤東明確表示一定要保持一定的紀律，保留強大的黨委和一個生產計劃。每個公社不可能甚麼都做。「須馬克思加秦始皇」，也就是說，平等主義和專制結合起來。

這些「人民公社」是一個大項目的一部分，正如其名稱所暗示的，它們開闢了通往共產主義社會的道路，而「共產主義在我國的實現，已經不是甚麼遙遠將來的事情了」。[172]這是毛澤東強調的第二點。他反復說「要破除資產階級的法權思想，例如爭地位、爭級別、要加班費、腦力勞動者工資多、體力勞動者工資少等」，這些都是「資產階級思想的殘餘」，並且明確表示按勞分配是資產階級法權，我們暫時得尊重它，但要盡可能多地利用免費分配。張春橋在9月15日的文章中提出取消薪水制，用免費供給制代替，這篇文章[173]使得張春橋引起了毛澤東的注意。他寫道，未來將從「各盡所能，按勞取酬」過渡到「各盡所能，各取所需」。事實上，「我們處在共產主義的初級階段即社會主義社會」。[174]

8月21日，毛澤東再次提到這個主題，轉而批評生產關係問題，蘇聯「在十月革命以後，也沒有解決」。事實上，「在所有制解決以後，資產階級的法權制度還存在，如等級制度，領導與群眾的關係」。幸運的是，中國自「整風以來，資產階級的法權制度差不多破壞完了」，幹部不濫用職權，而是服務人民。未來所有制解決以後，人民公社「要考慮取消薪水制，恢復供給制的問題」，這種制度在延安紅軍中普遍存在。蘇聯「沒有發揮馬克思主義在平等、民主、

工作和群眾關係中的優勢」,「找到中國通往共產主義的道路」。這個
共產主義主題被寫進了人民公社的章程裏,其中河南省南部遂平縣
衛星人民公社的章程被認為具有代表性。[175]

樂土

毛澤東認為公社和鋼鐵爭奪戰應該能保證物質充裕,這是實現
共產主義的先決條件。8月30日的時候,他對鋼產量能否達到1,100
萬噸感到懷疑,儘管這是他幾個星期之前促成的決定。[176]根據已經
取得的成果統計,當時鋼產量只達到900萬噸。因此,在133天的時
間內,產量必須翻一倍才能完成年產量。過去八個月的鋼產量和
1957年的生產量相比已經增加了一倍。現代化的鋼鐵廠已經充分發
揮其潛力,唯一可用的是小高爐。因此,毛澤東要求官員徵用任何
可用的廢料,集中收集和生產。如果想趕上或超過英國的人均鋼產
量,即接近每人440千克,那麼就需要生產約3億噸鋼材,如要達到
每年每人1噸鋼材,「十五年或者更多年之後」則要達到7億噸。[177]這
樣,中國將遠遠超過受到經濟危機影響的美國。美國有2億人口,
1957年鋼產量剛剛超過1億噸。唯一可能的方法是,每年的產量在
上一年的基礎上翻倍。

至於農業,撇開8月30日糧食產量1,700萬噸這個根據毛澤東講
話錯誤轉錄的數字不提,毛澤東還提到過兩個數字:1958年預期的
糧食產量是3.5億噸。[178]6億中國人的糧食需要是2.16億噸,人口達
到7億的時候,糧食需求為2.52億噸。[179]事實上,毛澤東評估每個
中國人平均的糧食需求為360千克左右。每公頃75公擔的產量將生

產400多萬噸的糧食，這些目標已經在很大程度上被超出。因此，未來可以考慮減少至少25%的大米和小麥的種植面積，將土地一分為三，三分之一種穀物，三分之一休耕種樹，這樣「中國將是一個巨大的花園」。[180]

在毛澤東的規劃裏，糧食產量神話般的增加實際上依賴的不是一場技術革命，而是從他的12年農業計劃裏面提取出來的「綱要」。10月中旬，經過各種修正，總結出「農業八字憲法」。(1) 水：大型水利工程，建造沒有混凝土的小水壩。(2) 肥：優化肥料，使用混入農家肥的天然土肥料。(3) 土：通過深耕改善土壤。(4) 種：根據李森科的雜交選種，番茄和棉花雜交會長出紅棉花。(5) 密：著名的「密植」使得1958年水稻種子在南方的種植是每公頃150萬株，1959年則變成每公頃1,500萬株。(6) 害：消滅蟲害和病害。在田裏安裝一些巨大的燈，讓昆蟲圍着它們亂飛直到筋疲力盡。(7) 工：改進工具。這是唯一借鑒蘇聯的地方，儘管1956年春天70萬具犁鏵的犁在水田裏無法使用。堅持在洛陽一個大型工廠裏生產不適應中國小規模耕作的重型拖拉機，而此時日本正在推廣農業機械化。(8) 管：提高管理水平，轉變公社的性質，尤其是公社的軍事化。「我們的共產主義從軍隊開始，我們的民主在人民軍隊找到它的來源。」[181]在公社各種活動中使用的術語也是軍用的，例如特遣隊、突擊隊、旅和紀律。

軍事化的經濟從天而降。1958年整個夏天，合作社的發展和中美關係的緊張局勢之間有密切的關係。8月23日17時30分，重炮部隊開始炮擊潛伏着十萬國民黨士兵的金門島[182]：7月22日召開的中央軍委擴大會議準備了很長時間，會議隨着「解放台灣」一聲令下而結束。和1954年佔領小的沿海島嶼一樣，解放軍想迫使國民黨士兵

投降。解放軍沒有在颱風季節兩棲登陸的必要方法，對台灣的任何攻擊都被排除在外：因為1954年美國和台北當局簽署的條約規定不包括沿海島嶼，只有當台灣島受到攻擊時，美國才會進行軍事支持。中國擁有四至十二英里的領海，這讓中國的快艇能夠威脅台灣派出的任何增援。作為回應，美國第七艦隊在台灣海峽部署以保護台灣的船隊：局勢很緊張，人們擔心地區衝突最終會導致美蘇對抗。但是，蘇聯保持沉默，毛澤東明白他必須後退。9月3日，他離開北京去北戴河。9月5日他在最高國務會議上講話試圖掩飾自己的失望：他堅持東風壓倒西風。[183] 他肯定美國人在台灣海峽對國民黨的支持已經把美國拖進了「絞索架」，因為他們激起了世界各國人民的憤怒。因此這起事件就這樣結束了，儘管表面上看起來中國佔了上風。6日，周恩來向美國建議恢復日內瓦會議以來在華沙美國使館進行的中美雙邊會議。7日，赫魯曉夫肯定局勢已經開始緩解，給艾森豪威爾總統寫了一封措辭嚴厲的信，表明支持中國的立場，保證中國不再受到威脅。9月15日，中美恢復華沙會議。8日，毛澤東在最高國務會議上的口氣仍然是防禦性的：他表示緊張的局勢再次加強了共產黨人和民主黨派的關係，反右運動以來共產黨和知識分子的關係一直不融洽。9月9日，毛澤東在致閉幕詞時談到人民公社、半工半讀教育、發展鋼鐵和製造機床對「與美國談判時佔上風」起了重要作用。經過與他最親密合作者的討論，毛澤東讓周恩來負責台灣事宜，必須「緩解緊張的局勢」。[184] 局勢仍然不時有劍拔弩張的時候，10月20日，解放軍恢復轟炸金門，但在25日，彭德懷宣布從這一天開始每兩天炮擊一次：古典悲劇變成了中國戲曲。11月25日，在評論的文章〈西方世界的破裂〉時，毛澤東補充說，這個不可

避免的過程「可能相當長」。[185]12月1日，新華社發表了毛澤東的一篇文章〈關於帝國主義和一切反動派是不是真老虎的問題〉。[186]他寫道，帝國主義既是真老虎，又是紙老虎，「必須戰略上藐視它，戰術上重視它」。毛澤東補充說，一些中國人在危機中「失去了冷靜」，不明白任何事情都是矛盾的這一現實。10月12日，總參謀長粟裕將軍[187]辭職，表明解放軍不滿幾個月來的對抗以鬧劇結束。彭德懷尤其不喜歡他負責的冒充好漢的角色。

相反，毛澤東在早秋經歷了活動密集、心情愉悅的兩個月。[188]9月10日至10月17日，[189]毛澤東又在各省視察了一次。[190]回到北京後，他寫了幾十封信，批閱了數百份報告，下了多條指令。他的工作十分忙碌，很少在早上四點鐘前睡覺。10月19日，他寫信給陳伯達，讓他與張春橋一起去實地調查河南遂平嵖岈山衛星人民公社。半小時後，他又發出了第二封信，建議他們先到鄭州與河南省委書記碰面，並且每天晚上學習馬克思、恩格斯、列寧和斯大林的共產主義著作。10月28日，他又寫了一封信，建議他們在鄰近地區多調查幾天，以便比較統計數據。10月26日，他派秘書田家英和記者吳冷西去河南北部的七里營公社了解公社的運行，並和中原地區類似公社的成績進行比較。他在北京聽取了安徽省委書記曾希聖的報告，詢問了9月份視察安徽之後的情況。那是他第一次看到小高爐照亮夜晚的場景，在合肥，他的車淹沒在三十萬人的歡呼聲中。然而，這一次，毛澤東給這位無比忠誠、以為已經進入共產主義的信徒潑了一盆冷水，提醒他路還長。像往常一樣，毛澤東的話有兩面性，有時熱情，有時持懷疑態度。比如在給陳伯達的信中，他說要警惕某些幹部的浮誇風。

　　事實上，共產主義之風在這個秋天吹得非常猛烈，開始引起毛澤東的警惕。農村勞動力的軍事化採取了諸多壯觀的形式：3,000萬四川民兵和2,500萬山東民兵邁着行軍的步伐去田間地頭，每天用老式步槍進行兩到三個小時的實戰訓練。11月下旬，他們常常好幾天不休息在田裏搶收，有些人會突然休克。事實上，自年初以來，大量的勞動力投入大煉鋼鐵的戰鬥中，到處建滿了小高爐，所有的廢鐵都被拿去煉鋼。根據毛澤東本人估計，9月中旬近兩千萬農民參與了這項運動，11月，這個數字增加至9,000萬人。彭德懷估計從9月到12月，投入煉鋼的人力達900億人次。[191]同一時期，小高爐產量佔鋼鐵總產量的份額從14%提高到49%。但這種鋼中有十分之九含有硫化物，不可以軋製。[192]而莊稼因為缺乏勞動力收割爛在田裏。事實上，農民勞動力從1957年的1.92億人下降至1958年的1.51億人，而這種空缺沒有被農業機械的使用填補。收成也沒有預期的好，因為深耕破壞了部分腐殖土，把石塊和沙子翻到表面，密植的種子死了，大量的雜交植物腐爛，胡亂建造的水壩[193]淤積或因為改變了含水層造成大片土地鹽鹼化。各處都有人開始用含蓄的語言表達疲憊的狀態，農民討論強迫勞動，不相信北京的勝利消息。因此，毛澤東決定11月底在武漢召開八屆六中全會：少年時，他曾跟隨父親在稻田裏幹了幾年活，因而不敢相信水稻產量的奇蹟——幾個月內從每公頃20擔變成原來的10倍、20倍甚至30倍！10月31日他乘專列離開北京，為這次會議做準備，經過河北時停留了好幾次，與當地官員進行討論。11月2日，他到達河南省省會鄭州，在那裏他決定召開一次中央工作會議，至11月10日結束。會議有時在他的火車上舉行，有時在省裏的招待所舉行。之後，毛澤東來到了河南的心臟，共產主義之風吹得最厲害的地方。

第五幕：悲劇正在發生

　　從11月2日開始，毛澤東在陳伯達的協助下，在他的專列上召集了九個省[194]的書記開會。他詢問了工作成果，批評了10月在西安舉行的農業會議上某些人提出的取消貨幣和貿易的建議。4日，毛澤東請他們研究斯大林的著作《蘇聯社會主義經濟問題》。[195]11月6日到10日，他主持了更大規模的會議，並於6日、7日（晚上）、9日和10日發言四次。他的熱情並沒有減弱。他曾禁止幹部在親自實地調查之前對文件進行評論，很顯然，他不喜歡像自己曾經建議的那樣做：他只是聽取幹部的意見，或搜集他們的書面材料，同時查閱蘇聯的政治經濟教材直到天亮。這種官僚主義的做法也許是個人崇拜高漲的產物，儘管他曾經批評其他官員的這種行為。李志綏很好地重現了中南海圍繞着主席的神聖氛圍。日益孤立的主席周圍都是逢迎拍馬的人，其中林彪是最顯眼的，再加上晚上工作的生活規律、過量的巴比妥類藥物的作用，使得他很少在公眾場合露面，每次露面都會造成集體狂熱的場景。他的肖像背景永遠是常綠的松柏和升起的紅太陽，這些肖像被數以百萬計的家庭擺在神壇上祖先的神像或觀音像的旁邊：他已經成了一幅聖像。

　　但是，10月2日毛澤東讀到一封令他擔憂的匿名信。信中寫道，在安徽中部淮河沖積平原靈璧的三個鎮，有五百人死於饑餓。這些人死亡的原因主要是自然災害，但也有太早移栽水稻和當局謊報收成導致過度徵收的原因。毛澤東當即寫信給安徽省委書記曾希聖詢問此事（主要的狂熱者之一），後者證實了這件事。毛澤東責成省委承認錯誤，並確保「採取適當行動」。毛澤東似乎對這個含糊的

承諾很滿意，他認為這是一個孤立的事件，絲毫不會動搖「總路線」。[196]然而，我們很快將注意到調查報告準確地提出天災的影響不如人禍厲害。

此次鄭州會議主要由毛澤東的講話主導：據他介紹，「大躍進」的結果是令人滿意的，讓某些幹部轉變了想法。[197]這樣説是為了防止極左傾向並鞏固「總路線」。但「不能將社會主義和共產主義混為一談」，比如在河北徐水縣，人民公社領導人感到他們幾乎成功地建立了「全民所有制」這一具有共產主義特點的制度，即使他們仍未能推行「供給制」。「通過瘋狂前進」，他們取消了家庭自留地，把所有的豬集合起來，建一個大農場，從而剝奪了農民的一些合法勞動所得。毛澤東舉了一個相反的例子，在保定附近的安國縣，那裏的農民保留着自留地，並且補充説，不必擔心市場，因為資本主義是可控制的，在這一段時期，只有經過商品生產、商品交換，才能引導農民發展生產。毛澤東還擔心某些幹部獨斷專行（例如徐水縣領導人），只會強迫別人勞動，因而導致黨和農民之間的脱節——這是從前各個朝代覆滅的原因。然而，即使他認為共產主義不是立馬可實現的，但他還是説「嬰兒已經在母親的肚子裏」，因為「社會主義是共產主義的萌芽」。他認為要鼓勵所有已經出現的共產主義「嫩芽」成長，其中包括公社食堂的免費餐。總之，毛澤東把那些困難看作次要的矛盾。雖然他認為1958年秋糧豐收達到四億五千萬噸有些誇張，但是他覺得糧食產量達到三億九千萬噸是可以接受的。然而，實際收穫是兩億噸。

於是毛澤東建議減少征糧量，批評了徐水縣徵收糧食產量40%的做法，把徵收比例從33%降至25%。這樣的結果是吊詭的，儘管

徵收比例有所降低，但農民仍然無法忍受。1957年至1958年，強制上交給國家的糧食從3,980萬噸增長到5,570萬噸，增長近1,600萬噸，而事實上生產只增長了500萬噸。[198]

在一些村莊，糧食安全形勢已經很嚴峻。毛澤東休息幾天後，於11月13日下午離開鄭州，15日早晨他的專列到達漢口。他再次會見了那些提交了逢迎總結的幹部，想相信他們的報告。然而，雖然被詢問的負責人強調群眾充滿熱情，但農民從夏收開始就對領導的要求表現出消極抵抗情緒。幹部越來越難以完成徵收份額：1958年10月和1957年10月相比，缺口為440萬噸。加之1958年比1957年多出口了260萬噸糧食，所以與1957年10月底相比，1958年10月底公共糧倉的糧食減少了700萬噸。[199]一些幹部害怕如果不繼續發布創紀錄的收成，而是報告殘酷的現實，會因此被指責為「右派」。省委向中級機關施加壓力，中級機關向下級機關施加壓力，清除隱藏糧食的手段日益殘酷。1958年11月至1959年農曆新年，「五股歪風」在農村泛濫：共產風、強迫命令、瞎指揮、浮誇風和官僚主義。在廣東省的北部，幾乎被剝奪了一切的農民襲擊了湖南南部的糧倉，而省級官員陶鑄和他的副手趙紫陽在北京滿意地宣布，在東莞附近虎門公社突擊搜查出「富農隱藏的」5,588噸大米和12,000塊錢。他們估計，全廣東省因為農民狹隘的思想隱瞞的稻米有300萬噸，佔總收成的10%。在湖南、湖北、江西、四川、甘肅和青海，公共糧倉受到攻擊，這些省市是後來饑荒的高發地。毛澤東無法忽視這個越來越強烈的不安的跡象：11月中旬一份新的報告顯示，在太行山南麓的河北邯鄲，21個縣的71個村爆發了傷寒、痢疾和胃腸炎傳染病。

報告者認為發病原因是農民極度疲勞和公社食堂衛生條件惡劣。

11月25日，毛澤東在內部雜誌《宣教動態》第145期中看到一篇關於雲南爆發水腫和致命營養不良的文章。[200]他用紅筆在這篇文章後寫了幾個沉重的漢字——「一個教訓」，並寫信給各省委敦促他們實施在鄭州會議上作出的決定，「以確保工人的休息和生活條件」。[201]他甚至增加了相關的解釋：自上而下的要求讓下級幹部無法忍受。「千鈞重擔壓下去，縣、鄉幹部沒有辦法，只好硬着頭皮去幹，少幹一點就被叫做右傾，把人們的心思引到片面性上去了，顧了生產，忘了生活。」毛澤東知道產生了一個嚴重的問題，但堅持認為「總路線」是正確的，「大躍進」的結果大部分是非常積極的。也許他已經意識到用發展中國落後一百年的經濟來證明社會主義優越性的方法有狹隘性。他的計劃是空中樓閣，與現實發生了碰撞。面對政治經濟對他的唯意志論的報復，毛澤東在11月10日的講話中引用了斯大林的話：「自由是必然的認識」。[202]如果想有效介入經濟領域，則要認識經濟的客觀規律。他被迫作出聲明：(1) 1957年年底人均糧食產量為290千克，每年消耗260千克，只剩30千克。三年中有一年遇到自然災害，就會或多或少影響農作物的產量，這樣的剩餘實在是太少了。(2) 自1952年以來，人口增長速度為2.3%，糧食增長速度為3.14%。但1958年中國增加了260萬噸糧食出口（佔糧食年產量的1.3%），用來購買設備。由於設備過於昂貴，因而農業機械化被推遲，這樣生產必然停滯，生產力無法大幅度提高。毛澤東認為中國生產的糧食比實際多，因為這是必需的。「大躍進」體現了一種幻想，即將中國的勞動力——唯一立即可以使用的資本——改造成

工業資本，迅速實現國家的工業化。這是自推出依靠中國自己的力量實現現代化的「總路線」以來，一直令毛澤東煩惱的束縛。這種束縛體現了主席時而能進行非常清晰地思考，時而完全盲目。

在11月21日至27日的武昌政治局擴大會議和11月28日至12月10日的六中全會上，毛澤東的講話很明顯地體現了這層意思。[203] 12月9日，毛澤東進行了自我批評：「都是革命熱情，一條腿，另外一條腿叫作美國的實際精神，就缺。武昌會議就來了一個實際精神，[204] 俄國加上美國了。」實現共產主義將至少需要20年的時間。「北戴河的目標過於雄心勃勃」，應該將鋼產量從三千萬噸減少到一千八百萬噸。至於他看重的社會主義「萌芽」，毛澤東要求關閉河南「死了不少嬰兒」的託兒所和退休之家（被稱為「幸福院」）。裏面「死了百分之三十，其餘都跑了」。至於免費公共食堂，「至少要等五六年時間才能實行」「我有點恐慌。怕犯甚麼冒險主義的錯誤」。只有在「和平的氛圍和內部團結的情況下，實現全國電氣化和農業機械化之後」，我們才能談「中國社會的深刻變革」。毛澤東提出了鞏固人民公社的「農業四十條」，要求實行「民主管理」，不要給群眾的熱情澆冷水，應注意「兩個轉變」（兩放），在隊、大隊和縣（鄉）三個層面上下放人員和資料。農民享有自留地，但毛澤東推動加強大隊的組織和分配工作（工分）。在公社層面進行「三統」：「將中國作為一盤棋」制訂生產計劃，政治掛帥，控制資金。最後，提供「一包」，即國家對生產進行投入，同時提供儲備基金。這一切仍然是模糊的，很多想法是矛盾的。如此，毛澤東強調了工人因為太辛苦又吃不飽造成高死亡率的風險。既然已經有五百億立方米的土方為重大基礎設施建設做

準備，他自問六百億到七百億立方米是否不夠，要按照計劃再提供一千九百億立方米：這已經是在可怕的條件下達到的！他補充說：「這五千萬人可能力竭而亡」，「至少我的職要撤，頭也成問題」。為了證實這一點，他舉了1957年6月因為成千上萬的農民死於饑餓，撤銷廣西省委書記職務的例子。[205] 提出這點之後，他明確指出，一個公社的負責人向當局撒謊，為了執行一個錯誤的決定而遞交虛假報告，和那些隱瞞了部分不當收成的人一樣，不能被劃分為「右派」。此外，大會還通過一項決議，指出創建城市公社的條件不成熟，需要避免過度擴大免費供給制。在同一次講話中，毛澤東表現得克制而清醒，但是他再次提到了他的朋友柯慶施的想法，即利用目前的貧困過渡到共產主義。1957年的反右運動是正確的，利用「資產階級法權」有回到資本主義的風險，不過部分「資產階級法權」還有用。《日瓦戈醫生》[206] 就是一個證明，毛澤東認為，《日瓦戈醫生》證明，雖然蘇聯經過了40年社會主義建設，但是維護資產階級的意識形態仍然存在。毛澤東獲悉中國各地發生饑荒的時候，提出如何使用過多的糧食這個奇怪的問題又是怎麼回事？如何理解他對幹部們建議「不要擔心糧食過多問題，因為爛在田裏可以為以後的作物當肥料」？當毛澤東保證每年將增產一億噸鋼鐵的時候，「共產風」仍然刮得很強勁：「到1962年將達到五千萬噸」，並「考慮遠期目標……七億五千萬噸糧食」，「人均一千斤」，「可以讓農民休息一年」。毛澤東剛剛朝常識的方向走了幾步，就加速朝烏托邦進軍，錯過了一個出口。

毛澤東的疑問

在廣州休息十多天後，12月30日毛澤東回到北京。他非常不安，一直失眠，寫了很多信，召見了很多人，實施武昌全會上決定的對路線的修正。1月1日的指示確定了被稱為「8-4-2-10」的人民公社每日組織規則：8小時睡眠，4小時吃飯，2小時學習，10個小時工作。從1959年1月26日至2月2日，他召開了省、市、自治區黨委第一書記會議。[207]毛澤東得出結論：行動是正確的，但人們需要休息，所以我們必須休息兩個月。現在，我們需要再次動員全體人民糾正所犯的錯誤，但不誇大錯誤。就好像十隻手指，只有一隻有問題，不用擔心其他九隻。毛澤東估計有五百萬即1%的農民患有營養不良性水腫，並同意關閉幾乎所有的小高爐和解散河南已經出現的五萬到七萬人的「大公社」。23日，他乘坐專列再次南下，在天津和濟南停留。2月27日，毛澤東召集了河南省走在社會主義急行軍前列的四個地區[208]的書記，批評他們實行70%的積累率，並認為農民面對過度徵收想辦法藏15%的收成是合法的。[209]2月27日至3月5日，[210]他在鄭州召開了一次政治局擴大會議，確認了他的轉變，讓某些人鬆了一口氣。[211]他譴責人民公社三個主要的缺陷：平均主義（一平），在最貧窮者的壓力下損害最富有者的利益；盲目調撥資源（二調），他比喻為「公開搶」；銀行要求在三年內將過去發放給農村的貸款統統收回（三提款）。

他再次表示農民對不合理徵收的消極抵抗是合法的，他的話帶有挑釁的味道：「如果你們是左派，我就是右派！我現在代表五億農民和一千多萬基層幹部說話，搞『右傾機會主義』，堅持『右傾機會

主義』，非貫徹不可。你們如果不一起同我『右傾』，那麼我一個人『右傾』到底，一直到開除黨籍。」這一次，毛澤東沒有談到動員。3月9日，他在鄭州發起召集共產黨六個級別的幹部（從小隊直到省）。李先念同意銀行提供四到十年期的免息貸款，將糧食徵收比例限制為產量的25%，包括稅收在內。但是，毛澤東仍然堅持改變大隊管理的要求，這嚴重限制了農民抵禦任意要求的能力。

1959年3月10日，西藏暴動，解放軍進行了殘酷的干預，達賴喇嘛逃往印度。之後自治區恢復了表面的平靜，非常具有戲劇性的是這年春天各種會議上沒有對此進行討論，毛澤東也沒有特別的講話，他看到的更多是好處。[212] 4月15日在北京召開的第十六次最高國家會議上，[213] 大家對毛澤東的講話達成了完美的共識：西藏是（「和……台灣一樣！」）我們還沒有進行改革的地區，「我們的軍隊可以通過公路進入，我們的空軍可以介入」。「另一方面，與台灣不同的是，沒有任何一個國家和西藏簽署了條約」。[214] 一切都說明白了。

毛澤東在跨越式發展中越來越多地限制「大躍進」的規模，然而許多幹部不相信他表現出的右傾轉變：他們還記得1957年6月的突然逆轉。此外，糧食收成仍然被錯誤地估算為實際收成的兩倍。因此，1959年春天，一方面，毛澤東和黨的領導機構作出了更多安定人心的解釋和緩和矛盾的決定，而另一方面，接近五六月青黃不接的時候，饑荒的風險無情地明顯起來：一齣悲劇的舞台搭建完成了，主角們已經各就各位。1959年3月11日，毛澤東抵達武漢，17日發動各省召開縣的五級幹部大會。[215] 18日，他收到河南的報告，仔細做了評註。[216] 3月25日至4月1日，毛澤東在上海錦江飯店主持了中共中央政治局擴大會議，4月2日至5日主持中共中央八屆七中

全會。此前毛澤東剛收到一張周恩來的條子[217]和一張中央救災委員會的表格：大家都擔心15個省份的春荒會比1953年和1955年的更嚴重，特別是江蘇、河南、河北、山東和安徽五省。因此必須不惜一切代價取得冬小麥收割的成功，重新分配80%以上的農村勞動力，讓數百萬來到城市的臨時工返鄉，因為他們已經對糧食形勢造成難以承受的壓力。

在這種緊張的情況下，政治局擴大會議和中共中央八屆七中全會在上海舉行。[218]毛澤東正式宣布辭去共和國主席的職務，由劉少奇接任，4月18日至28日召開的二屆全國人民代表大會第一次會議批准了他的辭職。[219]毛澤東遠未失去權力，他擺脱了一個難以承受的象徵性的職務，退到二線觀察政治活動，並用自己的方式干預。[220]他保留了現實中否決的權力，他的威望沒有遭到破壞。然而，彭德懷似乎不喜歡劉少奇的這次升遷[221]，他更傾向於朱德，他指責毛澤東「親自掛帥」。毛澤東以一種挑釁的方式對此進行了回應。這一事件在他4月5日的講話中留下了一絲痕跡。[222]出人意料的是，毛澤東舉了海瑞的例子，説這位高官「不客氣」地諷諫明嘉靖皇帝縱容不公，並請所有「同志」以他為榜樣。在上海會議上，毛澤東證實了他的右轉。他特別提到3月20日在南昌的講話：「食堂在那裏，土地在那裏，耕牛農具在那裏，它（生產隊）不負責任怎麼行？沒有積極性怎麼行？」[223]大隊的作用也降低了。4月29日毛澤東在《黨內通信》中圍繞着「堅定立場重新前進」的總體思路總結了6個問題，16點工作方法。第一個問題是關於包產的。此時正是南方插秧、北方春耕的季節，他建議忽略上級的那一套，實事求是，避免吹牛：每公頃800斤至900斤是不可能的。不過「增加二百斤、三百斤，也就算成績很

大了」。第二個問題涉及著名的密植：必須參考老農的經驗，由小隊
或大隊決定。第三個是消費問題：必須節約糧食，為體力勞動者提
供較多的糧食，為休息的人提供較少的糧食，還要確保提供各種蔬
菜。第四個問題是必須在三年內增加耕種面積。「少種、高產、多收
是前一年秋天的口號，我們將……在十年後討論。」第五個問題是機
械化。機械化是必不可少的，但我們必須逐步實現，這同樣將需要
十年。第六個問題是告誡不要在報告中講假話，因為「自由是必然的
認識」。與此同時，鄧小平在毛澤東的建議下組成了一個財政工作小
組，由陳雲負責，薄一波和李富春等人協助，經過認真研究，在5月
初劉少奇主持的中共中央政治局會議上提出將鋼鐵生產降低至每年
1,300萬噸。這樣，一個有效務實的領導團隊以劉少奇為中心建立起
來。然而，4月28日由全國人大通過的生產目標仍然是不切實際的：
1959年糧食增產至10,500億斤。儘管陳雲提了建議，但會議仍然堅
持鋼產量1,800萬噸這個不現實的目標。[224]這樣，最糟糕的事就有可
能發生了。

毛澤東安慰自己

但是，毛澤東開始安慰自己，儘管彭德懷的行為仍然是一個問
題。如果我們相信辛子陵記錄的版本，即彭德懷離開上海會議激起
了毛澤東強烈的不滿，但彭德懷離開不是因為劉少奇的升遷問
題——這件事產生的後果很小，而是和當時重大政治相關的問題：
「大躍進」經歷了一年多，結果是甚麼呢？人們還記得，這是1958年
5月劉少奇提出的問題，以此來回應對他的批評。1959年3月28日，

彭德懷在政治局會議上給出了答案：「大躍進」政策是完全錯誤的嗎？是的，我真的這麼想。如果它是錯誤的，那麼便不應該只在會議期間談論它，而是要採取一切必要措施糾正這種情況，否則不僅會影響軍隊，還會影響國家的命運和未來。在這種情況下，人民將會失去共產主義信仰。[225]彭德懷講完這番正面批評話語後，馬上就離開了：作為國防部長，他需要儘快結束兩個星期前發生的西藏叛亂。無論如何，彭德懷討厭他不擅長的政治辯論。

　　我們知道他與毛澤東的關係長期緊張，儘管後者年齡小五歲，而且他們都是土生土長的湘潭人。這個性格剛烈的元帥年輕時過得比毛澤東要艱難得多。雖然1918至1919年冬天，毛澤東在北京經歷了數月極端艱難的日子，但這是貧窮文人經歷的經典模式，而彭德懷在11歲到18歲的青少年時期是在放牛和做苦力中度過的。他愛抱打不平，對最貧苦人民的命運非常關心，這是毛澤東從來沒有的。後來參加湘軍，1928年對國民黨對待農民的行為感到厭惡，於是加入了共產黨。他率領所在的團揭竿而起，到井岡山與共產黨人會師。1930年攻打長沙過程中，彭德懷不贊同毛澤東和朱德的意見，認為他們過於謹慎，但他在富田事變中支持毛澤東，保證了革命力量的團結。從1931年開始，他一直為團結而努力：他站在周恩來一邊，反對共產國際；他贊同紅軍職業化，反對無節制的游擊戰。1931年12月，他說了毛澤東永遠不原諒他的話：「我們反對那些尋求保持自己的軍隊，保衛自己小王國的人……那些人不下決心增加紅軍的數量，為一個或多個省取得初步勝利而努力。這些人的眼界是井底之蛙。他們的思想是百分之百的農民思想。」[226]在長征期間，他支持毛澤東，1935年10月21日，毛澤東甚至寫了一首詩給他。[227]

兩人之間的分歧發生在百團大戰之後，1940年彭德懷發起對日本人的進攻，毛澤東認為人員損失過於重大。自朝鮮戰爭以來，彭德懷與毛澤東起了根本衝突：彭德懷希望按照蘇聯紅軍的模式把中國解放軍職業化，接受蘇聯的核武器保護，而毛澤東在林彪的支持下選擇把軍事預算的大部分用來造一枚中國的原子彈，解放軍則仍然是人數眾多但裝備不良的步兵，數以百萬計的民兵拿着蹩腳的步槍和長矛。彭德懷訪問了一些歐洲社會主義國家回來後，內部的矛盾展露無遺：毛澤東懷疑他尋找盟國，詆毀大躍進。回國後，彭德懷視察了甘肅、中國西北和他的老家湖南：由解放軍中的農民新兵提供的信息和他觀察到的跡象提醒他，農村有一場迫在眉睫的饑荒，他認為有必要提醒政治局。毛澤東在鄭州和上海的自我批評，還有提到海瑞，讓他有些放心。政治不是他的領域，他的直接責任是西藏問題和國家安全。毛澤東大概認為他就此罷休了，而對收成的估計使主席繼續低估糧食形勢的嚴峻性。

4月7日毛澤東在杭州與主要領導人[228]舉行會議，12日離開杭州，在濟南和天津停留後14日回到北京。15日，他在最高國務會議上談到外交政策問題。4月17日，他回覆了周恩來關於春天饑荒風險的請示，要求周將文件用飛機送到15個省的省委第一書記[229]手裏，請他們馬上處理，並採取必要措施救助2,517萬要經過兩個月困難時期的人。然而，28日，毛澤東在一份內部報告上的批示又變得樂觀。報告說，事實上河北和河南的饑荒即將停止，山東農村人口外流已經停止，饑餓引起的水腫開始消失。毛澤東於是建議避免浪費食物。很顯然，對他來說，糾正了一些頭腦過熱的幹部的失誤後，現在一切已經恢復正常。5月7日，中共中央發表了〈關於農業

的五條緊急指示〉：分配私人自留地，農民可以養殖豬和家禽。至於「大煉鋼鐵」，5月15日，陳雲致信毛澤東，提議加上冶金部部長開一個三人會議：好像是在這次會議上，毛澤東批准了一千三百萬噸的目標。陳雲巧妙地設法說服了毛澤東，這讓他感覺自己最終起了決定性作用，並且他把這當成一個技術問題，而不是政治問題。[230]

這漫長的辯論直到6月13日才在政治局會議上得出結論。[231]據吳冷西和楊尚昆回憶，在這次會議上，毛澤東對政策的失誤談得最多。在聽取了李富春、周恩來、李先念和廖魯言[232]的報告後，毛澤東提出了比以前更合理的目標，大家同意鋼產量目標定為一千三百萬噸。毛澤東說他在1958年犯了錯誤，把注意力放在小高爐和土窰的生產能力上，「過去就是片面性，只注意高爐、平爐的生產設備能力，煤的賬不算，焦炭的賬不算，礦石的賬不算，容積也不算，運輸也不算」，至於糧食「今年根本不要理那個一萬零五百億斤（指八屆六中全會定的1959年的糧食計劃產量），就是按照去年的實際產量，只增一成、二成、三成。聽說包產的結果是六千億斤，但是我看，我們過日子還是放在四千八百億斤。那麼高的指標，吹了，不要了。我們自己立一個菩薩，就在那裏迷信這個菩薩」。[233]「1958年我們的收成很好，之後遇到一個非常緊張沒有預料到的情況……現在，我們必須着眼於未來，利用錯誤的經驗，現在農村中要解決的問題是食堂如何辦。」6月20日，劉少奇主持了一個政治局會議，毛澤東沒有出席。之後毛澤東召集彭真、胡喬木和吳冷西到他的住所，向他報告會上說了甚麼，開創了新的工作作風，即由劉少奇、周恩來和鄧小平三人直接管理加上他的後期控制。毛澤東對春荒威脅的判斷出現在他給李先念報告[234]的批註上。「沒有根本好轉，但

是已經開始好轉。再有幾個月，根本好轉就會來了，這是明白無疑
的。」

回到家鄉

正是在這種得到安慰的心態下，6月21日上午，毛澤東乘坐專
列南下。他從鄭州打電話給劉少奇，要求儘快在廬山召開政治局擴
大會議，省委書記也參加。火車經過武漢到達長沙。25日早上，毛
澤東乘坐汽車重新出發，傍晚時分，在離開家鄉32年之後他重新回
到韶山沖。陪同的有公共安全部長羅瑞卿、湖南和湖北省委書記以
及一個負責記錄這件事的作家。[235]毛澤東拜訪了一些家庭，見了一
些老相識。他的家被國民黨洗劫之後，已經被細心修繕擴建，改成
一個聖地。這是湖南書記華國鋒做的，他在土改期間從山西來到湖
南。25日，毛澤東在從北京帶來的床上看書直到天亮，然後出去呼
吸了幾分鐘新鮮空氣，和一個警衛聊了聊天，回去睡覺。26日毛澤
東起得很晚，穿着白襯衫和皮鞋到附近的山上去拜祭父母。在回來
的路上，他對羅瑞卿說，即使不信鬼神的唯物主義者也有必要孝敬
父母和老師。他和一個參加過秋收起義的老熟人一起喝茶，一個農
民說收成每公頃40公擔的時候，他糾正說25公擔就已經不錯了。還
有一次，他說糧食產量每畝增加半擔到一擔（即增長16.5%至33%）
就是很好的收成。他參觀了小時候上的私塾，那裏已經變成一所初
中學校，有700名學生和30名教師，他還和教師們合影留念。27
日，他視察了稻田，吃過午飯，睡了午覺之後，在剛剛建成的水庫
裏游了兩小時泳。他還在看望了毛福軒——他創建的黨支部的第一

任書記，後被國民黨殺害 —— 的遺孀之後，主持了一場宴會。當一個老農質疑湖北產量每公頃750公擔，表示甚至每公頃75公擔都難以達到的時候，毛澤東說：「如果第一個數字是騙人的，第二個可以真正在試驗田裏實現。」當天晚上，他寫了一首詩〈到韶山〉，頌揚革命的成功，反映出大家的樂觀精神：

別夢依稀咒逝川，故園三十二年前。

紅旗卷起農奴戟，黑手高懸霸主鞭。

為有犧牲多壯志，敢教日月換新天。

喜看稻菽千重浪，遍地英雄下夕煙。[236]

6月27日下午，在盛裝打扮的人群的歡呼聲中，毛澤東乘車返回長沙，29日上午到達武昌。前一天晚上，他在辦公室裏召集了一部分不同地區的負責人，準備盧山擴大會議。[237]他列出了14個要討論的問題，其中有一個是關於「大躍進」的總結。第10個問題和國際形勢有關：10天前的6月20日，蘇聯單方面撕毀了1957年的協議，拒絕向中國提供製造原子彈所需要的技術。[238]

快到盧山的時候，毛澤東情緒是興奮而樂觀的，就像他當時創作的詩篇所流露的一樣。沒有跡象表明即將發生悲劇，造成可怕的結果。經過幾個月的疑慮，主席感到滿意，「大躍進」經過一些調整，終於上了軌道。

第十四章

致命的烏托邦（1959–1962）

　　毛澤東錯了：儘管盧山中心的牯嶺山區美得像田園詩一般，[1]但中央政治局擴大會議和中共中央八屆八中全會卻是在極度緊張的氣氛中結束的。彭德懷針對現實中存在的客觀問題，給毛澤東寫了〈萬言書〉。這封信在會議上引起了激烈討論。

　　中國在1959至1961年「三年困難時期」經歷了大饑荒，「偉大舵手」堅持不承認他選擇了錯誤的道路，造成直接的後果。大饑荒在黨和中國人民之間造成的壕溝比1957年黨和知識分子之間的溝壑更深。

　　從此以後，這樣的災難應該由誰負責的問題就成了中共中央的一個政治博弈。1961年秋至1962年夏，這樣的博弈伴隨着毛澤東的猶豫而出現，同時蘇共和中共的意識形態發生衝突，中國和蘇聯的關係公開破裂。

　　1962年9月，中共中央八屆十中全會最終做了一個錯誤的決定：繼續堅持「大躍進」和「人民公社」的發展模式。「文革」的災難不久將隨之而來。

廬山，罪惡的堅持 [2]

　　毛澤東到廬山之後就在精心準備一場討論，他希望這個討論能使他重新推出被實踐嚴重質疑的「總路線」。29日，他和最接近他想法的領導人在辦公室中進行了討論。6月29日，他寫了一些指示，一個包含14條內容的會議議程。他認為這些安排必定能使7月2日召開的中央政治局擴大會議變成一個「神仙會」，[3]也就是說，是一場平靜的、富有建設性的集體反思。這些指示要求對百分之百原創的「大躍進」進行初步評估——甚麼是好的，甚麼是壞的，但無論如何，「前途是光明的」。毛澤東說重新平衡的需要已經出現了。因此，要對優先發展順序進行調整，首先是農業，其次是輕工業，最後是重工業，這和蘇聯模式相反，中國的第一個五年計劃就照搬了蘇聯模式。事實上，「用兩條腿走路」非常重要，兩條腿指工業和農業。必須限制40%的強制徵收，遵守為期三年的配額，重新開放農貿市場，並終止剝奪農民勞動成果的平均主義。在這種情況下，最好的生產單位是小隊，因為小隊最接近農民。會議議程中的幾點也有現實主義傾向，但仍反映出某些擔憂。其中包括第2點（「形勢。好轉沒有？何時好轉？」）、第7點（「食堂問題」）、第13點（「糧食三定政策」[4]）和第14點（「如何過日子」）。只有最後一點以不顯眼的方式提到各種報告中強調的饑荒問題。第7點提了一個似乎更敏感的問題：重新分配給農民的份額交給食堂管理者，農民和家人免費來公共食堂吃飯。其實，食堂的增多使得某些地方官員能將公社生產的糧食佔為己有。很快，「共產主義萌芽」就不受歡迎了：它使農民面對幹部毫無自衞能力，幹部能夠決定他們的生死。此外，第一

個冬天，集體提供的菜單中就只有稀飯和隨便亂煮的土豆，而繁重的勞動讓人筋疲力盡。關閉食堂是受訪的農民最常見的要求之一。

在早春出現的「大躍進」的合理回歸似乎得到了證實。另外，毛澤東還兩次請陳雲幫助。然而，值得注意的是，這些指令強調統一思想，議程中的第6點側重於宣傳的需要，認為宣傳明顯不足，第12點關注黨支部的領導作用，毛澤東擔心發生政治風暴。指示還建議黨的基層幹部要學習政治經濟學。毛澤東提議幫助他們編寫三個系列的文件。(1) 正面的例子，介紹優秀的幹部堅持真理，抵住了歪風，履行自己的職責，沒有虛報，知道堅持事實不自我吹噓。(2) 反面的例子。(3) 中央委員會的指導方針和文件的彙編。我們在這個「幹部學校」裏發現了運動的特點，整風正在醞釀。然而，以往這種類型的「運動」(1942年至1945年，最近一次1956年至1957年) 都是從批評宗派和「左」傾開始，最後卻以批判修正主義右派結束。這些先例讓頭腦最清醒的領導人採取謹慎的態度。此外，就像每次他要作出艱難決定的時候一樣，毛澤東顯得有些狂躁不安。7月2日，他召集已經到達的15位領導人[5]召開中央政治局會議第一次全體會議。與會者在三天前提出的議程上增加了四點建議：恢復農村初級市場；中央集權化，「反對無政府主義」；協作關係問題；完善工業管理和產品質量控制。2日晚，毛澤東要求楊尚昆將已經分發的文件圍繞三個問題重新進行整理：(1) 如何判斷當前的形勢？(2) 從經驗中我們得到甚麼教訓？(3) 未來如何行動？

同時，代表們按地區分成六個工作組。彭德懷參加了西北地區代表組，1949年到1950年他帶領的部隊「解放」了這個地區。[6]如果我們相信他的自傳和他的秘書鄭文瀚[7]的回憶，那麼我們可知，當毛

澤東秘書處說服他參加這個會議的時候，他仍然是猶豫不決的，他首先想到的是讓解放軍總參謀長黃克誠代替他參加。雖然他發現有些幹部不知羞恥地謊報糧食生產數據，農民因為過長時間繁重的勞動而疲憊不堪（「這就像用黃瓜打鑼」，他喜歡這樣形容），但他仍然是謹慎的，他只和親近的人或管理這一塊的領導交流意見，例如薄一波和周小舟，後者是湖南省委第一書記。彭德懷曾對周小舟說，他在主席回韶山後幾天親自去當地進行了調查，對毛澤東的輕信感到很驚訝。4月24日至6月11日，他訪問了蘇聯和東歐各人民民主國家，他和張聞天交流了蘇聯經濟學家對「大躍進」的批評。[8] 然而，關注西藏叛亂[9]的彭德懷相信了毛澤東在上海會議上請幹部們學習海瑞的話。[10] 毛澤東進行自我批評後，4月29日的指示在6月28日和7月2日兩次得到肯定，似乎宣告一個新的政治過程即將開始。因此彭德懷一反平時的習慣，積極參加西北地區工作組代表的會議，參加了10次會議中的9次，發言7次。自7月3日開始，他說自己也先後四次在軍事上犯過嚴重的錯誤，[11] 然後提出對「大躍進」的批評。他經常和住在同一棟樓裏的張聞天討論，與周小舟見過兩次面：這個曾經的毛澤東主義者陷入了迷惘。但是，總的氣氛依然如毛澤東所期望的那樣是一個「神仙會」。關於「大躍進」，與會者有許多不同的看法。朱德批評在管理不善的食堂裏糧食浪費的現象，而普遍的看法是，總體上目前的實驗是成功的：儘管存在一些問題，但我們正在努力解決問題，「未來是光明的」。7月5日，與會者觀光遊覽一番，享受了美好的一天。毛澤東看書，批文件，跟這個人或那個人傳個話，但不參與討論。他說對一個叫陳國棟的人提出的報告感興趣，報告認為上海七中全會制定的征糧額度過高，甚至不合理。毛

澤東似乎繼續在撤退。[12] 7月9日，他邀請離婚後的妻子賀子珍來盧山，賀子珍因為這次會面精神受到創傷，之後幾乎神經錯亂。[13] 7月10日下午，第二次政治局擴大會議召開的時候，毛澤東做了一個簡短的講話，鼓勵展開討論：我們必須認識到我們的不足和錯誤，從一年的經驗中分析實踐，吸取教訓。[14] 不過，毛澤東堅持一點：「總可以有百分之七十的人站在總路線下面……從全局來說，還是九個指頭和一個指頭的問題。」無論如何，「我們對建設社會主義還沒有經驗，至少還要10年，再來看我們是否正確」，目前，「要黨內團結，首先要思想統一」。「左」傾悄然開始，但總的來說，謹慎修正的調子不變。毛澤東成立了一個編輯團隊[15]整理盧山會議紀要。他在7月13日寫信給楊尚昆說，這個團隊必須在楊尚昆的指導下夜以繼日地工作，15日向他提交16日要發的文章。[16] 14日這份草案的重點仍然是反「左」派（極左）。[17]

　　7月14日到16日，一切都變了。

一封致命的信

　　在以往的政治危機中，儘管彭德懷很早就表現出對毛澤東持保留態度，但維護黨的團結一直是他做決定的依據。1930年12月富田事變，彭德懷支持毛澤東。1933年至1934年彭德懷站在王明一邊也是出於同樣的原因：那時毛澤東是孤立的，而且他的固執非常危險。延安整風運動中，彭德懷不得不進行自我批評，重新激起了他對主席的不滿，當劉少奇成為毛澤東的左右手之後，彭德懷的敵意具體表現為針對劉少奇。1952年至1953年，彭德懷樂意聽到對高崗

的批評。同樣，毛澤東對抗美援朝的處理使他越來越懷疑領袖犯了錯誤，刻意與之保持距離。很快，他和農民一直保持着的良好關係讓他明白「大躍進」是一個錯誤，損害了他為之貢獻一生的革命。同樣，他對黨的重大利益的關注也促使他必須表達自己的疑惑。他在上海會議上的離席激怒了毛澤東。[18]7月3日和4日，彭德懷對西北地區負責人說的話顯示出他仍然對「大躍進」持反對意見。7月10日，毛澤東的簡短講話在某種程度上是一個警告，是為了不讓他在全體會議上進行抨擊，意在這應該在小團體內進行，並且不外傳。[19]彭德懷非常明白這一點，他整理了自己的論點，7月13日上午要求與毛澤東進行老戰友之間友好的面談。在抗美援朝期間，他至少成功使用過一次這個方法。他強行推開主席的門，希望說服主席收回一個不幸的決定。這一次，警衛「為了保證主席的睡眠」把他拒絕了。於是彭德懷坐在他的辦公桌前，喝了一些濃茶，把他本來打算大聲說出來的話傾吐在紙上。到了晚上，他把其中一段讀給張聞天聽。[20]7月14日上午，他根據自己的記憶，讓一個秘書重新進行整理後，立即送給毛澤東。[21]彭德懷鬆了一口氣，但是心煩意亂，上午打了一會兒太極拳。他的信是一份非常恭敬的意見書，和海瑞寫給嘉靖皇帝的屬一個性質。這一天，冒着不得不第三次做自我批評的危險，彭德懷或許希望毛澤東能有和嘉靖皇帝一樣的寬厚。[22]

事實上，彭德懷的意見書不是一份激烈的政治論戰宣言，[23]至少表面上讀起來是這樣的。彭德懷開頭說，「大躍進」是成功的，這證實了「總路線」的有效性。然後他列出了錯誤，用的是1959年春季以來毛澤東自己的原話：不平衡、不能兩條腿走路、統計弄虛作假、建設小高爐中的急躁和無序、太多「重大基礎設施項目」、農民

勞動沒有報酬、對快速實現共產主義的錯誤認識導致社會主義「按勞分配」的原則被共產主義「按需分配」的原則替代。但是，除了這一份毛澤東才有特權做的總結，彭德懷還提出了導致這些錯誤的三個原因，被毛澤東認為是人身攻擊。彭德懷暗示這是統帥推動的政策，「一窮二白」是中國的主要障礙，特別是他認為「左」派的過激行為比右傾的「小資產階級狂熱性」更難以糾正。「小資產階級狂熱性」這個短語出自毛澤東非常熟悉的列寧的共產主義經典《共產主義幼稚病》。毛澤東認為自己是一個理論天才，能夠創造性地使馬克思主義理論「中國化」，卻被貶到一個初學者的水平，還需要被人攙扶着走出第一步。

毛澤東感覺彭德懷的信是一項大逆不道的罪過，但是他在政治層面上巧妙地避免落人口實。他並不是沒有真正的政治危險：幾年來他已經將彭德懷從小圈子的決策者中排除出去，開始提升林彪取代彭德懷在解放軍中的領導地位，林彪自1958年5月以來在黨內的地位比國防部長高。毛澤東覺得危險在別的地方。他收到來自中國各個角落的基礎情況報告。[24] 情況是混亂的，但已經開始出現質疑集體化運動的趨勢。我們已經看到，1959年春天中央作出的決定，包括毛澤東4月29日的信，已經把小隊作為生產的基本單位，甚至會計核算的基本單位，和大隊簽訂包乾合同。為了提高勞動報酬太少[25]的農民的積極性，促進生產發展，各個地方官員甚至鼓勵農民根據「分田到戶、超出獎勵」[26]原則建立的體制。在豫北糧倉的新鄉七里營模範公社，這種類型的合同使農民擁有的對土地的使用權年限不是過去的一年或兩年，而是更長的時間。同樣是這些幹部關閉了食堂，鼓勵發展小型家庭養殖業，建立農貿市場，生產或擺賣工

藝品。安徽省委書記曾希聖在1958年曾是毛澤東狂熱的支持者，但他也開始把一部分集體土地分給農戶單幹，以應對1959年早春的饑荒：他認為在上海召開的八屆七中全會的決定認可這種解釋。因此，我們發現，1957年第一季度出現的潮流在第二個季度就被毛澤東以反右運動終止了，這次的復蘇反映了農民從根本上否定了集體化。彭德懷笨拙的舉動為毛澤東提供了機會，在為時已晚之前進行反擊。

毛澤東的反擊無情而有條不紊。16日早晨6點到7點之間，他要求所有與會者再次分成工作組，做出安排，延長他們在廬山的逗留時間。他給沒有參加會議的領導人發電報，要求他們儘快趕來廬山牯嶺。陳毅因為工作原因、陳雲因健康原因請假。鄧小平5月2日（譯註：原文有誤，應為6月5日，見《楊尚昆日記》）在北京打乒乓球[27]摔斷了腿，也請了假。不過，彭真、林彪、黃克誠和安子文在17日到22日期間到達。16日，毛澤東穿着浴袍會見了劉少奇、周恩來等。毛澤東的心情不好：「大躍進」首先受到黨外右派的攻擊，現在又輪到黨內的自己人。在進行糾正的情況下，彭德懷認為目前的實驗壞的方面遠遠超過了好的方面。16日，毛澤東將彭德懷的信複印發給所有參與者，儘管這是一封私人信件。19日，彭德懷要求收回他的信，他說這份「參考」草草寫成，不適宜公開討論。未果。同時，風向已轉：各個工作組幾乎都攻擊彭德懷的信。有幾個例外情況：21日，張聞天在他的小組中批評了很久「共產風」的害處，黨不再聽群眾的意見，我們沒有「實事求是」。這是由一段時間以來不利於自由討論的工作作風造成的。[28]他說：「彭德懷的信目的是評估和總結經驗。他的意圖是好的。」黃克誠和周小舟也勇敢地說了同一個

意思的話。而薄一波讓經濟學家薛暮橋和孫冶方對「大躍進」進行透徹的分析，但沒有讀這篇文章，並發表了關於「大躍進」開始以來取得成績的即興講話。李先念同樣持懷疑態度，但也和薄一波一樣。也許這兩個規劃師認為最好的方法是將損失降到最低，同時保住自己的位置。陳毅在電話中支持彭德懷：他後來在北京表示，他覺得彭德懷有些冒失。在大連醫療中心療養的陳雲康復後也說，彭德懷選擇了一個錯誤的時間和一個壞的機會表達自己的意見，然後就沉默了。這種蘇聯式的集體怯懦的政治氣氛圍繞着高層。[29]高層幹部對農民的命運冷漠以對，他們已經知道數萬人死於饑餓，成千上萬人已患營養不良性水腫，被假惺惺地稱為「第二大疾病」。

毛澤東的反擊

7月23日上午，當毛澤東在全會上講話時，他已經贏了。看似即興的發言中，他靈活的演講技巧讓他能夠進行真正的政治上的調頭：以指責「左」傾開始的廬山會議變成了一場新的反右運動。[30]這次迂迴曲折的講話的基調很簡單、很熟悉，儘管中間問了他忠實的追隨者(柯慶施和吳芝圃)一些話。毛澤東談他的失眠(「吃了三次安眠藥」)，他聲稱已經沉默了20天，硬着頭皮頂住(「腰桿子硬」)，他回顧說自青少年時起，他遭到打擊時總是人若犯我，我必犯人。他提了好幾次《水滸傳》和聚集在宋江身邊的劫富濟貧的「綠林好漢」。他朗誦了(用文言文)兩首完全偏離主題、作者為不識字的將軍的詩，來證明沒有受過良好教育的農民可以學習政治經濟學。他提到自己缺乏男性繼承人，他的大兒子毛岸英在朝鮮死了，次子岸

青患有精神分裂症。最後，他用拉伯雷的風格結束了講話，請與會者說應該說的話，因為「有屎拉出來，有屁放出來，肚子就舒服了」。他老練的溝通技巧使得他的話既親近又疏遠。他用自我批評的方式實現自我辯白：「對建設根本外行，對工業計劃一點不懂。……1958年、1959年的主要責任在我身上。煤和鐵不會自己走，需要車輛運輸……我有兩條罪狀：一個是一千零七十萬噸鋼，是我建議的，我下的決心，建議是我提的……結果九千萬人上陣，得不償失。……」說完這一點，大家等待第二條罪狀的時候，毛澤東說，所有的領導人都必須共同分擔經濟失誤的責任……因為他是外行。他點了規劃者李先念、薄一波、農業部部長以及柯慶施等的名字。他說到了「小資產階級狂熱性」……不過，這是別人表現出的，例如1958年秋想要「實行共產主義」的幹部蜂擁到河南三個模範公社[31]去參觀。他激動地抓住了這個「共產風」的壞處：「到春節前後，他們不高興了，變了。幹部下鄉，不講話了，請吃紅薯、稀飯，面無笑容。」這種不滿是由於過量徵收。4月份，在他的堅持下，這種情況已得到糾正。毛澤東還最大限度地減少了不安：「無非是一個時期蔬菜太少，沒有頭髮夾子，沒有肥皂。」他對犯了「左」傾錯誤的幹部表現出一如既往的極端寬容。真的應該把這種「過度熱情」稱為「小資產階級狂熱性」嗎？「我看不能那樣說，無非是想多一點、快一點。」之後，他對公社和大隊之間的結算情況作出澄清：有人告訴我，現在絕大多數幹部轉變了，只有少數仍然搞共產風。說到食堂的管理失誤，毛澤東肯定三分之一的食堂是好的，「一億五千萬農民是滿意的」，此外，「食堂並不是我們發明的，是群眾創造的」。無論如何，沒有人是絕對不會錯的：馬克思、列寧也犯過錯誤。因此毛

澤東要求「同志們腰桿子要硬起來」。他認為這些攻擊是沒有用的，因為情況已得到恢復，這些攻擊是由右派挑起的，他舉了「百花運動」期間羅隆基、陳銘樞和章伯鈞的先例。自1927年以來，黨經歷了四次路線危機，李立三、王明、高崗路線，現在是「總路線」。因此，他把對彭德懷的批評看作1957年下半年反右運動的延伸。這讓他誇大了形勢：如果我們繼續只發布壞消息，假如辦十件事，九件是壞的，「一定滅亡，應當滅亡。……你解放軍不跟我走，我就找紅軍去。我看解放軍會跟我走的」。當然，這句話在那個時候被視為意味着毛澤東既不會放棄權力，也不會放棄「總路線」。順便說一下，作為戰術家，毛澤東堅持區分「頑固右派分子」和「動搖分子」，二者的不同之處是，動搖分子「要建設社會主義，在大風大浪時站不穩」。周恩來在1956年譴責冒險主義，現在「站住腳了」。「因為受過那次教訓，相信陳雲同志來了，他也會站住腳的」。[32]毛澤東說完的時候，響起了雷鳴般的掌聲。

憤怒的彭德懷在會議結束的時候粗魯地呵斥毛澤東：「在延安，你操了我40天娘，現在我操你20天娘還不行？」[33]黃克誠回憶說，[34]毛澤東的激烈反應讓彭德懷驚呆了。他沒吃晚餐，沒有和同樣不堪重負的鄰居張聞天說一句話。接下來的幾天，小組討論重新開始：對彭德懷和他的朋友的批評是溫和寬容的。毛澤東的講話讓許多與會者都鬆了一口氣，也引起了一些人的不滿。張聞天、黃克誠和周小舟儀式性地做了自我批評。彭德懷故意誇大自我批評：他可以確保他不會自殺（影射高崗）或參加革命反對派（影射張國燾），將靠勞動生活。在此期間，毛澤東非常活躍，繼續鞏固他的勝利。26日，他讓人分發一封給一個名叫李雲仲[35]的不知名幹部的回信：

李雲仲在信中激烈批評「大躍進」，毛澤東為他的直言喝彩，並補充說這封信不會讓李雲仲成為新一輪被指責的右派之一。當他沒有甚麼需要害怕的時候，他顯得非常寬容。27日，他命令分發江西黨校的一篇批評人民公社的文章，以此來證實他接受批評。29日，他和各小組討論批判他們也反對的一篇外電[36]的引言，主要內容是為了反擊赫魯曉夫的指責。7月18日，赫魯曉夫在波蘭發表演講，引用卡爾・馬克思的著作《政治經濟學批判》的前言反對小資產階級狂熱性，嚴厲批評中國的人民公社。21日，這篇演講被塔斯社公之於眾。毛澤東認為中國的經驗和蘇聯在20世紀20年代同樣名字的嘗試沒有甚麼關係。蘇聯的嘗試悲慘地失敗了，而中國的人民公社肯定不會崩潰。毛澤東影射彭德懷和蘇聯領導人相互勾結，同時有傳言說糧食困難的部分原因是中國將糧食運往蘇聯償還債務。8月1日，毛澤東寫了一篇短文[37]給王稼祥回應赫魯曉夫，他正是通過王稼祥向蘇聯請求專家支持的。8月2日，他給張聞天寫了一封相當寬容的信，[38]指責他加入了彭德懷的「軍事俱樂部」，「舊病復發」，過去毛澤東與「國際主義」的斯大林主義者發生衝突時，張聞天是蘇維埃政權領導人之一。毛澤東說，「（張聞天）把馬克思主義的要言妙道通通忘記了」，對他的懲罰將是通過學習「徹底改造」。但在簡單鳴槍警告的同時，毛澤東給了張聞天一記重擊。7月28日，毛澤東召開政治局常委[39]會議，要求延長討論，每個人發表自己的意見，和右派劃清界限，「不僅是事，還有人」，將會議從批判「左」派改為批判右派，因為右派已經抬頭了。7月30日、8月1日召開了常委會議。[40]林彪在這次會議上第一次批評彭德懷集團，他說彭德懷是「野心家、陰謀家、偽君子」。這為後來的中共八屆十一中全會定下了基調。[41]毛

澤東要求更高。在一次和彭德懷戲劇性的碰面中,毛澤東肯定他和彭德懷的關係中分歧佔七成,而彭德懷覺得只佔一半。[42]毛澤東認為彭德懷及其小集團(也就是現在所謂的「軍事俱樂部」)「進行分裂黨的活動。有組織、有計劃、有準備地反對黨的總路線」,「雖然彭德懷的階級出身是人民,站在革命和群眾一邊,他的問題是經驗主義」。8月1日舉行的政治局會議批准了對彭德懷的政治處罰。只有朱德借批評中央領導的權利為彭德懷辯護:「如果像我們這樣的人都不敢說話,這樣以後還有誰敢講話?」

彭德懷下台

8月2日中共中央八屆八中全會召開。中央委員和候補委員中有149名出席會議。毛澤東首先開始發言。[43]他建議延長時間,修正前兩次全會定下來的目標。此舉讓所有人都放了心。接著,他回顧了自1958年以來關於戰略方針的討論:我們結束了「左」傾錯誤,一些要求「大民主」的同志在能夠自由表達的時候出現右傾錯誤。雖然惋惜同志們犯了錯誤,但我們必須堅決打擊右派,不僅打擊社會上的右派,還要打擊黨內的右派。然後,毛澤東提出主要議題,這些議題是圍繞階級鬥爭的概念擴展的,毛澤東再三提到這些議題,以防止任何通過討論他的思想或建議陰謀進行反革命活動的行為。[44]「黨內的右傾機會主義分子從來不是無產階級革命家,只不過是跑到無產階級革命隊伍裏來的資產階級、小資產階級的民主派;他們從來不是馬克思列寧主義者,只不過是黨的同路人。」……「廬山出現的這一場鬥爭,是一場階級鬥爭,是過去十年社會主義革命過程中資

產階級與無產階級兩大對抗階級的生死鬥爭的繼續。……按照唯物辯證法，矛盾和鬥爭是永遠的，否則不成為世界。黨內鬥爭，反映了社會上的階級鬥爭。」

從8月3日至10日，黨的領導人被正式斥責之後，又分為小組進行討論。自此，所有人都批評彭德懷為「右傾機會主義」。上海全會之後，毛澤東派了三個秘書去各省了解情況：田家英去四川，陳伯達去福建，胡喬木去安徽。他們的報告只交給毛澤東，報告所描述的糧食情況非常糟糕。然而，這三個省份的黨委書記分別是李井泉、葉飛和曾希聖，他們在3日和10日的發言中說一切都在往最好的方向轉變。值得注意的是，為了避免中央對管理的干擾，這三位地區負責人奉行的政策非常不同：李井泉不實行六大和七大對「左」傾路線的糾正，曾希聖實行緩和的去集體化。情況極端混亂：毛澤東在一個星期內的講話自相矛盾，但他永遠是對的。幾個月後，陸定一簡明扼要地總結道：「正確思想和其他思想的界限是服從或不服從毛主席」。毛澤東沒有參加討論，但他命人把他寫的書面意見或贊同的文章分發下去。8月5日，他為人民公社大食堂辯護。[45] 8月10日，毛澤東批評安徽省委委員張愷帆，後者向他遞交了一些關於糧食災難詳情的請願書，張愷帆被定為「右傾機會主義分子……高崗集團的漏網殘餘」。[46] 開會期間，毛澤東授意《人民日報》發表社論，將反對右傾機會主義運動和增加生產聯繫起來。8月14日，他援引遼寧反右鬥爭的例子，[47] 命人將鞍山鋼鐵工人要求「政治掛帥」、譴責廠長按照「馬格尼托哥爾斯克鋼鐵廠的模式」建設工廠體制的聲明分發下去。8月15日，毛澤東有所保留地建議閱讀蘇聯新版《哲學小辭典》和《政治經濟學教科書》，認為過多地批評了教條主義，而對

彭德懷的經驗主義批判不夠。[48]8月15日和16日，他評論了《列寧選集》和他自己的文本彙編，並借機譴責那些在廬山會議開始時誣衊他「任意」、「類似晚年斯大林」或稱他有些「類似鐵托」[49]的人。不過，他認為，雖然彭德懷和他的「軍事俱樂部」與高崗、饒漱石相似，但我們可以更加寬容，因為幹部的思想水平遠高於1953年。8月16日，毛澤東對〈七發〉[50]作了一份文件，介紹河北「王國藩公社」的成功。[51]毛澤東說到了他讀〈七發〉的心情。〈七發〉是公元前2世紀西漢一位文人假託吳客寫給因荒淫無度而生病的楚太子的進諫書，但願太子振作起來。他還講到對右傾機會主義者的譴責重新激起了人民的熱情……8月11日，中央全會又提供了一個新的批判彭德懷的機會。前幾天放出狗的毛澤東，現在又可以變得寬厚。[52]柯慶施、陶鑄、羅瑞卿和周恩來指責毛澤東春末派到各省進行調查的三個秘書陳伯達、胡喬木和田家英。他們還批評最近到毛澤東秘書處的李銳。毛澤東保證說，胡喬木、陳伯達和田家英是黨的秀才，還需要他們，而李銳不屬這一類。這種任意的區分把李銳交出去受批判，是為了做個樣子，他把為他撰寫理論文章，掩蓋其在這個領域不足之處的人留在身邊。[53]

8月16日，在最後一次全體會議上，毛澤東再次講話：[54]這次全會是一次戰勝右傾機會主義分子的偉大戰鬥，右派們以為可以趁着困難的情況進攻，而情況正在好轉。會議通過的決議和發表的公告證實了這種傾向。[55]奇怪的是，對右派的處罰並不是很苛刻：所謂「軍事俱樂部」的成員失去了他們的職位，但彭德懷和張聞天沒有被開除出政治局，甚至周小舟和黃克誠也沒有被開除出中央委員會。但是毛澤東乘機在黨內和省級行政部門內推出了嚴格的肅清運動：該決議賦予了他這樣的權限。

8月20日毛澤東離開廬山到南昌，22日乘專列到杭州。在汪莊的寓所休息兩天後，出發返回北京，8月27日到達。他在上海、徐州、濟南停留，與政府官員會面。他收到了來自河北、甘肅、浙江和四川的好消息，虛假的報告比以往更猖獗。8月18日，他收到一封張聞天承認自己錯誤的信，立刻讓人分發。[56] 9月9日，彭德懷寫了認錯信，要求派他到人民公社進行體力勞動。毛澤東因為彭德懷年紀已大，沒有將他分配到基層，只要求他學習成為一個真正的馬克思主義者，同時到農村做調查。自此，張聞天成為中國科學院經濟研究所一個勤奮的研究者，而彭德懷住在北京頤和園附近一幢叫做吳家花園的破房子裏，像和尚一樣剃個光頭，隱姓埋名在附近的北京大學上政治經濟課。他在參考書上做的筆記顯示出他深化了對「大躍進」的批評。

此時，毛澤東繼續擴大他的成功。9月1日，他給《詩刊》雜誌寫了一封信，[57] 體現了他的精神狀態。他要求刊登夏天寫的兩首詩〈到韶山〉和〈登廬山〉，肯定反右的勝利，他認為全世界的反對勢力正在爆發，並把他的敵人比作無數想要撼動一棵大樹的螞蟻，荒謬又弱小。他補充説，很好，別人越罵我，我越高興：「這兩首詩是對這些混蛋的回應」。

9月11日，毛澤東在軍事委員會上發表了類似的講話。[58] 毛澤東的語氣很強硬：他沒有忽視部隊將領對彭德懷的同情和對經歷了危機威望更大的劉少奇的成見。林彪接替彭德懷擔任國防部部長，林彪多病多疑，在解放軍中不僅有朋友，也有對手。他對軍隊專業化的敵意和政治野心讓所有在朝鮮體驗過中國軍隊弱點的人擔心。毛澤東也沒有把軍官們當做靶子。開始時，他質疑一個「功臣」（彭

德懷）怎麼可能會成為「禍首」。他回顧說，早在1943年，他就應該批判彭德懷關於民主教育的一篇文章，文章中彭德懷提倡的「自由平等博愛」是資產階級原則。事實上彭德懷是「組織上的共產黨員，但不是思想上的共產黨員」。9月18日至9月25日，毛澤東重新開始省級視察。他視察了天津、濟南和鄭州。所到之處，領導們都讓他看到他希望看到的「節目」。毛澤東安心了之後，於10月1日在天安門廣場主持了宏偉的紀念中華人民共和國成立十週年慶祝活動。經過一年的「志願」工程，天安門大大擴建了，還修建了高大的人民英雄紀念碑和中國歷史博物館。從天安門城樓上，毛澤東觀看了令人印象深刻的閱兵儀式。晚上，一場大型的煙花照亮了北京。8月29日開始，《人民日報》的社論一直歌頌人民公社和「大躍進」的成功。社論回顧了所有的目標：1958年糧食產量為2.5億噸，棉花產量231萬噸，鋼產量800萬噸，其中300萬噸是由三個小高爐生產的，即高佔了約20%。預計1959年糧食產量為2.75億噸，棉花產量為231萬噸，鋼產量為1,230萬噸。社論沒有提到夏天影響了五千萬公頃耕地，即三分之一的耕地乾旱的可怕問題。在中國北方地區已經不可能實現這些預期目標，因為饑荒的跡象已經出現。自夏季結束以後反右運動肆虐：六百萬黨員和幹部被批鬥。[59]許多人被開除黨籍或公職。有些人自殺了。他們獲罪的原因是說出了存在災難威脅的事實。80%的四川幹部被處罰。像1957年反右運動最糟糕的時候一樣，大家已經確定了右派的配額。恐懼、背叛、因循守舊再次佔了上風。然而，饑荒現在已經成為一個可怕的現實。反對右傾機會主義的運動將保護農村的大壩衝垮了。

面對饑荒的毛澤東（1959-1961）[60]

事實上，1959年春天到1962年秋季這三年被中國人稱為「三年困難時期」。自19世紀以來，這個國家經常被稱為「饑餓的土地」，歷史上最大的饑荒襲擊了中國。在三年內，饑荒導致的死亡達到2,000萬至4,000萬。農村的死亡率在1960年超過28%。同時，出生率暴跌：1957年紀錄了2,120萬出生兒，到1960年這一數字下降到1,250萬。[61]

這些圖表（見後頁）確定兩件事情：

（1）應該由人來承擔「三年困難時期」饑荒的責任。我們知道中國人在研究這些災難時，將其分為「天災」和「人禍」。1958年氣候有利，而1959年和1960年不是這種情況，超過三分之一的耕地春季遭遇長期乾旱，夏季結束的時候受到颱風的影響。人們緊急播種了粗糧、土豆和番薯。[62]在這種情況下，差額通常是1,200萬噸左右。1959年到1962年的收穫始終比1958年少3,000萬至5,000萬噸。因此，除了變幻莫測的天氣外，必須尋找其他原因。災難加重的因素是政治命令：1958年秋因為烏托邦的妄想，種植面積的減少導致少收了2,000萬至2,500萬噸。還要加上由於缺乏勞動力收割，農作物腐爛在田裏，農民過於疲憊，收穫又少，因而勞動熱情不高。

（2）饑荒特別嚴重的省份中，省委書記都是完全支持「大躍進」的，像四川、河南和安徽等（表2），這印證了政治因素在這場特別嚴重的饑荒災難中至關重要。這些過分熱忱的省委書記都陷入了自己的陷阱，因為他們通過偽造的數字，宣稱成績很出色，以此來聲討「當地的小彭德懷」，這就要求他們強迫徵收令人難以承擔的糧食數額。

表1 全國、城市和農村的千人死亡率

年份	全國	城市	農村
1956	11.40	7.43	11.84
1957	10.80	8.47	11.07
1958	11.98	9.22	12.50
1959	14.59	10.92	14.61

　　表2顯示了強烈的區域差異，受影響最嚴重的省份：安徽、四川、貴州、甘肅、青海、河南、廣西、湖南，沿海地區和城市受影響較小。

表2 各省千人死亡率[*]

	1957	1958	1959	1960	1961	1962
安徽	9.10	16.72	?	**68.58**	?	8.23
北京	8.19	8.08	9.66	9.14	10.80	8.77
福建	7.85	7.46	7.88	15.34	11.87	8.28
甘肅	11.32	21.11	17.47	**41.46**	11.47	8.24
山東	8.43	9.13	11.74	15.12	10.67	9.32
廣西	12.35	11.74	17.49	**29.46**	19.50	10.25
貴州	8.77	13.69	16.18	**45.38**	17.73	10.41
河北	11.30	10.92	12.29	15.84	13.63	9.06
黑龍江	10.40	9.10	12.80	10.50	11.10	8.70
河南	11.81	12.70	14.12	**39.60**	10.18	8.03
湖北	9.64	9.64	14.50	21.19	9.19	8.76
湖南	10.41	11.65	12.99	**29.42**	17.49	10.23
江蘇	10.26	9.40	14.55	18.41	13.35	10.36
江西	11.48	11.34	13.01	16.06	11.54	11.00
吉林	9.10	9.10	13.40	10.10	12.00	10.00
遼寧	9.40	8.80	11.80	11.50	17.50	8.50
內蒙古	10.50	7.90	11.00	9.40	8.80	9.00
寧夏	11.06	14.98	15.82	13.90	10.71	8.49
青海	10.40	12.99	16.58	**40.73**	11.68	5.35

	1957	1958	1959	1960	1961	1962
（接上表）						
陝西	10.30	11.00	12.70	12.30	8.70	9.40
山東	12.10	12.80	18.20	23.60	18.40	12.40
上海	6.00	5.90	6.90	6.80	7.70	7.30
山西	12.70	11.70	12.80	14.20	12.20	11.30
四川	12.07	25.17	46.97	53.97	29.42	14.62
天津	9.35	8.66	9.88	10.34	9.89	7.36
新疆	14.00	13.00	18.84	15.67	11.71	9.71
雲南	16.29	21.62	17.95	26.26	11.84	10.85
浙江	9.32	9.15	10.81	11.88	9.84	8.61

* *MacFarquhar 3*, p. 8，粗體的是特別高的比例。

我們可以用其他四個表格提供的數據解釋這些數據：表3顯示了1957年到1962年間糧食生產的變化；表4顯示了1957年和1962年人均糧食消費量；表5規定了國家收購的糧食數量和農村人均分配量；表6顯示了糧食的進口和出口之間的變動。

表3　1957年到1962年間糧食生產的變化

1957	1958	1959	1960	1961	1962	1965
195萬噸	200	170	144	148	160	195
變化%	+5%	-12%	-26%	-24%	-20%	=

表4　1957年和1962年人均糧食消費量[*]

	平均消費	城市居民人均消費	農民人均消費
1957	每年203公斤	每年196公斤	每年204公斤
1960	163.5	192.5	每年156

* Nicholas R. Lardy, *Agriculture in China's Modern Economic Development*, Cambridge University Press, 1983, pp. 149, 158.

表5　農村可支配糧食數量（1953–1965）*

年份	糧食生產(噸)	國家徵收	再賣給農民	農村可支配糧食	農民人均可支配糧食(公斤)**
1953–1957 平均	181,614	48,499	15,456	148,371	280.5
1957	195,045	48,040	14,170	161,175	294.6
1958	200,000	58,760	17,035	158,275	286.4
1959	170,000	67,405	19,840	122,435	223.3
1960	143,500	51,0S0	20,155	112,605	211.9
1961	147,500	40,470	14,665	121,695	229.0
1962	160,000	38,145	12,425	134,280	241.4
1963	170,000	43,465	15,045	141,080	245.2
1964	187,500	47,425	15,580	155,655	270.5
1965	194,520	48,685	15,090	160,925	270.5

*　CHOC 14, table 7, p. 381. 根據1983年的官方統計。

**　我們估計每年所需的最低糧食數額250公斤，其中包括食物，種子貯藏和糧食儲備。

表6　1957年到1965年 糧食出口和進口（百萬噸）*

年代	出口	進口	差額
1957	2,092.6	166.8	1,925.8
1958	2,883.4	223.5	2,659.9
1959	4,157.0	2.0	4,155.5
1960	2,720.4	66.3	2,654.1
1961	1,355.0	5,809.7	- 4,454.7
1962	1,030.9	4,923.0	- 3,892.1
1963	1,490.1	5,952.0	- 4,461.9
1964	1,820.8	6,570.1	- 4,749.3

*　CHOC 14, table 8, p. 381.

「信陽事件」説明了這種機制不合理，即使這是一個極端現象。[63]
信陽位於河南省南部、淮河上游，是一個非常貧窮的地區，因為土匪而出名。這裏是嵖岈山模範公社的所在地。其中的一個縣1959年生產了88,392噸糧食，但公布的數目是239,280噸，所以要徵收75,500噸——總數的三分之一……但這幾乎是所有的實際收穫。儘管農民抵抗，[64]民兵徵收了62,500噸，對被懷疑隱藏了糧食的農民實行極端的暴力手段：酷刑、逮捕和謀殺，村莊籠罩在恐怖當中。每天的分配定額下降到200克，數以萬計的農民死亡。1961年的春天，當局最終派出兩萬名士兵駐紮了4個月，結束對民眾殘暴的搶掠，解除民兵的武裝，並分發救援物資。危害最大的被認定為「反革命」。[65]這個地區14%至15%的人口死亡。有些村莊已經失去了三分之一的人口。河南鄰省安徽位於淮河中游的鳳陽縣也遭遇了類似的命運。 據1981年一份官方報告統計，[66]總人口335,698人中有60,245人死於饑餓，即17.7%。在一些村子裏，死亡率是人口的四分之一或三分之一。報告還強調了幾十個人吃人的事件。安徽全省每人每年平均口糧為156千克，即每天約400克，但在許多像鳳陽縣這樣偏僻的地區，配額下降到每天200克。1957年安徽省的糧食產量為1,027萬噸，1961年下降到629萬噸。全省的人口減少了11.2%。四川的人口損失為600萬人。甘肅也有類似的數據。儘管毛澤東知道災難的情況（我們看到1959年7月他指責為「右傾機會主義」的黨委書記，就是為了寫信告訴他安徽的災難[67]），但是1959年和1960年中國政府還出口了糧食，直到1961年，周恩來終於在國際市場上大量購買小麥（表6）。

視而不見

面對災難，毛澤東的第一反應是指責一些幹部不執行1959年春季鄭州會議和上海會議的決議。直到1961年秋天，他都保持這種立場。在毛澤東眼裏，彭德懷的「右傾機會主義」及其「軍事俱樂部」的攻擊在毛澤東眼裏是一個「黨內舊的有產階級和他們的同謀」利用一些幹部缺乏經驗出現困難的機會實施報復。這是他在各省視察[68]期間一直維護的論點，提到的頻率和持續的時間都證明了他多麼不安。這種故意的視而不見導致他繼續接受1960年夏天虛假的糧食生產報告（如貴州和甘肅的報告），[69]甚至在1960年1月重新啟動大煉鋼鐵計劃：1960年7月5日至8月10日舉行的北戴河會議主要涉及中蘇兩國關係，沒有對饑荒採取緊急行動。[70]1959年12月，毛澤東批閱14個省的糧食生產總結時，在空白處批示：糧食分配的條件是好的，農民在人民公社的生活顯著改善」。[71]毛澤東在一個又一個批示中重複同樣的分析：堅持在農村進行激烈的階級鬥爭，「中農富農和代表他們利益的幹部」發揮了關鍵作用，因為在農村，他們來自舊的統治階級。所以，我們必須和幹部的悲觀主義作鬥爭，他們不理解小生產者自發的資本主義傾向，必須消滅小資產階級思想。[72]不過，毛澤東有時候也對幹部大發雷霆，因為他們不執行鄭州會議和上海會議的決議，繼續吹共產風。他們的傲慢和違紀行為傷害了人民。[73]但是，毛澤東很快就放心了，1960年4月底，周恩來在一個月前已經通過各種報告得知鳳陽縣和河北南部地區的情況：春季饑荒在那裏肆虐，而每人每天的糧食配額減少到8至12盎司（約合250克至375克）。但另一份調查卻說，口糧保持在每人每天一斤，情況已

經好轉。毛澤東堅持這樣的立場，[74]並與之保持距離：他長期住在杭州和廣州，[75]讀很多書，在蘇聯的《政治經濟學教科書》上做註釋，然後回到北京，花許多時間和領導層談話，接見外國領袖。[76]

　　但是，1960年秋，在秘書處會議上，毛澤東從陳雲的介紹中獲悉經濟形勢嚴峻，陳雲說服了周恩來、薄一波和李先念採取應急措施。毛澤東不想被排除在外，10月23日至26日，他召集了中國北部、中南部、東北、西北和大城市、自治區的共產黨領導人總結「共產風」的害處，儘管這股風是他自己在廬山會議上重新吹起來的。很明顯，「五股歪風」再次橫行。[77]會議的最後一天對他而言最難以忍受：10月26日，毛澤東收到了400頁的「信陽事件」報告。[78]根據官方傳記的記載，他很吃驚。[79]不安的毛澤東第二天就批准了三個月前在山西做好的決定，遣返一百二十萬來到城市的農民，使其返回農村，挽救收成。毛澤東作出的評論顯示出他的困惑：如果我們不立即改變目前這種情況，農業戰線勞動力太少、太弱，我們關於農業是國民經濟的基礎、糧食生產是基礎的基礎的說法將是毫無意義的。人每天都要吃飯。沒有人不吃飯能勞動。任何共產黨員都不應該忘記這個簡單但完全正確的原則。[80]11月3日，中央委員會下了12道關於農業工作的指示[81]：基本上都是1959年春季鄭州和上海會議上制定的措施，證明了「左」派反對彭德懷的運動規模之大。毛澤東不再吃肉，瘦了十幾公斤，用自己的方式哀悼他的瘋狂夢想——大躍進。11月15日至28日期間他的言論，包括11月26日在政治局擴大會議上的發言，確認了以下信息：減弱人民公社在管理中的作用，按照大隊會計的核算返還農民的自留地，重開農村市場，允許自由買賣和發展手工業。12月，周恩來在國際市場上購買了大量小

麥。[82]然而，11月的政治局會議雖然是在饑荒和內亂這種戲劇性的背景下召開的，但大部分時間討論的是中蘇關係。

與蘇共決裂

事實上，中蘇關係已經惡化，中國可能會被孤立，蔣介石甚至威脅說要從台灣打回大陸，而美國在越南南部、日本沖繩、韓國和關島太平洋基地頻繁出現。毛澤東擔心被包圍，他的政治眼光是一個戰爭中國家的首席指揮官的眼光。這是他所熟悉的：和這一代領導人一樣，他經歷了超過二十年的戰爭，1949年後不穩定的和平局面讓他很難轉變自己的軍事政治眼光，特別是中國發起抗美援朝運動，直接支持越盟，反對印度支那的法國遠征軍，爆發第三次世界大戰的可能性讓中國一直處於全民動員的氣氛中。我們已經講過「大躍進」中使用的詞匯反映了這一點，如「旅、突擊隊、陣地、戰鬥和紅色橫幅」。毛澤東覺得身在其中很自在，自己也承認他對經濟一竅不通。作為戰爭的領導者，毛澤東依靠的是戰鬥人員的紀律性，他願意接受必要的犧牲來確保中心目標的實現，並確保中國共產黨的思想在革命軍隊中是唯一正確的。黨必須統一，並聽從指揮。與經濟建設需要專家不同，毛澤東是第一個建立游擊戰理論的人，比起正規戰，他更喜歡游擊戰，游擊戰更適應經濟落後的中國和文化程度低的農民。游擊戰在偏遠和古老的江西南部和陝西北部創造了奇蹟，但在富庶的江南遭到失敗。共產黨的領袖，甚至工業經濟和金融領域的領導人薄一波、李先念和李富春或戰爭年代「白區」負責人劉少奇原先幾乎都是軍隊的將軍或政委，只有陳雲、彭真例外。顯

然，在毛澤東和他最親密的合作者看來，中國人民遭受痛苦的「三年困難時期」是服從軍事政治目標的需要，如1941年至1943年陝北農民所遭受的痛苦一樣是確保勝利必須付出的代價。[83]克服這個困難，我們可以反守為攻，建立真正的社會主義。特別是，蘇聯的歷史任務已經失敗，而殖民地解放戰爭和亞非拉反帝國主義戰爭的成功開闢了新局面：自1959年1月以來，古巴領導人菲德爾・卡斯特羅不是一直在挑戰美國嗎？

不過，自蘇共第二十次代表大會以來，這兩個偉大的社會主義國家之間的關係已經經歷了連續的退化。1959年9月30日，赫魯曉夫抵達北京，參加中華人民共和國成立10週年慶典。他此前剛在戴維營與艾森豪威爾總統討論於1960年5月在巴黎舉行四國首腦會議（美國、蘇聯、英國和法國）。這一步朝着和平共處的努力被毛澤東認為是對帝國主義的投降，令他很不悅。10月2日與「K先生」會面氣氛冰冷。事實上，8月25日喜馬拉雅山的印度士兵和中國士兵突然出現流血衝突，9月9日塔斯社把這一武裝事件描述成「兩個友好國家之間令人惋惜的矛盾」，將中國和印度各打五十大板。毛澤東對此反應強烈。對他來說，是時候對越來越令人失望的「蘇聯大哥」的真實性質做一個總結了。

1959冬季至1960年，毛澤東大部分時間在杭州或廣東，評註蘇聯的《政治經濟學教科書》。[84]在這段時間的各種手稿以及他在《政治經濟學教科書》空白處寫的68條註釋中[85]（加上8個附記），毛澤東重新使用從1956年4月〈論十大關係〉開始的對蘇聯模式的批評性語句，不過他進行了深入的分析，總結出中國特色社會主義的主要特點。毛澤東認為中國的路線在關鍵問題上與蘇聯的路線不同，蘇聯

人走了一條修正主義的道路。毛澤東的第1條到第3條註釋更新了過去對於斯大林的批評，認為斯大林低估了人和上層建築的作用，專注於生產力的發展。第14條認為列寧關於「國家越落後，它由資本主義過渡到社會主義就越困難」的看法是一個錯誤。我們知道，毛澤東認為恰好相反，貧窮和落後是中國革命的動力，人越窮，才越革命。因此，毛澤東在第42條中懷念幸福的延安時期，那時開始實行免費供給，準備進入共產主義。第38條中他提到中國與蘇聯不同，中國不是一條腿走路，而是兩條腿走路，同時發展輕工業和農業，沒有特別傾向重工業。毛澤東強調了兩個主題，這在後來的分析中佔主導地位並決定了他的政治行動。第一個主題是增強政治的暴力作用，這完全符合他以軍事眼光看待中國的歷史，這種眼光出現在1927年夏天，當時他斷言在中國「槍桿子裏面出政權」。因此，毛澤東在第9條中強調《政治經濟學教科書》認為「從富農那裏沒收土地來交給貧農和中農」是錯誤的。毛澤東認為是貧農團結大部分中農通過武力從地主那裏奪取土地。第26條認為中國有必要採取尖銳的階級鬥爭：大革命不能不經過國內戰爭，這是一個法則。所以，不要害怕反對帝國主義的戰爭。第13條明確表示：只看到戰爭的壞處，不看到戰爭的好處，這是戰爭問題上的片面性。片面地講戰爭的毀滅性，對於人民革命是不利的。一切都屬矛盾和不平衡的形而上學，這是歷史和整個宇宙的動力。毛澤東否定了人類社會直線發展的思想，認為徹底鞏固是不存在的。對他來說，革命是永久性的、不斷的，否則就稱不上是革命。革命的目標「不能把人引向『一個愛人，一座別墅，一輛汽車，一架鋼琴，一台電視機』那樣為個人不為社會的道路上去。『千里之行，始於足下』，如果只看到足下，

不想到前途，不想到遠景，那還有甚麼千里旅行的興趣和熱情呢？」這引出了第二個原創的主題：和教科書講的相反，毛澤東認為從社會主義過渡到共產主義，將是一場革命，因為必須破除「資產階級法權」（工資不平等，有利於知識分子，工資等級，文化遺產⋯⋯），它在社會主義制度下仍然存在，還要消除新體制下獲得既得利益的幹部們的抵制。因此，過渡到共產主義需要文化革命。第32條譴責幹部子弟的囂張態度，第11條肯定知識分子即使出身人民群眾，也會受到資產階級思想的影響，因而必須接受再教育。

　　幾個月後，1961年7月30日，在給「江西共產主義勞動大學」負責人的信中，毛澤東誇獎這個學校將半工半讀結合起來，並補充説：「中國不應該是一個文人國家」。[86]此外，毛澤東有關共產主義及其原則的評論非常多，在當時的蘇聯理論家中，這個主題非常罕見。在第3條中，毛澤東清楚地説明「大躍進」和人民公社屬這個範疇，他舉了「農業四十條」的例子，説「勞動不應該成為商品」：「我們不應該為錢而工作，而是為了報效國家。」第58條強調過渡到全民所有制的必要性，要建立全國統一的工資制度，從「按勞分配」的社會主義過渡到「按需分配」的共產主義。毛澤東在頭腦中醖釀這些想法的時候，他的秘書們和記者兼編輯吳冷西推出了其文選第四卷：在裏面毛澤東概述了奪取政權的戰略，並回顧了安娜‧路易斯‧斯特朗對他的採訪，對他來説，美帝國主義是「紙老虎」，儘管它裝了核牙齒。最後第68條顯示了1960年他的精神狀態，題為「哲學要為當前的政治服務」。他指出「任何國家（哪怕是蘇聯）的共產黨，任何國家的思想界，都要創造新的理論」，「只有馬克思和恩格斯，沒有列寧，寫不出《兩個策略》等著作，就不能解決1905年和以

後出現的新問題」。同樣，如果沒有列寧的《帝國主義論》、《國家與革命》，就不足以應付十月革命前後產生的新問題。列寧逝世後，斯大林的《論列寧主義基礎》是必不可少的。毛澤東補充說：「我們在第二次國內戰爭末期和抗戰初期寫了《實踐論》、《矛盾論》，這些都是適應於當時的需要而不能不寫的。」如此，毛澤東把自己和馬克思列寧主義的主要理論家相提並論。而按照他的說法，蘇聯領導人向他們的階級敵人投降，他成了世界社會主義革命新的領軍人物。

論戰

劇情是這樣的：4月22日是列寧誕辰90週年，中國共產黨受毛澤東的啟發，出版了一本小冊子《列寧主義萬歲》。這本冊子譴責和平過渡到社會主義的修正主義，以及與帝國主義和平共處的觀點，強調帝國主義和亞非拉（亞洲、非洲和拉丁美洲）人民的對立增強，亞非拉人民不會在任何要挾面前退讓，哪怕是核威懾。1960年5月初四大國峰會失敗了，當時北京舉行了「群眾」抗議遊行，莫斯科和北京之間的緊張氣氛持續升溫。憤怒的赫魯曉夫於6月21日在羅馬尼亞共產黨全國代表大會上譴責「認為需要世界戰爭實現社會主義勝利的人」。前一天，莫斯科撤銷了1959年幫助中國製造原子彈的協議。7月16日，赫魯曉夫召回了1,000名在中國工作的蘇聯專家，中國的155個工業項目被遺棄，包括可以裝備核彈頭的導彈製造。秋天，爭議暫時擱置。毛澤東知道他必須實行國內政治的轉變，和饑荒作鬥爭。9月30日，一個以劉少奇為首，包括鄧小平、彭真在內的中國代表團去莫斯科與蘇聯談判，希望重新達成協議。毛澤東在

北京關注談判，11月16日，他和代表團有很長的電話談話。11月7日，他去蘇聯駐北京大使館慶祝十月革命紀念日。[87] 11月10日至12月3日，中國代表團出席在莫斯科舉行的81個共產黨代表團參加的會議。鄧小平譴責尼基塔・赫魯曉夫投降帝國主義的行為。阿爾巴尼亞領導人恩維爾・霍查的發言最激烈，講話結束後，宏偉的聖喬治大廳裏一片寂靜。[88] 之後的爭論是一個語義透明的遊戲：中國譴責「南斯拉夫修正主義」，借此批評蘇聯；蘇聯譴責阿爾巴尼亞的「斯大林式」教條主義，攻擊中國。

毛澤東擔心中國被孤立，越來越多地接見外國客人，讓媒體討論他。因此，1960年和1961年，他兩次會見了英國元帥蒙哥馬利。他還與聯合國負責世界糧食問題的糧農組織前總幹事主博・伊德奧爾會面：對他來說，這是一個陳述中國沒有遭遇大規模饑荒，只是糧食有些短缺的機會。1961年2月，毛澤東會見弗朗索瓦・密特朗，他說：我再說一遍，好讓人聽到，中國沒有饑荒。[89] 毛澤東描述了一幅新中國充滿吸引力、中國領導人充滿魅力的圖像。1960年10月1日，在周恩來的幫助下，他與延安時期的朋友美國記者埃德加・斯諾聚首，中華人民共和國成立10週年慶典儀式上，毛澤東請斯諾登上了官方觀禮台，並接受了斯諾的採訪，周總理也接受了一次長時間的採訪。[90]

但是，毛澤東猶豫了。他的教科書筆記表明，他此時形成的社會主義觀將保留到生命的最後，他覺得經濟和食品狀況好於1959年。跟1956年12年農業計劃失敗之後一樣，他不得不放權給包括陳雲在內的計劃策劃者：他極不情願地讓他們使中國按照他們的步伐前進。他的政策正好起了相反的作用，第三年又一次可怕的饑荒在

中國北部、中部和西北部的省份肆虐。一年來，毛澤東讓人覺得他在撤退，但他並未放棄自己重要的立場，就像當初長征期間他帶着紅軍在貴州繞圈子以避開暫時比他強的決戰對手一樣。毛澤東不可能放棄他的政治方向，所作的決定也就無法解決越來越嚴重的危機。這是發生在八屆九中全會時期的事情。[91] 12月24日至1月13日舉行了八屆九中全會籌備會議，12月27日，毛澤東在會上講話。中共中央八屆九中全會於1961年1月14日至18日召開。毛澤東致閉幕詞。李富春做了一個報告，謹慎地避免談到失敗，表示如果我們更加注意主席「高瞻遠矚」的講話，那麼困難本來是可以避免的。全會談到了三面紅旗——「總路線」、「大躍進」和人民公社，同時提到「困難是暫時的，部分的」，失誤只有10個指頭中的1個。大家設定了新的更高的目標來掩蓋失敗的事實：2.25億噸糧食（只獲得了1.62億噸，相比1958年減少了三分之一），1.5億頭生豬（實際上是7,500萬頭，少了一半），4.36億噸煤炭（採礦僅為2.78億噸），1,900萬噸鋼（實際只有870萬噸）。[92] 會議重申了1959年春天鄭州和上海會議通過的指示，顯然，這些只是死的數字。在講話中，毛澤東根據虛假的統計結果，聲明不應該仿傚斯大林殺太多人，提醒「地主的復辟」是個令人難以置信的問題，指出山東、河南、甘肅的糧食供應形勢很嚴峻，特別強調了信陽問題。據他介紹，全國只有20%正經歷嚴重的困難。「根據林彪的報告，一萬個軍隊單位中，只有四百，即4%陷入紊亂」：這不是供應的問題，而是因為領導權已經落入敵人手中。我們肯定大城市、企業和學校也是同樣的情況。

在分析了持續性饑荒的原因後，毛澤東作了一個正確的決定，即派調查研究小組去各個村莊調查，因為「了解情況，要用眼睛看，

要用口問，要用手記」，「這是一切工作的基礎」。1月21日，三個調查組離開北京（每組七名成員），他們由毛澤東的政治秘書領導，陳伯達負責廣東省，胡喬木負責湖南，田家英負責浙江。毛澤東辦公室的六個成員到了信陽。他們帶了1930年毛澤東在江西寫的關於農村調查工作的文章複印件：這篇文章已經丟失了，但田家英不久之前在福建找到一份副本。[93] 他們在當地調查了15天後，先後給毛澤東做了彙報。1961年1月26日，毛澤東離開北京，乘專車到廣州，於2月26日抵達，中途在天津、濟南、南京、上海、杭州和南昌停留。中央政治局3月5日在廣東開會[94]，決定3月11日和12日舉行兩次工作會議，制定新的公社管理法規。北方地區會議在北京召開，集合了北部、東北部和西北部的負責人，由劉少奇[95]主持，周恩來、陳雲協助。南方地區會議在廣州舉行，是由毛澤東主持的，只有東南和西南、中南部的官員參加。3月14日，所有參加者聚集在廣州召開政治局擴大會議。此前，3月13日，毛澤東給主要領導人寫了一封信，信中他譴責平均主義的危害，批判「北方派」的決議草案。在3月19日和陳伯達、胡喬木、廖魯言[96]和田家英的討論中，他進行了清晰的分析：1959年出現的農村問題由於在廬山發起的反右運動而加劇，1960年的情況更糟。有人餓死。這種情況在1960年夏天之前沒有報告。[97]遲到的理智？開始自我批評？事實並非如此。毛澤東繼續肯定處罰彭德懷是正確的，把責任推給制定規劃的人和當地的領導。他認為，路線是正確的，但它的執行是有缺陷的。經過幾個星期的辯論，3月21日推出了一個新的農村人民公社工作條例，該條例由60條組成，22日通過。條例5月下發，又一次

確認在鄭州和上海會議上決定的、在八屆九中全會上恢復的內容：關閉公共食堂，用免費提供的食物作為報酬僅限於勞動報酬數額的30%。毛澤東很滿意：他只是在次要問題上讓了步。[98] 3月29日，他離開長沙，在陶鑄的陪同下參觀了一個人民公社。3月31日到達長沙。從4月1日到8日，他住在武昌，在長江裏游了兩次泳，[99] 4月6日與周恩來碰面。4月8日回到長沙，11日與劉少奇碰面。[100] 18日到達南昌，然後返回杭州，與鄧小平、田家英會面。5月1日，到達韶山，為恭敬而沉默的農民們解釋〈工作方法六十條（草案）〉。5月6日，到達上海，下榻在錦江大酒店，周恩來半夜打電話告訴毛澤東，他剛剛調查的河北南部的邯鄲形勢仍然嚴峻。經過天津後，毛澤東於5月15日回到北京，5月21日至6月12日，他主持召開了一個工作會議。有一件事是顯而易見的：儘管採取了緊急措施，但持續了三年的春季饑荒又開始了。「大家沒有足夠的自由」，毛澤東說，他認為所有的困難不是由政治路線造成的，而是因為有些幹部欺壓百姓。新的會議於8月23日至9月16日在廬山召開，兩年前也是在廬山撤銷了彭德懷的職務。這次新的會議以毛澤東的講話開始，然後在輕鬆的氣氛中討論了六份報告，包括周恩來關於收成的報告。[101] 毛澤東確定經濟降到了最低點，這樣的情況在未來幾個月內必須有所改善，並寫了一首詩讚美江青，[102] 同時他和兩年前在此地認識的一個情人見了面，並在為他建造的一個游泳池裏游泳。黨和國家的領導層仍然止步不前，雖然主席非常活躍，不知疲倦地周遊全國，並會見了數百人，但仍然難以掩飾這一點。除了有幾個細微的變化，毛澤東關於農村人民公社的決定仍然和1959年春天時一樣。

疑惑的時期（1961年秋–1962年夏）

這種在領導層佔優勢的保守主義越來越難以抵制來自下層要求指導方針徹底改變的訴求。而毛澤東在等待時機好轉的同時慢慢放手。1961年1月在中共八屆九中全會全體會議上，他不是把當時的情況比作長征途中在兩次戰鬥之間必須停下來的休養和重組了嗎？然而，根據不同調查者的彙報，農民把饑荒和人民公社的建立聯繫起來：關於集體化和「總路線」的戰鬥已經重新開始了。

事實上，從1960年的最後幾個月開始，在受饑荒影響最嚴重的各省，已經提出採取劃分「責任田」的措施。大家用更豐富的語義來解釋這個措施，顯示出人們似乎害怕會因為重新分配土地而被劃為右派。於是，大家講的是「三包一獎」、「三自一包」、「責任制度」、「按勞分田」、「包產到戶」、「父子隊，兄弟隊」，乃至在保留集體土地的基礎上「單幹」。[103] 1961年6月中旬在北京會議上，朱德第一次在這個級別問了一個所有人都到了嘴邊卻沒有問出口的問題：我們調查過個體農業的情況嗎？是否應該將其合法化？[104] 他沒有得到回答。總的來說，雖然名稱各異，但是這些措施其實是大隊和小隊、小分隊乃至家庭通過簽訂合同分配土地。在勞動條件有限定的條件下，這個合同可以保證國家的糧食儲備，保證糧食價格穩定，規定根據分配的公社土地確定徵收的糧食數量，同時以實物或貨幣為超額徵收的糧食支付酬金。此外，它把自留地歸還給農民，其比例大小為集體土地的7%。農民和他的家人可以自由使用自留地，可以養豬和家禽，可以種植果樹和蔬菜。這樣，已被毛澤東切斷的兩個關鍵環節又重新連接起來，即工作和報酬之間的聯繫，農民和他的土

地之間的關係。不可否認,嚴格來說,這不是回歸到土地的私人所有制。[105]但農民並不關心這些語言的微妙之處。1961年8月,中央農業部的一份報告[106]介紹了當地村民在他們的地區實施「責任到戶」政策之後的喜悦。他們放鞭炮,敲鑼打鼓慶祝他們所謂的「土地還家」。令人驚訝的是,實施這項措施的有安徽省委書記曾希聖,在這次小革命開始時,他是熱忱的毛澤東主義者。[107]這位書記在上報了全省可怕的死亡人數之後,感到非常恐懼。從1960年秋天開始,他將生產管理和會計核算從大隊轉移到小隊,這是毛澤東考慮在一年後實行的。1961年2月,八屆九中全會的自由氣氛讓曾希聖感到放心,他許可大隊和農戶小團體之間簽署合同,並在給毛澤東的信中要求把集體土地的一部分委託給農民家庭(責任到戶)。1961年3月20日,安徽省委常委估計39.2%的小隊簽了此類合同。用行政術語說就是,「生產目標由個人承擔」:如果增收,超額部分是獎勵;如果產量不達標,要受罰。當然,1961年3月23日的廣東會議不贊成這種嘗試,〈工作方法六十條(草案)〉明確指責這種「包產到戶」的體制,於是曾希聖發電報給安徽省委,要求暫停實施這個責任制度。不過,毛澤東對他說,這個政策可以在小範圍內進行試驗。曾希聖曾在3月20日給毛澤東、劉少奇、周恩來和鄧小平寫了一封信,在信中他承認他的體制和被批判的體制存在相似點。但是他肯定他沒有分割集體土地,相反,他繼續要求進行播種、插秧和收割的大型集體勞動:只有組織耕種由農戶來負責。他補充說,農民對這個體制的熱情使糧食增產了10%。1961年7月,曾希聖再次向來視察的毛澤東彙報,他堅持認為這種組織工作的方式保留了土地、耕地的牲畜和農具的集體所有制,所以是社會主義的。毛澤東模糊地回答說

如果曾「覺得這是正確的」，可以繼續，並補充說將集體土地租給農民也可以是件好事，只要租地比例仍低於土地的10%。這種混亂的指引使「責任制」發展起來：安徽三分之二的小隊在8月執行這種類型的合同，秋季達到了85.4%。來自基層的壓力戰勝了中央的指令。山東、廣西、湖南、河北和河南的一部分地區也是類似的情況。1961年11月13日，中央委員會接受會計核算下放到小隊的做法，但在此批評了任何形式的「責任制」。12月，毛澤東告知曾希聖農業生產已經恢復，曾希聖必須放棄他的試驗。[108]不過，10月6日毛澤東同意保留小隊的中心作用[109]，10月23日，在與去福建省龍岩進行調查的鄧子恢討論時，他說分配給小隊的角色符合「馬克思主義觀」。[110] 12月17日，在與譚啟龍談話時，他甚至允許與「10戶或20戶家庭，甚至3戶5戶」組成的小分隊簽合同。[111]然而，江南[112]的好收成和柯慶施的報告讓他印象深刻，兩天後，他寫信給薄一波、李先念說：「到戶不可行。」很顯然，他退讓時情緒不佳，仍然決定收復失地，覺得那些讓步非常危險。這可能是隱藏在12月19日他寫給郭沫若的這首怪詩[113]中的含義。同一天，他再次開始視察各省。

> 一從大地起風雷，便有精生白骨堆。
> 僧是愚氓猶可訓，妖為鬼蜮必成災。
> 金猴奮起千鈞棒，玉宇澄清萬里埃。
> 今日歡呼孫大聖，只緣妖霧又重來。

毛澤東給我們描述了1959年夏天廬山會議以來突然出現的危機，白骨精指總是死而復生的右傾危險，金猴是指毛澤東本人。

實踐對「大躍進」政策的一再質疑使得毛澤東更加心緒不寧。因

此，在城市中實行公社的計劃剛剛開始很快就在河南省會鄭州被放棄了。1961年3月22日受到毛澤東讚賞的遼寧省鞍鋼的條例的命運好一點。這個條例要求「政治掛帥」，把馬格尼托哥爾斯克鋼鐵廠的蘇聯式的規定看作一種「迷信」。但是1961年9月，李富春通過了他的工業七十條草案〔即〈國營工業企業工作條例（草案）〉〕，旨在恢復勞動紀律、獎金和黨委領導下的廠長、工程師和專家責任制，最引人注目的是「一台機器的操作在社會主義制度下和資本主義制度下是一樣的」。[114]

劉少奇擺脱束縛

然而，儘管自中共八屆九中全會以來毛澤東在特別緊急的情況下做了這些決定，但是經濟狀況仍然不佳：數以百萬計的臨時工被驅逐出城市沒有太大的成效。佔勞動人口90%的農民的生產力仍然停留在18世紀，他們收穫了1.47億噸糧食，但不能養活全部人口，這個數目是1957年至1958年的四分之三。通過大量進口小麥才結束了大範圍的饑荒，但消耗了國家的外幣儲備和工業資本：1961年工業產值下降40%。如果不改善經濟條件，毛澤東夢想的雄心勃勃的外交政策和對修正主義的挑戰將會以失敗告終。毛澤東再一次表現出他的務實性，不得不接受他認為在短期內有效的政策。

他的政策是困難的主要原因，和往常一樣，他決定讓最大多數的幹部一起分擔責任：11月16日，毛澤東建議召開擴大工作會議，稱為「七千人大會」，與會人數比黨的代表大會多五倍，參加者來自中央、省、部門、地區、縣甚至作為典範的基層單位。[115]與會者從

12月21日開始抵達北京，參加區域籌備會議直到1962年1月10日，1962年1月1日召開全體會議。

劉少奇當天下午宣讀了一份報告，這份報告是劉少奇匆忙撰寫的，讓鄧小平讀過。與通常的程序相反，這篇文章沒有經過中央政治局或毛澤東的正式批准。事實上報告沒有甚麼尚未說過或寫過的內容：「大躍進」贏得了巨大的成功，但由於地方幹部經驗不足和中央在經濟管理方面的不足，造成了失衡，「在很大的程度上，是由於我們工作上和作風上的缺點和錯誤所引起的」，但正面多於負面，必須維護黨的紀律，繼續克服現在的困難。[116]毛澤東自己多次承認他沒有能力管理經濟，因此劉少奇認為經濟方面的責任應由其他領導人來負，正如1959年在廬山時所說的那樣。各地區小組開始討論這篇文章。17日，一個21名成員組成的委員會起草了第二稿，1月25日定稿，其中包括一些討論的結論。討論集中在人和自然災害的責任各佔多少上。大家似乎達成了70%對30%的看法。彭真再次提到毛澤東在推行公共免費食堂中的作用，並提到：「如果毛主席的百分之一、千分之一的錯誤不檢討，將給我們黨留下惡劣影響。」這引起了陳伯達的強烈反應。26日，經過毛澤東和政治局批准的版本發放給各位代表。27日下午，劉少奇在全體會議上發言，介紹修訂的文本。[117]這次發言沒有集體討論，不是一次簡單的修正介紹。儘管發言者巧妙地減少了毛澤東在明顯的失敗中的責任，根據包括李志綏[118]在內的不同版本的回憶錄，劉少奇出人意料的講話仍迅速引起了主席的不悅。確實，劉少奇公開質疑毛澤東在廬山提出的十個指頭中有一個是缺點和錯誤的比喻，認為成功和失敗之間的比例為7：3，呼應了毛澤東對斯大林所作的「總體是積極的」的評價。毛澤

東是中國的斯大林嗎？劉少奇提到在河南信陽或甘肅天水「缺點和錯誤是主要的，成績不是主要的」。他不是很肯定地補充説，也有些情況「成績大於失敗」，毛澤東明顯很生氣，大聲説：「不少！」當劉少奇指出彭德懷[119]「自高崗事件以來，有系統地進行反黨活動」[120]時，毛澤東插話説：「他是高崗事件的主要負責人。」劉少奇對毛澤東的反應感到不適應，試圖通過譴責一些幹部的「資本主義」行為讓毛澤東平靜下來。劉少奇批評這些幹部利用物資短缺投機，如福建連江向十個省出售他們的海帶，河南臨潁通過行賄用軍用飛機從廣州運了200車小麥到武漢，以賣出更好的價格。但這些都沒有甚麼用：毛澤東受不了劉少奇否定「大躍進」的積極成果（十個指頭！），並以一個國家元首的權威講話。29日下午林彪講話，[121]他的講話一貫誇張毛主席不可能犯錯誤，毛澤東沒有掩飾他的滿意。毛澤東讓劉少奇對口頭報告[122]進行第三次修改，29日，毛澤東讚揚自我批評的美德[123]，好像他希望劉少奇也做自我批評，建議延長會期，讓每個人都提意見，開「出氣會」。

　　「七千人大會」的第二階段於1月30日開始，毛澤東做了長時間的發言。[124]發言着重於民主集中制，這是劉少奇報告的主題之一，並分為六個部分。第一部分肯定可以批評領導。毛澤東舉了中國歷史上的例子，説即使是沒有道理的批評也讓許多大人物進行思考或掌握新知識。毛澤東從批評講到自我批評的需要，比如兩年前在盧山他做了自我批評，很多其他人也做了自我批評。「去年6月12號，在中央北京工作會議的最後一天，我講了自己的缺點和錯誤。我説，請同志們傳達到各省、各地方去。」許多地方沒有傳達。「凡是中央犯的錯誤，直接的歸我負責，間接的我也有份，因為我是中央

主席。所以是中央犯了錯：他只有跟隨。」第二段強調面對「復辟」的風險必須警惕，必須堅持「民主集中制和群眾路線」，以建立真正的社會主義經濟。「已經被推翻的反動階級，還企圖復辟。在社會主義社會，還會產生新的資產階級分子。整個社會主義階段，存在着階級和階級鬥爭。這種階級鬥爭是長期的、複雜的，有時甚至是很激烈的。……這是非常複雜的，有時甚至是暴力的。我們的專政工具不能削弱，而應加強。」[125]第三個段落包含了這樣一些主題：在工人階級領導下團結的需要；95%的人民對5%的敵人。第四段要求學習當今世界的現實，以免犯錯。毛澤東提到自己的著作能夠有助於在民主革命階段了解中國社會的性質並獲得勝利。但是，正如毛澤東對埃德加・斯諾解釋的那樣，中國對接下來的社會主義建設缺乏經驗。毛澤東還講了他與蒙哥馬利的談話。蒙哥馬利跟毛澤東説：「五十年後中國的命運怎麼樣？那時中國會是世界上最強大的國家了。」毛澤東向他解釋，中國忠實於馬克思列寧主義，絕不會攻擊另一個國家。然後，他補充説：建設社會主義50年是不夠的。在17世紀，歐洲的一些國家已經在發展資本主義了，而中國仍然是封建社會。要趕上和超過世界上最先進的資本主義國家，沒有100多年的時間，我看是不行的。……也許只要幾十年，例如有些人所設想的50年，就能做到。果然這樣，謝天謝地！因此，無論如何，毛澤東仍繼續把社會主義變成一個巨大的發展加速器，使中國花幾十年時間完成資本主義國家花了三個多世紀完成的事情。第五段很短，討論了國際共產主義運動。「雖然，蘇聯的黨和國家的領導權現在被修正主義者篡奪了」，但我們必須相信馬克思列寧主義的力量最終會佔據上風。第六段再次提到團結的需要和自我批評的美德。毛澤東要

求儘量限制逮捕和處決。他舉了兩個例子：一個是投降了國民黨的
CC派潘漢年[126]被監禁了，但並沒有被槍決。另一個是王實味，〈野
百合花〉的作者，毛澤東說王實味也是「國民黨特務」，1947年撤離
延安的時候將他錯誤處決了。毛澤東最後以如果他本人被批評了結
束了講話。事實上，他用這個假設間接地讓與會者尷尬地笑了
笑——每個人都知道，沒有人敢公開批評主席。1月27日劉少奇講
話以來，毛澤東的狀態是「白天出氣，晚上不看戲，白天晚上都請你
們批評。這個時候我坐下來，冷靜地想一想，兩三天晚上睡不着
覺。想好了，想通了，然後誠誠懇懇地作一篇檢討」[127]。不過這和他
1959年在盧山會議上對彭德懷的嚴厲反駁相差甚遠。這種心平氣和
的話語引起了一些地方幹部對各省級幹部獨裁主義的批評[128]，為
1959年秋反右運動的許多受害者平反昭雪，例如河南的潘復生。[129]
正如毛澤東期望的，這也引發了幾乎所有領導的自我批評。[130]從2
月2日至2月6日，朱德、鄧小平、譚震林，甚至柯慶施，為這悲慘
的四年來他們所犯的錯誤做了自我批評。2月7日下午，周恩來寬容
地分析了在其領導下政府所犯的錯誤，結束了討論。2月8日上午，
毛澤東乘坐專列離開北京，留田家英負責整理他1月30日的講話。
他把日常事務的管理權交給劉少奇，由劉少奇代替他主持政治局及
其常委會的會議。

在接下來的五個月內，他都遠離北京，但4月16日至5月2日的
兩個星期，他在首都主持第二屆全國人民代表大會第三次會議（譯
註：似有誤，二屆人大第三次會議召開時間為1962年3月27日至4
月16日）。他一直很活躍，每天早晨非常專注地閱讀收到的報告、
國內國外的雜誌和報紙。如劉少奇反覆提醒的那樣，沒有毛澤東的

批准，劉少奇無法做任何決定。事實上，和毛澤東自己在「文革」期間的講話以及一些作者堅持書寫的內容相反，毛澤東從來沒有失去做決定的權力，但他設法不參與制定自己不願意接受的決議，即使他認為這些決定在短期內是必要的。他專注於農民問題，這個問題和外交政策一樣是他的自留地，是三股力量的複雜的博弈：基層農民的壓力、劉少奇在北京主持的會議上提出的建議和毛澤東自己的意願。

事實上，雖然在「七千人大會」上受到了批評，但「責任制」仍在農村蔓延，在「大躍進」中遭受痛苦越多的地方，蔓延速度越快。在安徽，1962年3月20日省級黨委要求停止實行這個體制，但只獲得了最積極的人、貧農和缺乏勞動力的家庭的支持。1962年春天，太湖縣縣長[131]甚至有勇氣寫信給毛澤東說80%至90%的農戶都加入了這種他們自己發明的體制，「這使得糧食生產增長81%」，又不傷害政權的社會主義性質。各種消息來源證實了類似的情況，在廣西（特別是龍勝地區）和湖南都有。在河南，50萬公頃土地被承包給農民，讓他們在1961年至1962年的冬季播種穀物。中共中央農村工作部部長鄧子恢[132]在5月和7月提交了兩份報告，估計集體土地的20%是由個體承包的。他認為，必須將20%的土地承包給個體家庭，期限為五年，並且將國家徵收的負擔限制在3,250萬噸。

與此同時，劉少奇增加了工作會議，重新推動被卡住的經濟機器。2月21日至23日，他在中南海西樓召開政治局擴大會議。陳雲介紹了嚴重的經濟和金融形勢，深化了「七千人大會」的分析[133]：公共赤字為六十億元人民幣，是1958年的三倍；貨幣發行過量，導致物價在三年內上漲了20%；糧食仍然不夠，農民每人每年的口糧僅

為150千克。[134]因此，當務之急是通過各種手段提高糧食產量，同時在國際市場上大量購買小麥，養活市民和士兵。最後，必須將1958年進城的農民送回農村。劉少奇同意了這一報告。2月26日陳雲、李富春和李先念設立了一種財政審計制度作為補充。從李志綏的書中可以看出[135]毛澤東不喜歡這樣的分析：陳雲的報告[136]太黑暗了，沒有任何光明。這是由陳雲的階級出身決定的：陳雲出生於小商人家庭，他無法擺脫資產階級根性，不可避免地傾向右邊。但是當時毛澤東沒有表現出任何跡象。3月13日至16日，他在武漢西湖（譯註：此處有誤，應為武漢東湖）的住所接見了劉少奇、鄧小平和很快趕來的周恩來，批准了前幾天政治局會議中陳雲、李富春和李先念的報告。1962年7月的《光明日報》刊登了毛澤東的照片，旁邊有陳雲、劉少奇、周恩來、朱德、林彪、鄧小平：延安的圓桌會議再現，只差彭德懷。[137]難道只有在蔚藍的天空中才能看見暴風雨最初的跡象嗎？無原則支持毛澤東的柯慶施和李井泉缺席了5月7日至11日非常重要的中央工作會議。此次會議由劉少奇和繼續努力恢復經濟的周恩來主持。陳雲建議發展養魚業和養豬業。

不過，至少在表面上政治氣氛仍然緩和。1961年1月北京京劇院上演了幾場《海瑞罷官》，這是吳晗根據毛澤東本人的想法寫的。毛澤東邀請主要演員私下為他演了幾個片段，表明自己非常滿意，1963年送給吳晗一本他親自題詞的《毛澤東選集》（卷四）。然而，審查者對劇本中的一出戲有異議：一位官員要求強佔了農民土地的惡霸「退田」、「結束冤獄」、「驅逐流氓」。這齣戲被謹慎地從海報上刪掉了，因為公眾會把彭德懷比作這位被壞皇帝處罰的誠實官員。但是劇本仍然在1961年年底發表在一個文學雜誌上。[138]鄧拓，一個才

華橫溢的記者，1958年被剝奪了《人民日報》總編的職位。1961年3月9日到1962年9月，他在《北京晚報》上發表了由152篇雜文組成的《燕山夜話》。同時，鄧拓和朋友吳晗、廖沫沙在報紙《前線》上開闢了一個名為「三家村札記」的專欄。明眼人喜歡讀這些短小精悍的文章，它們將歷史逸事和個人意見穿插起來，抨擊浮誇的講話和愚蠢的計劃。比如，有一篇文章講，古代有位統治者大興徭役，將一個大湖抽乾，僅僅是為了擴大小河的水面面積，同時又不得不另外挖一個同樣大小的湖，因為要在發洪水的時候讓大河泄洪。這個故事最能影射毛澤東發動的「大躍進」。[139]

毛澤東的反擊和八屆十中全會

但是，毛澤東開始擔心他自願退居二線帶來的政治後果。他在上海待了15天，然後去了杭州，在那裏享受春天的回歸。他召見了田家英，幾個星期前田家英帶着一隊人馬前往湖南的三個村進行了調查，包括毛澤東的故鄉、他的外祖父母的故鄉和劉少奇的故鄉。大部分農民重新採用這種或那種私人耕種公社土地的形式，給田家英留下了深刻的印象。他向毛澤東作了彙報。後者略帶不滿的回答揭示出受到如此多誇讚的「群眾路線」也有界限：「我們必須堅持群眾路線，但也有時候我們不能完全聽群眾的，因此，我們不能接受群眾要求將土地變為家庭所有。」[140]顯然，對毛澤東而言，這是底線，逾越底線，「總路線」可能失敗：他仍然拘泥於蘇聯模式。但是，在那個時候，劉少奇和鄧小平認為必須在農民的壓力面前讓步，接受大量的私人經營。6月底，當他們遇到田家英的時候，他

們告訴他，為了解決糧食困難，家庭單幹的體制是可以接受的。[141]
在同時期舉行的中央秘書處會議上，東部地區[142]的省委負責人反對
家庭耕作土地，鄧小平為這個體制做了辯護。就在此時他說出了「不
管黃貓黑貓，只要抓住老鼠就是好貓」。7月11日中央委員會的通告
總結了自5月以來的討論，確認大部分主要領導人贊成這種務實的
態度。文件提出的關鍵問題是採用甚麼方法促進農業生產，並增加
了一系列問題引導答案：「你認為包產到戶能更快恢復生產嗎？如果
選擇這樣做，結果會是甚麼呢？對於實行了包產到戶或單幹的地
區，應採取甚麼樣的政策？因為混亂、幹部的工作作風差和集體經
濟管理存在弊端，小隊要求得到包產到戶的允許，對此應該採取甚
麼樣的政策？」毛澤東認為警戒線已經被跨過了：新的政策開始出
現。這是他從一線退下來必須付出的代價[143]：政治和自然一樣害怕
真空，被他放棄的空間被劉少奇佔用了。7月1日，《人民日報》幾乎
全是1939年劉少奇的文章〈論共產黨員的修養〉。[144]劉少奇對一篇關
於1930至1939年共產黨實行聯盟政策的文章給與了適度謹慎的好
評，從而侵犯毛澤東的另一個領域：黨的歷史。其他領導人作為好
的臣子開始在發言中以同樣的方法引用毛澤東和劉少奇的話，他們
倆的畫像同樣大小，肩並肩排列。毛澤東無法想像他的專制權力變
成一個兩頭政治，可能導致一個開明的獨裁統治誕生。對毛澤東來
說，鑒於當時不利的經濟條件和幹部的不良作風，1961年採取的調
整措施都只是暫時的讓步。最終，它們會危及集體經濟，而中國走
出貧困只能靠集體經濟。舊統治階級的代表會伺機報復。家庭經營
將導致社會的兩極分化。其必然結果是小農經濟成為恢復資本主義
的經濟基礎。因此，必須在農村重新開展階級鬥爭，動員貧農、中

農、復員退伍軍人、革命青年保衛給最困難的農戶提供五保[145]的集體經濟。毛澤東最後的讓步是會計核算與勞動組織的單位從大隊變成小隊。他有時候承認「家庭責任制」是面對完全恢復私人經營的要求時捨小保大的方法。但對他來說，這一讓步已經超越了可以容忍的範圍，必須爭取儘快通過群眾來打倒這一制度。

他還擔心在另一個保留領域——外交政策領域被邊緣化。曾經被他嘲笑稱為「二十八個半布爾什維克」之一的「國際主義者」王稼祥對「三年困難時期」的饑荒印象深刻。1961年至1962年的冬天，他向劉少奇建議採取緩和的外交政策，以應對糧食危機，得到了劉少奇的同意。1962年2月27日，作為國際關係聯絡辦公室[146]的主要負責人，王稼祥給周恩來、鄧小平和陳毅寫了一封信，提出他的建議——「三和一減」：恢復和美國、和蘇聯以及和印度的關係，減少壓力。1962年六七月，這一政策似乎得到了落實。喜馬拉雅山一直有中國軍隊活動，但卻避免巡邏兵之間發生衝突，中國的報紙也開始懷念早年中印兩國的友好關係。中國和蘇聯的關係比較複雜：1961年11月，中國代表團參加蘇共第21屆代表大會，赫魯曉夫批評阿爾巴尼亞勞動黨，旨在間接批評中國共產黨根深蒂固的斯大林教條主義，並針對周恩來匆匆回國前在克里姆林宮斯大林的墳墓前敬獻了花圈這件事。1962年6月，饑餓的維吾爾人強制衝過哈薩克斯坦邊境尋求避難，中國邊防軍向他們開火。不過1962年4月，中國接受了胡志明的建議，召開新的國際會議，結束了共產主義陣營內部意識形態的衝突。1962年7月9日至14日，在莫斯科舉行的世界裁軍大會上，中國代表團已經採取了和解的立場。中國和美國的關係更為明顯：蔣介石一再強調「反攻大陸」，在沿海地區投降傘兵。[147]

6月，美大使在華沙達成協議：美國將不支持蔣介石的戰爭計劃。事實上，1962年9月9日，台灣的U2間諜飛機被大陸擊落，這一事件被雙方平息。毛澤東的政治極端主義需要戲劇性的氛圍，在和平的環境中它就溶解了。

於是，毛澤東決定改變自己的計劃，打算到青島休息，6月中旬開始在南方視察。6月18日，他在長沙會見了湖南省二把手華國鋒，後者向他介紹了即將開始的水稻收割狀況，稱收成非常樂觀。他也和陶鑄、王任重[148]見了面，他們在廣西桂林兩山附近的村莊龍勝進行了調查。他們的報告[149]是對田家英的調查批判性的回應，後來他們也向中央委員會作了彙報。這個報告取悅了毛澤東：它指出該地區選擇家庭經營的小隊的百分比不是70%，而是30%至40%，只有10%的小隊完全實行私人經營，其他小隊都保留了集體活動，例如耕田和播種。報告中寫道，儘管「農民對社會主義的信心有短暫的動搖」——但在過去的一年中，通過強化集體性質，情況有了改善。毛澤東到達武漢後把他的逗留日期延長至6月30日。像往常一樣，在這期間，他從船上跳進長江游過幾次泳。6月30日，他放棄了去北戴河游海泳的打算，返回北京，中途在鄭州、濟南停留：預計收成很好，河南和山東的省委書記的報告證實了這一點。[150]7月5日，毛澤東抵達天津，非常高興，[151]「河南徵購留百分之十的機動。麥收秩序空前好。湖南也很好，麥收秩序空前好，出乎幹部群眾的意料」。7月6日，天剛濛濛亮，毛澤東回到北京。他認為此時正是時機，1961年12月以來他一直希望進行反撥。[152]他坐在游泳池的邊上召見了田家英。後者又重複有30%的農戶有家庭經營的合同，但這並不意味着他們是土地的業主。它可以上升到40%，剩餘

的60%由集體經營，不影響生產關係的社會主義性質。當收穫達到令人滿意的水平，就可以結束「家庭責任制」。毛澤東一直沉默，然後嘆道：「你的主張是以集體經濟為主，還是以個體經濟為主？」田家英意識到他犯了毛澤東眼裏最壞的錯誤——支持資本主義，他楞住了。毛澤東繼續說：「這是你個人的意見，還是別人的意見？」「這是我個人的意見」，田家英回答。[153]毛澤東還在陳雲的要求下會見了他，[154]陳雲確保家庭責任制不會造成兩種性質的經營，一個是私人的，另一個是集體的，因為保留了集體的土地所有制。他補充說，這種系統不會影響糧食徵收，並會延續「四到八年，重新恢復生產」。毛澤東應該表達了他的憤怒。毛澤東回北京之後的兩個星期，中南海的氣氛十分緊張，一方面彭真和鄧小平支持陳雲，另一方面是柯慶施和陶鑄。7月7日，鄧小平在共青團三屆七中全會上再次講到黃貓黑貓的話。[155]7月8日，毛澤東在他的住所召集劉少奇、周恩來、鄧小平、陳伯達和田家英會談。毛澤東說他在河南看到收成很好，建議劉少奇和這兩個省的省委書記談談，「以更好地理解正在農村發生的事情」。他確認了對田家英想要回到單幹的指責，並要求陳伯達寫一個指示，鞏固人民公社的集體經濟，相應增加生產。[156]在接下來的日子裏，主要領導人的指示和講話顯示他迅速地以守為攻。[157]7月18日毛澤東在游泳池邊接見了楊尚昆，問他「是走集體道路呢？還是走個人經濟道路？」。楊尚昆在他的日記裏寫道：「我覺得事態很嚴重！！十分不安！」[158]然而，7月17日鄧子恢給毛澤東的報告贊同家庭責任制。

　　毛澤東重新找到了自信。經歷了三年的苦難，這個國家渴望平靜。在城市裏，生活物資稀缺變成生活物資短缺，在農村饑荒變成

生活物資稀缺。但是，自從「大躍進」失敗以來，人們對制度的信心明顯下降了，沒有任何可靠的人能替代毛澤東的專制統治，儘管其在災難中負有極大的責任，但他仍然保持着自己的威信。雖然他不認同國際局勢是和平的，但在短期內，國際衝突的緩和幫助了他：他可以打破領導人之間的團結，而沒有大的風險。面對缺乏人格魅力，不敢當面衝撞他的領導人，毛澤東無情地發揮着他的優勢。7月19日，毛澤東主持了中共中央政治局常委會，確定了北戴河擴大會議的日程，為中央委員會八屆十中全會做準備。7月20日，毛澤東在北京會見了前來參加北戴河會議的中共中央局第一書記。[159] 他批評了包產到戶制度，將田家英的分田建議等同於去集體化，為會議定下了基調。他認為困難源於規劃者的錯誤和中央的服務。7月22日，代表們陸續到達，他讓人散發陶鑄、王任重寫的〈關於鞏固生產隊集體經濟問題座談會和記錄〉。上面有毛澤東補充的注解：「這個文件所作的分析是馬克思主義的。」23日，他下令分發陳伯達寫的加強集體經濟的指令草案。[160]

「同志們，千萬不要忘記階級鬥爭！」

北戴河會議於7月25日開始。代表們是帶着他們的家人一起來的，開始時氣氛比較輕鬆：看戲、游泳、散步，這個療養地是20世紀初按照英國布萊頓（Brighton）或布萊克浦（Blackpool）的樣子建造的。人們按地區分小組聽楊尚昆分發的磁帶錄音，展開討論，討論的問題涉及外交政策、金融和工業甚至文學，一本關於劉志丹的歷史小說在習仲勛的支持下出版，康生認為習仲勛是借此為他的朋友高崗

平反，和吳晗利用海瑞為彭德懷翻案如出一轍。[161] 他試圖說服越來越偏執的毛澤東相信這一點，他甚至讓毛澤東相信高崗和他的同夥陰謀推翻政權，其中彭德懷於1959年暴露，現在輪到習仲勛。[162] 20份提交討論的資料中有15份是關於農業問題的。代表們特別討論了農村「責任制」，陶鑄和陳伯達的報告在個別問題上有些矛盾：我們能否接受家庭責任制而不回到私人經營？我們是否應該同樣譴責這兩種類型的分田制度？8月5日柯慶施為完全的集體主義辯護，將「責任制」等同於私有制。這樣，他為毛澤東鋪平了道路。7月28日，毛澤東在北戴河95號樓主持召開會議。

8月6日，毛澤東發表講話。[163] 他接受了劉少奇的建議，指定22人組成小組，斷絕對外聯繫，負責處理敏感資料，他安排了至少7個最忠實的追隨者。毛澤東在這個小圈子內發言6次。對這個圈子設置過高的限制是為了更容易達成共識。事實上，他從一開始就問了一個每個人心中都有但不敢說出來的問題：共產黨是不是有垮台的危險？南斯拉夫和蘇聯「修正主義者篡奪權力」的例子說明奪取政權後仍然存在的資產階級的意識形態和「資產階級法權」使得「資本主義復辟」成為可能。資本主義和社會主義的矛盾是本質的矛盾。只要還沒有通過政治教育消滅前政權的殘餘，在社會主義條件下階級鬥爭就會繼續存在。復辟的基礎之一是恢復土地的個體經營。因此，既要在外部「反修」，又要在內部「防修」，拒絕周圍的悲觀主義影響。講話中毛澤東承認全國前三年的災難，承認動員二十幾萬人建設了無用的工程，「農民沒有飯吃，就要浮腫，現在解放軍新兵又減人」。但是今年的好收成表明情況得到了控制。對修正主義雙重危險的對策是搞一萬年的階級鬥爭。接下來的15天中，8月8日、9

日和20日，毛澤東都講了話，內容大致相同。改革的道路被封鎖了。其間，他批評了幾乎所有的官員，大家都承認了自己的錯誤。8月11日，劉少奇承認他認為1962年的收成比1961年更糟糕。最後陳毅的講話與外交政策有關，強調要在世界上進行反帝國主義的鬥爭，毛澤東非常滿意。沒有人提到王稼祥的建議。

8月24日下午，毛澤東回到北京。8月26日至9月23日舉行了中央八屆十中全會的預備會議。9月24日，毛澤東主持召開八屆十中全會，會議直到27日才結束。[164] 在本次會議上，他總結了過去兩個月黨內的討論，並回到盛行的「三股歪風」——「黑暗風」、「單幹風」、「翻案風」。他還建議拒絕「反黨集團」中的五人[165]參加會議，因為針對他們的指控很嚴重或者他們正在接受教育：全會通過的10項決議中有2項是關於對這五個「反黨集團」成員的反黨活動進行調查的，其中一個是「彭德懷反黨集團」，一個是「習仲勛反黨集團」。此外，毛澤東還批評小說和其他反黨刊物的作者為推翻政府進行輿論準備：全會後《三家村札記》和《燕山夜話》立即停止刊出。毛澤東使用了明確的措辭對個體農業和田家英或鄧子恢的建議進行批判。然而，農業「六十條」的採用確認了毛澤東自1961年以來的讓步：公社和鄉合併，不再扮演管理角色，大隊消失了，小隊受到青睞。5,643,000個小隊，每個包括二十幾個家庭，相當於一個村莊或小鎮。小隊在「很長一段時間」裏變成負責計算公分的單位和集體土地的所有者。農民不再擔心會像大隊存在時一樣被其他村莊佔了便宜。自留地的面積最多佔總面積的7%，但如果包括森林、沼澤和新墾土地，這個比例可以提高到15%。與手工業相關的活動和販賣不再被認為是資本主義的，得到鼓勵。農民在困境之中找到了一些殘羹冷炙的機會。

事實上，毛澤東的中心發言是對這次全會的最好總結：永遠不要忘記最重要的問題是階級鬥爭，避免讓中國被修正主義或像南斯拉夫一樣被民族主義反動派掌握：

> 要好好教育青年人，教育幹部，教育群眾，教育中層和基層幹部，老幹部也要研究，教育。不然我們這樣的國家還會走向反面。走向反面也沒有甚麼要緊，還要來個否定的否定，以後又會走向反面。如果我們的兒子一代搞修正主義，走向反面，雖然名為社會主義，實際是資本主義，我們的孫子肯定會起來暴動的，推翻他們的老子，因為群眾不滿意。

通過發動「社會主義教育運動」，毛澤東呼喚着一次新的風暴。

1962年12月26日，毛澤東在69歲生日之際寫的〈七律‧冬雪〉，反映了三年饑荒渡過後新的戰鬥精神，他全身心地投入到反對帝國主義（「虎」指美國，「豹」指英國、法國和其他前殖民國家）和蘇聯修正主義（「熊」）的戰鬥中。

> 雪壓冬雲白絮飛，萬花紛謝一時稀。
> 高天滾滾寒流急，大地微微暖氣吹。
> 獨有英雄驅虎豹，更無豪傑怕熊羆。
> 梅花歡喜漫天雪，凍死蒼蠅未足奇。[166]

註　釋

相遇──繁體中文版序

1　Blaise Pascal, *Les pensées*, fragments 822–593, de l'Édition de Port-Royal.

2　Cicéron, *De oratore* II 15, "Ne quid falsi audeat, ne qui veri non audeat historia."

序：廬山

1　見《毛澤東傳》，頁958（《逄和金》）最後一行。逄先知和金沖及認為「在這期間，毛澤東不停引述自己的兩首詩（〈到韶山〉和〈登廬山〉），將生活和詩作結合在一起，在他身上很少見」。原稿的959頁上有翻印的照片，我們可以看到這首〈登廬山〉的前四句，照片很好地詮釋了他的決心，他的筆跡有力、有棱角、很難辨別、生動且充滿活力。我對於〈登廬山〉這首詩的評論受到了斯圖爾特·施拉姆（Stuart Schram）的啟發（《毛澤東》〔*Mao Tse-tung*, Grande-Bretagne, Penguin Books, Harmondsworth, 1966, pp. 298–299〕。詩歌的法文翻譯參照了該書頁299以及西格斯出版社（Editions Seghers）出版的《毛澤東詩詞全集》（*Poésies complètes*, p. 95）。詩歌〈到韶山〉見第十三章，頁651。

2 位於武昌。毛澤東在這首詞中展現了長江中下游地區的景色，長江被譽為國家的中心，而在第二部分介紹的詞〈沁園春·雪〉中，他展現的是西北邊緣長城附近的高原景象。1949年，毛澤東征服了整個中國。

3 毛澤東在詩中提到的「三吳」指的是吳國（公元228-280）的三座城市（蘇州、湖州和常州），三國之一的吳國位於長江下游的南部，先後以武昌和南京為都城。

4 指著名田園詩人陶潛（陶淵明，約公元365-427），他出生於廬山，公元4世紀人。他十分出人意料地選擇在廬山隱居。事實上，陶淵明只做了80天的行政官員。他為了不再接迎督郵而辭去了縣令的職務，他說：「我豈能為五斗米折腰向鄉里小兒！」斯圖爾特·施拉姆在這首詩的評論中將這個故事和毛澤東的判斷進行了對照，9月底的時候毛澤東要會見尼基塔·赫魯曉夫。此時正值蘇聯領導人訪美前夕，這次訪美是為了使社會主義和帝國主義陣營在太平洋地區共存，而這一點正是毛澤東絕對不希望看到的。毛澤東非常看不起「K先生」。

5 陶淵明是〈桃花源記〉的作者：該詩講述了一個以捕魚為生的人溯流而上來到了溪流的源頭，穿過一個洞穴之後發現了一片世外桃源，那裏所有人都十分富足，這個世界平等而又公正。回到自己原來世界的漁夫再也找不到通往這個天堂的路，之後再也沒有回到過那裏。對於毛澤東來說「桃花源」代表着「大躍進」之後徹底改變的中國，將會是一個天堂。

6 關於這裏暴君、獨裁者和它們的歷史概念見Mario Turchetti, "Droit de résistance à quoi? Démasquer aujourd'hui le despotisme et la tyrannie?," *Revue historique*, no. 640, oct., 2006, pp. 831–878.「專制是一種政府形式，它獨裁且武斷，它在一些國家和歷史形勢中仍然合理甚至合法；而暴政在任何情況下（國家或歷史形勢下）都是不合理也不合法的，因為它不僅沒有經過國民同意，而且無視基本的人權。」

第十一章　勝利者（1945-1949）

1 在美國、中國大陸和中國台灣地區有大量關於這個時期的討論，對研究者來說應該還有很多值得發掘的地方。

2　在44天當中蔣毛二人共會面6次，其中4次是私下會面。

3　指沿四川省西部邊境進行的長征。

4　周至柔，1898年生於浙江，與美國空軍中將陳納德有着深厚友誼，曾
　　幫助蔣介石成功請求美國召回史迪威，是蔣介石參加開羅會議的顧問
　　之一。

5　邵力子（1882-1967），國民黨舊部之一。曾於鄉試中舉，畢業於上海復
　　旦大學，曾任教師和《民國日報》記者並很快成為同盟會的政治骨幹，
　　之後加入國民黨。有一段時間受馬克思主義影響，與共產國際的格列
　　高利‧維經斯基有來往，然而很快就與中國共產黨疏遠。1926年11月
　　代表受邀的國民黨作為「兄弟代表」參加了共產國際執行委員會第七次
　　擴大全會，會後入莫斯科東方大學學習，再回國之時國共合作已經破
　　裂。曾任蔣介石軍事總部秘書長，後任甘肅、陝西省政府委員兼主
　　席。在西安事變中遭張學良拘禁。1940至1941年任駐蘇聯大使。重慶
　　談判當中作為政協秘書長，在與中共的談判中擔任重要角色。根據張
　　戎和喬‧哈利戴的說法，他是1927年斯大林在蔣介石身邊安插的「眼
　　線」，正是由於這個身份，1925年11月邵力子把蔣介石的兒子蔣經國
　　弄到了莫斯科。

6　沈鈞儒（1875-1963），清光緒年間進士，1936年由於支持上海的工人抗
　　日大罷工被捕，在獄中他的政治行為越來越激進，毛澤東曾給他寫過
　　表揚信。沈鈞儒是民盟創立者之一，是張瀾之後的民盟第二把手。
　　1948年與中國共產黨合作，成為中國政治協商會議籌備委員會副主席。

　　左舜生（1893-1969），見第十章註釋127。

　　章伯鈞（1895-1969），曾在德國柏林大學攻讀哲學，回國後任中山
　　大學教授，1927年作為國民黨左派骨幹參加南昌起義，成為鄧演達的
　　二副。後任民盟秘書長。1947年成立中國農工民主黨，任主席。

　　陳銘樞（1889-1965），見第七章註釋128。在這一時期這位職業軍
　　人與譚平山及其第三黨走得很近。

　　黃炎培（1878-1965），這位科技教育先驅曾與毛澤東有書信來往。
　　曾加入民盟，1945年7月作為國民參政會參政員代表團成員之一赴延
　　安游說毛澤東到重慶。

　　郭沫若（1892-1978），出身於四川省農村鄉紳家庭的大文人、詩

人、劇作家和考古學家，雖然不是中共黨員但與中共關係非常密切。重慶談判前受邀前往蘇聯，當時剛從蘇聯回國。

毛澤東隨後會見了民盟另外兩位負責人王崑崙（1902-1985）和冷遹（1882-1959）。

7 簡稱「林園」。

8 張群，1899年生於四川，與蔣介石關係非常密切，這位黃埔軍校出身的政治家曾任上海市長和四川省政府主席。

陳誠（1898-1965），浙江人，1934年在江西「圍剿」中共革命根據地時表現出色。此時在美國的壓力下，接替何應欽成為參謀長。曾主持國民黨四百三十萬軍隊按照美國模式進行了龐大而無效的現代化。他有很多困難要克服。

吳國楨，生於1903年，獲普林斯頓大學哲學博士學位，在開羅會議上是蔣介石的官方翻譯。1932至1938任漢口市市長，1939至1941任重慶市市長，同時是外交部副部長。1946至1948任上海市市長。

王世傑，生於1891年，1945年7月30日被任命為外交部部長，之前為國民黨中央宣傳部部長。8月15日剛剛以外交部長身份參與起草《中蘇友好同盟條約》。

9 我對毛澤東在重慶活動的記錄依據是：《金》2，頁731-739，《年譜》3，頁16-21，更多細節見1949年由美國政府在華盛頓發表的《中國白皮書》頁577-581，報告中承認由於用人和策略不當令美國在中國遭遇失敗。

10 蔣介石同時為毛澤東配備了一輛寬敞的美國林肯轎車和一名司機。

11 張治中是國共談判國民黨三位負責人之一，另外兩位負責人分別是剛剛上任的外交部部長王世傑和國民黨新任參謀長張群。

12 毛澤東的拜訪並不局限於政界，他還與商務印書館總經理王雲五（1888-1979）進行了長時間的會面。

13 柳亞子（1887-1958），蘇州出生的最後一位古詩大家，與江南文人一起成立了南社。這位反清的愛國青年很早就對政治感興趣，因此其對傳統文化的熱愛絲毫沒有影響他成為變法維新以及白話文的擁護者。1941年1月，由於在「皖南事變」中支持新四軍被國民黨開除，之後在香港成為國民黨的反對者。1945年在潘漢年的幫助下逃離日佔區到重慶，加入民盟。

14　*Jung*, p. 315, p.720，作者參考了美國國家檔案中保存的毛澤東和魏德邁的會面記錄，以及牛津大學博德利圖書館保存的艾德禮文獻（Attlee Papers）。

15　根據辛子陵《毛澤東全傳》（下）（1997），頁10，引自《新華日報》1945年10月9日。

16　宋子文（1894–1971）是蔣介石之妻宋美齡（1897–2003）和孫中山遺孀宋慶齡（1892–1980）的同胞兄弟，在哈佛商學院深造之後，曾擔任國民政府的財政部部長。

17　至少表面上如此。毛澤東非常謹慎，做了各種防範，甚至曾一度計劃住到蘇聯大使館去。在重慶之行結束的前幾天，在毛澤東觀看一齣京劇時，他的一個貼身警衛在停車場被殺，車子也遭到破壞。

18　陶行知（1891–1946），教育家，在紐約哥倫比亞大學師從實用主義教育家杜威研究教育，回國後在重慶附近為戰亂難童成立育才學校，是民盟負責人之一。1946年1月10日被國民黨暴徒痛打一頓，同年7月，在得知民盟領導人聞一多、李公朴被戴笠的手下殺害的消息後，受過度刺激於上海逝世。

19　國民黨曾定都南京，並將北京改名為北平。

20　*Saich*, doc. H9, pp. 1260–1270.

21　*Spence*, p. 135，引自蘇聯文獻，蘇聯紅軍曾為林彪的部隊提供了七十四萬枝步槍、一萬八千挺機關槍、八百架飛機以及四千門大炮。

22　《毛澤東選集》，2版，卷四，頁1156–1166，〈關於重慶談判〉。

23　同上，頁65–73。

24　*CHOC* 13, chap. 13, 1986. 共產黨在東北接收了70萬日本士兵，而國民黨在全國其他地區接收了120萬日本士兵，林彪的部隊僅接收了3萬投降日軍。

25　*Jung*, p. 326.

26　*Saich*, doc. H10, pp. 1270–1272.

27　《年譜》3，頁49和《金》2，頁749–750以及師哲：《在歷史巨人身邊》（北京：中央文獻出版社，1991），頁313。毛澤東在1925年和1931年也曾患過同樣的病，每次都是在精神高度緊張時發病，在官方傳記中被稱為「精神疲勞」，也有一些作家稱為「神經衰弱」。毛澤東的私人俄

文翻譯師哲描述過1945年這次發病的狀況，它得到多位目擊者的證實。他的情況非常嚴重：整個人虛脱，一直昏睡，打冷戰，四肢疼痛痙攣，醫務人員非常艱難地用濕毛巾為其緩解。中共領導層十分恐慌，斯大林派曾經到過延安的阿洛夫（Orlov）醫生前來。阿洛夫於1946年1月7日抵達延安，然而此時毛澤東已經康復，只是需要休養。

28 《年譜》3，頁53。

29 《毛澤東選集》，2版，卷四，頁1179–1183；*Saich*, doc. H11, pp. 1272–1274.

30 這段關於中共在東北的歷史，我參考了梁思文（Steven Levine）的經典著作《勝利之砧：中共在滿洲的革命，1945–1948》（*Anvil of Victory: The Communist Revolution in Manchuria, 1945–1948*, New York, Columbia University Press, 1987）。

31 關於蘇聯佔領東北的問題存在大量爭議，此處作一詳細説明：蘇聯發現他們在東北無法迅速取得理想的效果，也許是因為美國熱心幫助了讓他們感到危險的一次行動，國民黨兩次要求蘇聯延長在東北的時間。蔣介石當然知道蘇聯會直接幫助共產黨，他只是充當了催化劑，只是蔣認為蘇聯紅軍無法對其造成任何阻礙。

32 蔣介石在台灣也成立了一個，並導致了1947年2月28日的暴動。和在東北一樣，蔣介石不信任當地人，指責他們心甘情願受日本控制。

33 《年譜》3，頁50。喬治・馬歇爾（George Marshall, 1880–1959）於1939年至1945年任美國陸軍參謀長，1947年至1949年任國務卿，1948年提出以其名字命名的援助歐洲經濟計劃。

34 確實有一些原因讓他不得不謹慎：在接下來的戰爭中，為了躲避敵人的追擊和高射炮，因為機件磨損和駕駛員魯莽操作而發生的飛機失事不斷增加，其中最慘重的就是戴笠、王若飛和葉挺的空難。

35 組成本次會議的38名成員使會議的進程很難推進，他們包括：國民黨8人，共產黨7人，青年黨5人，民盟2人，民主社會黨2人，救國會2人，中華職業教育社1人，鄉村建設協會1人，第三黨1人，無黨派人士1人。這些組織大部分都是只有兩三個人的社團。

36 *Saich*, doc. H12, pp. 1275–1277.

37 《年譜》3，頁55和*Saich*, doc. H13, pp. 1277–1280.

38 《年譜》3，頁57。

39 在「三人小組」中由張治中代替了張群。

40 根據《年譜》3，頁58，張治中在與毛澤東討論的時候説：「政府改革了，所以中共中央委員會和毛澤東個人應該搬到南京定居」。毛澤東回答説南京太熱了，他怕熱，他的計劃是到淮陰定居，這樣可以到南京參加會議。這個位於江蘇北部京杭運河上的城市，位於南京以北200公里，離洪澤湖不遠。淮陰在新四軍的控制之下，地處國民黨要求共產黨撤軍區域的中心。

41 《年譜》3，頁58–59。

42 同上，頁60。

43 同上，頁62–63。

44 同上，頁63–64。

45 同上，頁64。

46 Eric J. Hobsbawn, *L'âge des extrêmes: Histoire du court XXes (1914–1991),* éditions Complexe, 1994, chap. VIII: "La guerre froide." 對於蘇聯的擴張，喬治・凱南 (George Kennan) 很快就發展出一套「遏制」戰略。杜魯門在1947年5月明確提出了他的「主義」：「我相信，美國的政策必須支持各個自由民族，他們抵抗着企圖征服他們的掌握武裝的少數人或外來的壓力。」

47 《毛澤東選集》，卷四，頁87–88和《年譜》3，頁75。這篇文章直到1947年12月才被正式採納。之前只是中央委員會的內部通知。

48 《年譜》3，頁81。事實上四平於5月19日失守，解放軍於5月23日從長春撤軍。

49 *Saich*, doc. H14, pp. 1280–1285.

50 在1978年《中國季刊》(*The China Quarterly*) 第78期一篇名為〈1947年土地改革中的毛澤東和劉少奇：聯盟或爭論？〉("Mao and Liu in the 1947 Land Reform: Allies or Disputants?") 的文章中，田中恭子 (Tanaka Kyoko) 懷疑在根據地推動的這一「左」傾路線的真實性，認為面對當時困難的軍事形勢，土改的激進化是整個領導團隊的願望。毛澤東7月20日的文章裏提到「自衞戰爭」時強調在農村應該緊密依靠貧僱農，聯合中農，這個講法印證了田中恭子的文章。

51 《毛澤東選集》，2版，卷三，頁1172–1173，〈減租和生產是保衛解放區的兩件大事〉。

52 《年譜》3，頁87。

53 同上，頁104–105。

54 《毛澤東選集》，2版，卷四，頁186–1190，關於這個最終的夢想，見 *Jung*, pp. 323–330。研究者們竭力為這篇論文辯護，按照這篇文章，毛澤東是「被華盛頓政府救了」（這是章節名）。並由此引發了20世紀50年代，在麥卡錫主義的背景下，美國產生了關於「誰輸掉了中國？」的著名討論。討論是關於美國是否在「馬歇爾的操縱」下犯了「致命錯誤」以致「對內戰爆發造成了決定性的影響」，他們認為當時毛澤東走投無路，而共產黨部隊陷入恐慌。在這本書之前只有幾個台灣的國民黨老兵依然為這一立場辯護，但是並沒有任何決定性的文件可以證實他們的說法。

55 Général Jacques Guillermaz, *Histoire du Parti communiste chinois*, Petite Bibliothèque Payot, 1975, vol. II , p. 384:「1945年年底，中國歷史上沒有任何一個政府擁有比國民政府更現代、更強大和更多的武器。」

56 Fitzgerald C. P., *Li Che-min: Unificateur de la Chine*, Paris, Payot, 1935, p. 66. 李世民（公元598–649）是唐朝太宗皇帝。

57 《年譜》3，頁118。在9月初有另一次會面。

58 安娜‧路易斯‧斯特朗（Anna Louise Strong, 1885–1970）出生於美國一個古老的傳統牧師家庭，1919年西雅圖大罷工時受到牽連，1921年到蘇聯。這位與美國共產黨親近的軍事記者，先是仰慕托洛茨基，然後是斯大林，從1928年開始對中國共產黨革命顯露出熱情。蘇聯發生的「大清洗」運動動搖了她支持蘇聯的熱情。她支持蘇聯納粹條約，容忍蘇聯集中營體系的存在。隨着時間的推移，她逐漸被中國共產黨吸引。1949年由於對毛澤東表現出過分的熱情，她在莫斯科被關押了幾個月，之後與蘇共日漸疏遠。參見Tracy B. Strong and Helen Keyssar, *Right in Her Soul: The Life of Anna Louise Strong*, New York, Random House, 1983. 羅伯特‧普林格（Robert W. Pringle）1970年在弗吉尼亞大學發表了論文〈安娜‧路易斯‧斯特朗，共產黨宣傳者〉（"Anna Louise Strong: Propagandist of Communism"）。8月6日的訪問見《毛澤東選集》，2版，

卷四，頁97–102。安娜‧路易斯‧斯特朗在採訪毛澤東時所做的筆記由特雷西‧斯特朗整理，見她個人傳記的217–223頁。

59　《毛澤東選集》，2版，卷四，頁1197–1201。

60　同上，頁1205–1210。

61　馬歇爾於1947年1月6日被杜魯門總統下令召回，1月8日離開中國。

62　《年譜》3，頁176。

63　《毛澤東選集》，2版，卷四，頁1211–1218。

64　關於這一「不平等關係」見第十章，還有畢仰高的著作《20世紀中國的起義和革命》(*Jacqueries et Révolution*)。

65　在國共內戰的高潮時期，華北農村活躍着一批美國戰地記者，然而這些人並不是他們所報道的事件的直接目擊者，傑克‧貝爾登 (Jack Belden) 就屬在這種情況下著書 (《中國撼動世界》*China Shakes the World*, New York, Harper, 1949)。韓丁 (William Hinton) 是聯合國善後救濟總署派遣到中國的美國工程師，1948年，執教於北方大學的韓丁以觀察員身份隨同學校土改工作隊前往山西省潞城縣張莊 (即韓丁書中的「長弓村」)，成為中共建立政權以及農村土改的見證人。韓丁在作品《翻身——中國一個村莊的革命紀實》(*Fanshen: La révolution chinoise dans un village chinois*, Paris, Plon, 1971，英文版出版於1966年) 中，以一個直接見證人的特別視角，記述了1946至1947年中國的農村土改歷程。

66　關於這一時期最好的研究包括：

David S. G. Goodman, *Social and Political Change in Revolutionary China*, Lanham, Rowman and Littlefield, 1994.

Kathleen J. Hartford and Steven. M. Goldstein, *Single Sparks: China's Rural Revolution*, Armonk, M. E. Sharpe, 1989.

Joseph W. Escherick, "Deconstucting the Party-state: Gulin Country in the Shaan-Gan-Ning Border Region," *The China Quarterly*, no. 140, December, 1994, pp. 1052–1079; and "Revolution in a Feudal Fortress: Yangjiakou, Mizhi Country Shaanxi, 1937–1948," in Feng Chongyi and David S. G. Goodman, *North China at War: The Social Ecology of Revolution, 1937–1945*, Lanham, Rowman and Littlefield, 2000.

Edward Friedman, Paul G. Pickowicz and Mark Selden: *Chinese Village, Socialist State*, New Haven, Yale University Press, 1991.（包括關於河北農村的調查報告）

我手上有一份Hoang Ngo Thi Minh（越南語）所寫的法文專題報告《土改風暴中的屯留；1946–1950：面對農民抵抗的中國革命》(*Tunliu dans la tourmente de la réforme agraire; 1946–1950: La révolution chinoise face aux rebellions et aux résistances de la paysannerie,* Paris, Riveneuse, 2007)。屯留是位於山西西南太行山和太岳之間的一個地區。

67 Steven Levine, *Anvil of Victory*, chap. VI, pp. 197–235. 東北的土改直到1946年才開始，並在18個月內迅速開展起來。土改的順利進行一是由於耕地面積廣闊（15%至40%為耕地），二是那些屬日本人或者偽滿洲國的好地（約佔15%）都在「清算」中沒收充公了。總之在我看來，除去那些特例，東北的情況很好地總結了這場發生在中國農村的「無聲革命」的總趨勢。

68 「翻身」在文字上的意思為「轉動身體」，「改變命運」。

69 《年譜》3，頁176。

70 毛澤東與追兵一直保持着10–100公里的距離，往延安北部和東北部撤退，3月18日從瓦窰堡出發，3月26日到達棗林溝，休整幾天後前往石家灣（4月4日），4月5日往青陽岔，在18個寒冷的雨夜迂迴前行了上百公里，至4月12日抵達延安以北70公里的王家灣。毛澤東在那裏逗留了56天，直到6月份：逃亡完成。

71 Roxane Witke, *Comrade Chiang Ch'ing*, Weidenfeld and Nicolson Londres, 1977, pp. 192–220.（法語翻譯版本：*Camarade Jiang Qing*, Paris, Laffont, 1992）

72 *Jung*, pp. 331–337：作者懷疑胡宗南是共產黨的間諜，但不要忘記胡宗南1962年在台灣是載譽而逝的，因為蔣介石一直對他很信任。然而作者在337頁毫無根據地寫道：「蔣介石在晚年很可能對胡宗南當年的行為有所懷疑。」在我看來，一個軍人在見到毛澤東落荒而逃後的自負才是胡宗南做出錯誤判斷的最好解釋，相比起遭遇險境的副官的求救，胡宗南優先考慮的是要進行一場不讓獵物有任何喘息機會的捕獵。然而中共的歷史學家確認胡宗南身邊確實潛伏着共產黨的特工：那就是

他的機要秘書熊向輝。根據辛子陵《毛澤東全傳》(香港：香港利文出版社，2000)，周恩來認為熊向輝是這個至關重要的時期中共最優秀的六名特工之一。胡宗南十分信任熊向輝，後者看了胡宗南的進攻計劃之後用心記下，並從3月3日開始通過電報向延安通信。毛澤東曾經十分高興地宣稱：「這個熊向輝一個人能頂十個師！」

73　在這驚心動魄的幾個月裏，關於毛澤東的行為，我手頭上有一些證據，遺憾的是很難用得上，那就是李敦白(Sidney Rittenberg)的作品。這個美國人在羅斯福新政時期，是工人和礦工運動的活躍分子，同時是南卡羅來納州的鋼鐵冶金專家，1942年參軍，然後作為聯合國專家被派駐中國。之後他對中國革命產生了巨大熱情，拒絕復員回國。因此他是1946至1948年毛澤東漂泊時身邊唯一的外國人，也是中共黨員中唯一的美國人。他在中國待了35年，其中有16年因為被懷疑是美國間諜而在監獄中度過。然而他對毛澤東的忠誠從未減退。「文化大革命」期間，他被視為可疑的外國情報人員。回到美國後，看破一切的李敦白和《華爾街日報》的記者阿曼達・貝內特(Amanda Bennett)合寫了一本自傳，這是一部清算往事的回憶錄，這部回憶錄於1993年由紐約西蒙與舒斯特出版社(New York, Simon et Schuster)出版，作品名字叫《紅幕後的洋人》(*The Man Who Stayed Behind*)。在書中118–119頁，李敦白的描述表達了他對毛澤東魅力的着迷，文章寫到毛澤東在1947年春天的魯莽行動嚇壞了彭德懷，其中能看出讓胡宗南上當的計謀。

74　《毛澤東選集》，2版，卷四，頁1222–1223。

75　同上，頁1224–1228。

76　Xiang Lanxin, *Mao's General: Chen Yi and the New Fourth Army*, chap. VI, "La lutte pour le contrôle du Shandong." 陳毅和粟裕對此充耳不聞。

77　可以從《年譜》3，頁180–221中得知毛澤東的轉移。他在軍隊休整後離開王家灣，7月7日抵達小河村，之後主要住在小村莊天賜灣，8月1日沿大理河回到長城附近靖邊縣的青陽岔。8月2日離開青陽岔前往火石山，第二天又前往蒙古草原邊上的衡山縣肖崖則村，8月4日回到位於肥沃的米脂盆地的子洲縣巡檢寺，縱隊在那裏進行軍需補給。這一時期毛澤東和彭德懷一直通過電報保持聯繫。此後毛澤東主要沿着米脂—綏德—郊縣一線在無定河和黃河之間運動，就是在這裏毛澤東和

彭德懷給追兵設了一個陷阱，讓敵軍誤以為他想離開陝西逃到山西去，分散敵人的兵力去堵住各條路。8月8日毛澤東離開巡檢寺前往李家崖（在綏德附近）；8月10日到達黃家溝附近的村子；8月13日，毛澤東渡過無定河，轉移到延家岔，14日到達米脂縣的郊區；15日縱隊轉移到佳縣陳家岔；16日毛澤東到達曹家莊，17日士兵們在白龍廟村休息；18日冒雨搶渡漲水的五女河到達佳縣附近的楊家園側，為山洪所阻，在此宿營。8月19日，中共中央機關到達梁家岔，8月20日至23日在那裏等待的彭德懷在沙家店全殲國民黨軍整編第36師六千人。由於誤以為共軍急於渡過黃河逃竄，胡宗南並沒有派兵支援。

78　《毛澤東選集》，2版，卷四，頁1229-1234；Saich, doc. H5, pp. 1285-1287.

79　10月初毛澤東在神泉堡起草了《中國人民解放軍宣言》，宣言提出了「打倒蔣介石，解放全中國」的口號，於10月10日發表，當中提出「三大紀律八項注意」的訓令以改善解放軍官兵與群眾的關係（《毛澤東選集》，2版，卷四，頁1235-1240）。

80　Saich, doc. H16, pp. 1287-1295. 這份報告選自中共中央內部文獻。

81　Saich, pp. 1295-1298.

82　《年譜》3，頁221-254。經過張家崖窰後，9月23日毛澤東到達神泉堡，他在這裏主持了一個「糾正黨的工作作風」的小組學習。10月17日到達佳縣縣城，第二天到譚家坪。10月21日到南河底，10月29日上午離開，下午到達佳縣城關呂家坪，31日回到神泉堡。11月14日，毛澤東到閻家峁，11月20日離開前往烏龍鋪。11月22日從申家嶮出發，下午抵達楊家溝。

83　Joseph W. Escherick, "Revolution in a Feudal Fortress: Yangjiagou, Mizhi Country, Shaanxi 1937-1948," *Modern China*, no. 4, vol. 24, October 1984, p. 339-377;《金》2，頁818-832。

84　《毛澤東選集》，2版，卷四，頁1243-1263；Saich, p. 1199。與會者共有19位，包括王明。劉少奇和朱德因為在西柏坡主持工作，缺席此次會議。

85　Le général Lionel Chassin, *La conquête militaire de la China: Histoire de la guerre civile 1945-1949*, Paris, Payot, 1951, p. 160，國共雙方第一戰線的軍事力量對比在1948年8月倒轉。恰森將軍估計解放軍有156萬名士兵，其中97

萬在第一戰線，還有70萬游擊隊員，擁有22,800門大炮。而國民革命軍擁有218萬士兵，但只有98萬人在第一戰線，擁有大炮21,000門。

86　劉樹發：《陳毅年譜》（北京：人民出版社，1995），頁393–396。陳毅吃驚地發現軍隊食堂裏分「貧農桌」和「流氓桌」（指階級出身不好的軍官）。在一次以他的名義組織的晚宴中，陳毅坐在毛澤東旁邊的一桌，他開玩笑説因為自己階級出身的關係，坐的是二等席，這句話明顯是針對毛澤東的出身而言的——毛澤東是富農的兒子。（編註：事實上在《陳毅年譜》作者所列舉的頁面並未發現以上描述。）

87　《毛澤東選集》，2版，卷四，頁1275–1276，〈軍隊內部的民主運動〉，1948年1月30日。

88　Tanaka Kyoko, "Mao and Liu in the 1947 Land Reform: Allies or Disputants?," *The China Quarterly*, no. 75, September, 1978, pp. 566–593.

89　《毛澤東選集》，2版，卷四，頁1360–1362。

90　在1948年3月7日的文章〈評西北大捷兼論解放軍的新式整軍運動〉（《毛澤東選集》，2版，卷四，頁1291–1296）中，毛澤東十分滿意地評論了人民解放軍總部發言人所作的總結，並強調一定要向士兵們闡述黨的政策。1948年4月8日，在奪取洛陽後，毛澤東在〈再克洛陽後給洛陽前線指揮部的電報〉（《毛澤東選集》，2版，卷四，頁1323–1325）中做出關於城鎮政策的指示：禁止農民團體進城捉拿和批鬥地主；不要輕易提出增加工資、減少工時的口號；不要忙於組織城市人民進行民主改革。

91　《年譜》3，頁297–312。毛澤東在山西寨則山村過夜後，在臨縣附近三交鎮與中共中央後委楊尚昆等人會合。從3月24日開始，毛澤東乘一輛從敵人手中得來的吉普車活動。在討論了中央機關今後的行動路線後，商定分為兩路：大部隊直接前往西柏坡，毛澤東、周恩來和任弼時帶領一部分人沿綏遠—山西繞行，分散敵人注意力。3月26日到4月4日，毛澤東待在晉綏邊境機關所在地興縣蔡家崖。4月4日到達岢嵐縣，接見了五名三級幹部會議代表，然後沿山路經神池縣抵達五台山代縣，召集村幹部做關於土改和整黨的工作指示。4月7日，由晉察冀軍區派來迎接的人員帶路，在暴風雪中沿着危險的山路穿過海拔3,058米的五台山區，到達繁峙縣伯強村。

92　關於1948年至1966年之間的共控區土地政策，在胡素珊（Suzanne Pepper）的《中國的內戰：1945-1949年的政治鬥爭》（*Civil War in China: The Political Struggle, 1945-1949*, Berkeley, University of California Press, 1978, pp. 277-330）中能找到被大眾認可的觀點。當中最令人感興趣的是韓丁在《翻身》（*Fanshen*）中所記敘的親身經歷，韓丁所描寫的村莊正是在晉察冀解放區內、靠近山西省西南長治和潞城的張莊，在至關重要的1948年，村莊在激進和溫和的交替當中發展。

93　《毛澤東選集》卷四中有不少文章的標題被編輯修改過，以掩飾毛澤東當時的躊躇，但如果仔細讀文章的話還是能夠看出來：〈關於目前黨的政策中的幾個重要問題〉，1948年1月18日，頁1267-1274；〈在不同地區實施土地法的不同策略〉，1948年2月3日，頁1277-1279；〈糾正土地改革宣傳中的「左」傾錯誤〉，1948年2月11日，頁1280-1282；〈新解放區土地改革要點〉，1948年2月15日，頁1283-1284。

94　《毛澤東選集》，2版，卷四，〈關於建立報告制度〉（1948年1月7日，頁1264-1266）。

95　《毛澤東選集》，2版，卷四，〈關於工商業政策〉，2月27日，頁1285-1286；〈關於民族資產階級和開明紳士問題〉，3月1日，頁1287-1290。

96　*Saich*, pp. 1200-1201 et p. 1378, n. 49. 3月12日，毛澤東讚揚這三份情況報告的評語可以在《中共中央文件選集》卷十四中找到，這個文件集於1982至1987年刊登在北京中共中央內部檔案卷十四，頁71-79；劉少奇的報告見 *Saich*, doc. H19, pp. 1310-1331；任弼時的報告見 doc. H18, pp. 1298-1310。

97　《毛澤東選集》，2版，卷四，〈新解放區農村工作的策略問題〉，1948年5月24日，頁1326-1327；〈一九四八年的土地改革工作和整黨工作〉，1948年5月25日，頁1328-1333；*Saich*, doc. H20, pp. 1313-1317.

98　《毛澤東選集》，2版，卷四，頁770。

99　《年譜》3，頁302-312。這次冒雪登山的經歷被毛澤東的貼身警衛閻長林寫成了一個英雄故事：《我的警衛筆記》（吉林：吉林人民出版社，1992），頁276-279。閻長林着重記述了毛澤東在五台山塔院寺度過的兩晚：毛澤東和僧人談了很久的話，了解了寺院的歷史，並向他們保證中國共產黨會保護宗教。

100 毛澤東於4月26日給斯大林發電報稱「沒那麼忙的時候」會應斯大林的
邀請到蘇聯去，斯大林4月29日回了電報表示他理解毛澤東目前不能
來的原因，並將邀請改到5月10日，而就是在5月10日左右米高揚秘
密會見了中共領導，並認為解放軍在這幾個月最艱難的作戰中經受住
了考驗。關於這段歷史見《金》2，頁836–837；作者使用了1995年《黨
的文獻》雜誌第六期中刊登的檔案資料。

101 *Saich*, p. 1201 et doc. H21, pp. 1317–1322.〈中共中央關於九月會議的通
知〉，《毛澤東選集》，2版，卷四，頁1342–1350，1948年10月10日。
出席會議的有政治局委員7人，中央委員和候補中央委員14人，重要
工作人員10人 (包括胡耀邦)。

102 *CHOC* 13, pp. 774–782; Jacques Guillermaz, *Histoire du Parti communiste
chinois*, Petite Bibliothèque Payot, 1975, tome 2, pp. 409–419.

103 《毛澤東選集》，2版，卷四，頁1334–1339。

104 同上，頁1363–1368。

105 *Jung*, pp. 340–342. 作者認為這場慘烈戰爭的指揮官是「一名共產黨分子
(胡宗南) 和一名懦夫 (傅作義)」，如果這個誇張的說法是真的，那值
得注意的是指揮官的直接下屬，被北京歷史學家證實的兩名著名中共
情報人員——劉斐和郭汝瑰的角色，他們向中共透露了作戰計劃。在
內戰的最後關頭，中共的一個最大的優勢就是國民黨明顯缺乏情報員。

106 《毛澤東選集》，2版，卷四，頁1351–1355，〈關於淮海戰役的作戰方
針〉，1948年10月11日；頁1369–1371，〈敦促杜聿明等投降書〉，1948
年12月17日。關於毛澤東在解放戰爭最後階段所扮演的角色及其指導
方針，見Xiang Lanxin, *Mao's General: Chen Yi and the New Forth Army*,
chap. VII, "L'affrontement." 作者認為毛澤東與解放軍最優秀的將領之間
的關係非常好，然而他一直堅持以游擊戰為主的作戰方針，避免與國
民黨決戰，同時如果解放軍的人數未達到敵人五至六倍時就不打，因
此在解放戰爭的最後幾個月裏，毛澤東對將領們突然改變作戰計劃並
不理解，也不明白現代運動戰的必要性，而粟裕和陳毅在適當的時候
採取了適當的行動，保住了戰爭的主動性，而並沒有執行主席的指示。

107 *Saich*, doc. H24, 8 janv., 1949, pp. 1334–1338.

108 《毛澤東選集》，2版，卷四，頁1372–1380。

109　Harrison Salisbury, *The Long March*, London, Macmillan, 1985, p. 131 et p. 368. 引述 1984 年 3 月 11 日對楊尚昆的採訪。不過毛澤東並沒有要求斯大林放棄外蒙古的控制權。

110　八個條件是：（一）懲辦戰爭罪犯；（二）廢除偽憲法；（三）廢除偽法統；（四）依據民主原則改編一切反動軍隊；（五）沒收官僚資本；（六）改革土地制度；（七）廢除賣國條約；（八）召開沒有反動分子參加的政治協商會議，成立民主聯合政府，接收南京國民黨反動政府及其所屬各級政府的一切權力。

111　《毛澤東選集》，2 版，卷四，頁 1400–1404。

112　同上，頁 1449–1456。

113　1947 年 2 月 28 日，台灣民眾因不滿新成立的國民政府的腐敗和暴行，遊行示威並發生衝突，史稱「二二八事件」，蔣介石血腥鎮壓了這次運動，事件受害者多達三萬人。

114　關於毛澤東的反應和他最終的謀劃，見《毛澤東選集》卷四以及《中國的內戰：1945–1949 年的政治鬥爭》，第 13 章，頁 781–788。

115　關於這個問題着重看 Joseph Yick, *Making Urban Revolution in China: The CCP-GMD Struggle for Beiping-Tianjin, 1945–1949*, Armonk, M. E. Sharpe, 1995.

116　出席這次全會的有中央委員 34 人、候補中央委員 19 人，列席會議的有 12 人，《年譜》3，頁 461–466，《毛澤東選集》，2 版，卷四，頁 379–394。王明和李立三也參加了這次會議。這次重要的會議無疑並沒有表面上那麼和諧，而且還有很多值得探究的地方。俄羅斯歷史學家阿爾蘭・梅里克塞托夫（Arlen Meliksetov）在《遠東事務》（*Far Eastern Affairs*）雜誌上發表的一篇文章〈新民主主義與中國對社會經濟發展道路的選擇（1949–1953）〉（ "New Democracy and China's Search for Socio-economic Development Routes, 1949–1953," Moscow, Russian Academy of Sciences, no. 1, 1996, pp. 75–78），其中隱晦地表示，在這次決定性的全體會議上，毛澤東和劉少奇之間在進行權力角逐：對毛澤東而言，選擇與民族資產階級和民主知識分子聯合的策略，是出於奪取政權的需要，這個策略本身的作用在獲得全國勝利之後不可能維持太久。而相反，劉

少奇所選擇的政治策略在整個新中國的建設階段能持續10到15年。無疑，1947年3月到1948年3月間兩個革命力量領導中心的存在強化了兩人之間的對立。當時在陝北一方，有毛澤東、周恩來和任弼時；而在河北西柏坡一方有劉少奇、朱德和董必武，後來又加入了彭真、聶榮臻、薄一波和鄧小平。儘管後者是服從於前者的，但雙方之間由於通信困難等原因，導致集中了行政機關的西柏坡一方事實上具有一定的獨立性。

117　*Saich*, doc. H26, pp. 1346–1351.

118　《毛澤東選集》，2版，卷四，頁1405–1407頁，〈把軍隊變為工作隊〉，1949年2月8日。其中有一句話充分説明了毛澤東實際上對工人階級並不信任 ——軍隊幹部「要善於領導工人和組織工會」。

119　關於這段發展歷程，在克里斯汀·懷道爾（Christine Vidal）於2007年12月在法國社會科學高等研究院進行答辯的名為《政治角力：20世紀上半葉中國非共產主義知識分子與毛澤東主義政權的出現》(*à l'épreuve du politique: Les intellectuels non-communistes chinois et l'émergence du pouvoir maoïste dans la première moitié du XXᵉ s*) 的博士論文中有大量材料，所有關於毛澤東的文章和之後段落裏的參考文獻，都摘錄自毛澤東的書信集、中共中央1989年到1992年間公布的檔案文獻、大量的內部報紙，以及最近30年出現的個人回憶錄。論文的結論在克里斯汀·懷道爾的一篇文章中有概述：〈從一種制度到另一種制度：歸順於社會主義制度的知識分子1948–1952〉("D'un régime à l'autre: Les intellectuels ralliés au régime communiste, 1948–1952")，發表於《中國研究》(*Études chinoises*, vol. 28, 2008, pp. 41–68)。

120　Georges Labica, *Dictionnaire critique du marxisme*, Paris, Presses Universitaires de France, 1982, article, "Intellectuels," pp. 465–468.

121　《毛澤東選集》，2版，卷四。

122　毛澤東特別提到胡適（1891–1962）、傅斯年（1896–1950）和錢穆（1895–1990），在倫敦和柏林受過教育的傅斯年是歷史學家顧頡剛的朋友。顧頡剛有着歷史學家獨到的專業眼光，包括強烈的批判精神。他是中國史學會總理事。1945年7月，他和黃炎培去延安會見毛澤東。這次會晤加深了他對共產主義體制下自由問題的擔憂。1949年1月他去了台灣，在那裏對國民黨進行監督批判。

123　竺可楨（1890-1974）是接受美國式教育的高端科學家，他表達了對辯證唯物主義信條的反對聲音，不願接受官方的意識形態。

124　《年譜》3，頁310和312。

125　羅隆基（1896-1965），在美國和英國受過教育的政治科學專家，他在中國度過了他的大學教員和記者生涯，特別是作為天津知名報刊《益世報》和上海多份自由勵志雜誌的主編，也是民主同盟創始人。

126　曾有過一些充滿熱情的重整活動，但畢竟是少數派的意願。

127　費孝通（1910-2005），受過美國和英國教育的他長期佔據北京清華大學人類學講壇，清華大學是美國在義和團運動後用清政府的賠款創建的。

　　　張東蓀（1886-1973），這位深受西方思想影響的文人對馬克思主義理論是有所保留的。他曾是燕京大學哲學教授，燕京大學是哈佛大學在北京創辦的。他認為以犧牲民主自由為代價的前提是要優先進行中國現代化建設，在這個過程中要保留作家和藝術家的創作自由。曾因愛國熱情被日本人囚禁的他也是民主同盟主要負責人之一。

128　克里斯汀・懷道爾引用了左玉河：《張東蓀文化思想研究》（北京：中國社會科學出版社，1998），頁421-423。

129　出處同上，頁223-224，引用了2001年公開的日記，頁1254-1255。

　　　張元濟（1867-1959），出生於浙江一個文人家庭，1892年中進士，被光緒帝召入翰林院任庶吉士，後在慈禧太后的壓力下於1898年被清廷革職。他投資創建上海商務印書館，是20世紀30年代中國主要新聞投資人之一。他逐漸把權力交給合夥人王雲五，直到王跟隨國民黨逃到了台灣。1948年開始，張元濟與共產黨關係密切，最後留在了大陸。

130　馮友蘭（1895-1990），1934年出版的《中國哲學簡史》的作者，當時革命學生批判的犧牲品，在毛澤東給他的回信中被安慰説可以換上「新皮」，糾正他錯誤的想法。

131　克里斯蒂・懷道爾經常引用柳亞子（1887-1958）、黃炎培（1878-1965）和宋雲斌（1897-1979）的文章。

132　Alain Roux, "La tragédie du 2 février 1948 de la Shenxin no. 9: Une grève de femmes?," in Marie-Claire Bergère, *Aux origines de la Chine contemporaine*, Paris, L'Harmattan, 2002, pp. 44-82. 運動中三人被槍擊身亡，數百位參與罷工者被捕。

133 Alain Roux, "Le syndrome de Ye Gong: Le Parti communiste et les ouvriers de Shanghai en 1949," in Yves Chevrier, Alain Roux et Xiaohong Xiao-Planes, *Citadins et citoyens dans la Chine du XXe s*, éditions de la Maison des Sciences de l'Homme, 2009.

134 Thomas Bernard, *Labor and the Chinese Revolution*, Ann Arbor, University of Michigan Press, 1983, pp. 256–262. 張麒：《上海工人紀實》（北京：中國大百科全書出版社，1991），頁251–260。

135 在劉少奇的名譽領導和陳雲的指揮下，總工會有三位副主席。朱學範（1905–1996），秘密黑幫組織青幫的成員，杜月笙最得意的弟子，正在逐漸向共產黨投誠。這件事在1949年3月上海的共產主義地下報刊《勞動通訊》裏是有記載的。我們習慣把朱學範介紹為「流氓杜月笙」的「結義兄弟」。Brian Martin, *The Shanghai Green Gang: Politics and Organized Crime, 1917–1937*, Berkeley, University of California Press, 1996.

136 這個方法很好地反映了毛澤東舉措上的含糊不清，這與他對知識分子的態度類似。他現在需要社會外力的支持，但他又有所懷疑，想在適當的時候淘汰並整合外力。在上面引用過的作品第462頁156條，克里斯汀・懷道爾在1947年11月30日把毛澤東的電報發給了斯大林，認為革命勝利後只有共產黨是權威的。斯大林在1948年4月20日開始搞民主，他回應毛澤東「應該要與代表中產階級的反對黨」合作。

137 Maire-Claire Bergère, *L'âge d'or de la bourgeoisie chinoise*, Paris, Flammarion, 1986, pp. 276–297.

138 Maire-Claire Bergère, *Histoire de Shanghai*, Paris, Fayard, 2002, pp. 368–373.

139 盛丕華（1903–1961），祖籍寧波，這個發達的生意人早在抗日戰爭時期就與共產黨地下黨有過接觸。他後來成了上海市副市長之一。

140 沙千里（1901–1982）和律師史良都是「七君子」事件的受害者，1937年因為宣傳抗日活動，以危害民國罪被蔣介石逮捕並審判。他們也因此成了共產主義事業的同路人。

141 黃國棟回憶了服務生領班時期的杜月笙（參見朱學範的專題作品《舊上海的幫會》〔上海：人民出版社，1986〕）。我們知道當張元濟遇見毛澤東後，直截了當地批評了這種想法，上海貧民窟三巨頭二當家張嘯於1940年被國民黨特務組織暗殺，理由是懷疑他暗中支持日本人。三當

家黃金榮死在他上海家中的床上。在簡短的訃告裏，《人民日報》只是對他所處的生存環境表示了遺憾。

142 《年譜》3，頁 469 和《金》2，頁 917–918。

143 1905 年出生。畢業於廣東農業學院。曾任劉伯承的政治特派員。

144 現在的河北省涿州。如今，這個河北城市以北 10 公里處開始已是直轄市北京的行政區域。

145 滕代遠，1905 年出生，這位湖南人在 1925 至 1927 年曾經是湖南省農民協會的成員。曾經和彭德懷一起參加了 1928 年 7 月的萍鄉起義。他跟隨部隊到井岡山後參加長征並且到莫斯科的軍事學校學習。1945 年成為中央委員會委員，任中共中央軍委參謀長。1946 年 1 月參加與馬歇爾的談判。國共戰爭時曾任劉伯承的智囊團成員。他擅長後勤工作，抗戰勝利後成為鐵道部部長。軍部定向培養葉劍英做北京市市長。

146 這位羊倌曾作為農民起義的偉大領袖在 1644 年征服北京城，明朝的末代皇帝因此自殺。1645 年在西安稱帝後，沒落王朝得到滿族征服者的幫助，將李自成殺死。

147 李濟深（1885–1959），廣西幫三領袖之一，在 1927 年 12 月成為廣東省政府主席，而當時共產黨已策劃發動一場空前的起義。之後，他就像他廣西幫的同僚們一樣和蔣介石關係密切。1947 年被國民黨除名後，他在 1948 年成立了中國國民黨革命委員會並任主席。統一戰線的成員還有：孫中山的遺孀宋慶齡、廖仲愷的遺孀何香凝、譚平山和柳亞子。1949 年 2 月來到北京後，李濟深與共產黨合作。

馬叙倫（1885–1970），這位浙江的文人很早便加入了孫中山的同盟會。1916 年成為北京大學的中國哲學老師，他參加了 1919 年的五四運動，在推廣白話文學的運動中和胡適的友誼破裂。身為國民黨黨員，他與蔣介石保持着距離。1945 年發起組織中國民主促進會。1946 年 6 月 23 日在南京下關車站被特務毆傷，之後他參加了一個反對恢復內戰的代表團。1949 年春天他來到北京與共產黨合作。

148 儘管當時狂風引起了沙塵暴，但是為了慶祝城市解放，2 月 3 日北京組織了一場大規模的閱軍儀式。

149 《毛澤東選集》，2 版，卷四。

150 《金》，頁 917，摘自 1986 年 10 月青年出版社出版的閻長林的回憶錄。

151 *Mao Tsé-toung, Textes*, 1949–1958, Paris, éditions du Cerf, 1975, p. 13; *Mao, Tsé-toung, poésies complètes*, Paris, éditions Seghers, 1975, p. 81 et p. 79. 中文版本於1961年在北京出版。

152 1926年春天，毛澤東和柳亞子第一次在廣東會面。之後毛澤東以國民黨高級公務員兼中央行政委員會候補委員的身份逗留在這個城市。而柳亞子也前來參加中央行政委員會會議。這次1941年的碰面對雙方而言都意義非凡。柳亞子更是在與毛澤東的和詩中寫道：「粵海難忘共品茶」。

153 1945年8月底到10月初，毛澤東在重慶和蔣介石談判。之後遇到柳亞子，柳亞子請毛澤東手書〈沁園春・雪〉，見王曉苓 (Céline Wang) 的文章。

154 毛澤東於1918年首次住進老北京城。

155 流經頤和園宮殿群的人工湖。

156 《毛澤東選集》，2版，卷四，頁1460–1462。

157 幾乎甚麼都沒剩下，因為國民黨大規模地摧毀了建築群。

158 司徒雷登 (John Leighton Stuart，1876–1962) 是一位新教傳教士。他長期生活在中國，和中國有着千絲萬縷的關係，特別是曾任北京燕京大學校長。共產黨員黃華畢業於這所學校，他曾被委任管理在南京居住的外籍人士。司徒雷登在1941年到1945年期間被日本人軟禁。1946年7月到1949年8月擔任美國駐華大使。參見Yu-ming Shaw, "John Leighton Stuart and US-Chinese Communist Rapprochement in 1949: 'Was there Another Lost Chance in China?'," *The China Quarterly*, no. 89, March, 1982, pp. 74–96.

159 黃華，出生於1913年，畢業於北京的燕京大學 (美國)，當時的校長是司徒雷登。聰明的他精通英語，畢生致力於為中國共產黨和美國政府建立關係。他對毛澤東領導的政府充滿信心，扛過了所有政治危機，1971年任聯合國中國代表和1976至1982年期間任外交部部長是他事業生涯的輝煌句點。

160 筆戰「誰輸掉了中國？」是參議員約瑟夫・雷芒德・麥卡錫 (Joseph Raymond McCarthy) 發起的反共產黨運動的內容之一。大部分研究中國問題的美國專家們都是受害者。

161 美國對外關係文件（FRUS, 1949, VIII, pp. 357–59）。1949年7月1日，美國駐華總領事柯樂博（Oliver Edmund Clubb）給國務卿迪恩・艾奇遜（Dean Acheson）寄了一份文件，其中有陸軍上校、延安「迪克西任務」之後任軍事助手專員的大衛・巴雷特（David Barrett）的報告。見John Hart, *The Making of an Army, "Old China Hand": a Memoir of Colonel David Barrett*, pp. 75–78. 周恩來和巴雷特的中間人是為國際社工作的澳大利亞記者邁克・科恩（Michael Keon）。

162 FRUS, 1949, VIII, pp. 711–757. 13 et 24 juin, 1949. 司徒雷登要求共產黨參與和平共存，放棄使用武力，尊重人權。

163 《毛澤東選集》，2版，卷四，頁1491–1497。

164 毫無疑問，選擇這篇文章來完結《毛澤東選集》卷四是有意義的。

165 《毛澤東選集》，2版，卷四，頁1509–1517。

166 托馬斯・羅伯特・馬爾薩斯（Thomas Robert Malthus，1766–1834），英國牧師、經濟學家，《人口學理論》（*An Essay on the Principles of Population*）（1798）作者。他認為：人口是呈指數速率（即2，4，8，16……）增長的，而食物供應呈線性速率（即1，2，3，4，5，6……）增長。為避免不可抗因素如饑荒、傳染病和戰爭，馬爾薩斯傾向於通過晚婚和禁慾手段來控制人口增長。

167 《年譜》3，頁517–581。

168 《逢和金》1，頁3。我們發現，這次談話的參與者中有作家郭沫若和茅盾，電影編劇田漢和洪深，畫家徐悲鴻，哲學家艾青，城市建築家梁思成，民主人士黃炎培、馬叙倫和馬寅初，橡膠大王和慈善家、出生於廈門而生活在新加坡的陳嘉庚，還有前共產黨領袖李立三。

169 25日，毛澤東明確指出五顆星代表革命力量大團結，很明顯，大五角星代表工人階級的領導，即中國共產黨的領導。周恩來反對為田漢抗日戰爭時期的歌曲《義勇軍進行曲》重新填詞。毛澤東贊成周恩來的意見。

170 《逢和金》1，頁1–7。

171 與有的記載相反，毛澤東説普通話，這是國家的通用語言。毛澤東做校長時推廣普通話教育，但是他自己保留了很重的鄉音。

172 即主席毛澤東、6名副主席和56名委員,共產黨員和非共產黨員人數相同。

173 根據艾瑞克・霍布斯邦(Eric Hobsbawn)的表述,「20世紀」是指從1914年到1991年蘇聯解體。

174 《毛澤東選集》,2版,卷四,頁1468-1482和 Saich, doc. H28, pp. 1364-1374.

175 康有為在《大同書》中描寫了理想國,這篇手稿只在親友間傳閱,但是在他死後的1935年出版。他描繪了沒有國界、沒有軍隊的世界,這個世界裏人人和睦相處,各個團體自給自足,世界的秩序由高山上的法庭管理,各個團體之間用電話網聯繫。

176 見註釋174。

177 洪秀全(1814-1864),造反者,後成為太平天國的天王,認為自己是耶穌的弟弟。他從外國宗教裏找尋真理。

康有為(1858-1927),這位文人從1868年的日本明治維新改革中獲得了部分政治靈感。

嚴復(1854-1921),從1897年開始翻譯了托馬斯・亨利・赫胥黎的《進化與倫理學》、亞當・斯密的《國富論》和郝伯特・斯賓塞的《社會學研究》。他宣傳經濟自由主義和社會達爾文主義。西方和他的思想對孫中山的影響毋庸置疑。

178 Anita Andrew and John Rapp, *Autocracy and China's Rebel Founding Emperors: Chairman Mao, and Min Taizu*, Lanham, Rowman and Littlefield, 2000.

第十二章　激進的創造者(1949-1956)

1 Melvyn C. Goldstein, *A History of Modern Tibet, 1913-1951: The Demise of the Lamaist State*, Berkeley, University of California Press, 1989, pp. 186-211. 1911至1930年,西藏嘗試通過多次改革來鞏固它的獨立性,建立真正的行政管理和強大的軍隊,但是拉薩和日喀則的大喇嘛廟拒絕交稅。

改革失敗後，曾就讀於牛津大學的改革派平旺多傑被趕下台，1934年5月20日被施以酷刑挖去雙眼。「神欲使誰滅亡，必先使其瘋狂。」

2　《逢和金》1，第二章〈訪問蘇聯〉，頁28-58。François Joyaux, *La tentation impériale: La politique extérieure de la Chine depuis 1949*, Paris, Imprimerie Nationale, 1994, pp. 21-24. *Short*, pp. 367-371.

3　《中國的黎明》（*Dawn out of China*）於1948年由孟買人民出版社（Bombay, People's Publishing House）出版，1949年由昨日今日出版社（éditions Hier et Aujourd'hui）翻譯成法文，題為《我看到了新中國》（*J'ai vu la Chine nouvelle*）。

4　毛澤東曾在幾週內阻止新中國和英國建立外交關係。

5　說明毛澤東的情緒不佳，因為早在1949年10月16日中國已經和外蒙古建立了外交關係。

6　毛澤東比斯大林高整整15厘米，因此斯大林在拍官方照片時向前跨了一米，這樣看上去就能和毛澤東一樣高。

7　François Joyaux, *La nouvelle question d'extrême-orient: L'ère de la guerre froide. 1945-1959*, Paris, Payot, 1985, p. 145. 作者引用了毛澤東在1957至1958年期間的聲明。

8　《逢和金》，頁53。毛澤東在蘇聯居住時發表的各種聲明都被記錄在高英茂（Michael Kau，也翻譯為邁克爾・高）《毛澤東文集1949-1976》中（*Kau*, pp. 3-61）。其中的好幾篇文章也被收入《毛澤東選集》（北京：北京外語出版社，1977），卷五和《毛澤東文集1949-1958》（*Mao Tse-toung, Textes 1949-1958*, Paris, Éditions du Cerf, 1975）。

9　Christine Vidal, *À l'épreuve du politique*, pp. 476-588 和《毛澤東文集》卷六。

10　*Kau*, pp. 97-103.

11　Ibid., pp. 54-55. 由香港研究院黃玉川1970年根據毛澤東生平的多方面資料編譯而成。

12　*Kau*, pp. 67-69.

13　關於朝鮮戰爭的問題，見 *Short*, pp. 371-379; Goncharov Sergei, Lewis John Wilson and Xue Litai, *Uncertain Partners: Stalin, Mao, and the Korean War*, Stanford, Stanford University Press, 1993, pp. 148-152; Zhang Shuguang, *Mao's Military Romanticism, China and the Korean War*, Lawrence, University Press of Kansas, 1995, pp. 92–244. 我不同意張戎和喬・哈利戴的分析（*Jung*, pp. 389–398）。他們認為毛澤東自從到莫斯科之後，便支持金日成，1948年策劃的行動來強迫斯大林在軍事上支援中國，使中國也能成為軍事強國。他倆引用的文章片段經常很極端。

14　《逄和金》1，頁 109–110。

15　共產黨情報局打算配合他們的活動。

16　蘇聯代表馬利克曾向斯大林要求行使否決權，但是被斯大林拒絕了。總而言之，美國政府一定會介入朝鮮戰爭。

17　除了毛澤東，書記處成員還包括劉少奇、周恩來、朱德和陳雲。10月27日任弼時死於腦血栓，陳雲接替了他的職務。

18　《逄和金》，頁 114–117，毛澤東致斯大林電報的草稿複印件。

19　鄧小平和康生的各項對外聲明指出中國士兵的死亡人數達到四十萬，成千上萬的士兵被凍死。

20　〈祝賀中國人民志願軍的重大勝利〉，1952年10月24日；〈抗美援朝的偉大勝利和日後的任務〉，1953年9月12日。

21　周恩來和彭德懷曾經向毛澤東隱瞞毛岸英的死訊。中國領導人們認為朝鮮局勢非常危急因此不宜擾亂毛澤東。豈料三個月後彭德懷和毛澤東突然碰面，毛澤東得知他兒子的死訊，將軍請求毛澤東原諒他沒有盡到保護毛岸英的責任。毛澤東震怒到無法點煙。之後他把毛岸英的死歸結為戰爭裏不可避免的犧牲。

22　*Kau*, pp. 201–202, 254–259, 419–421.

23　韓丁所著關於1947至1948年土地改革的作品《翻身》（*Fanshen*）中對可怕的「批鬥會」進行了經典的描述。

24　大多數專家不接受台灣提出的1,500萬這個說法。但是不能排除500萬這個數字，特別是如果把被牽連其中的地主階級的親人也計算在內的話。

25　*Kau*, p. 69. 資料非常不完整並且主要是毛澤東的評價，由紅衛兵歷史學家戚本禹摘錄在他的文章〈愛國主義還是賣國主義 —— 評反動影片《清宮秘史》〉中，1967年4月1日發表在《人民日報》上。1919年五四運動時，陳獨秀對義和團的評價非常負面，當他被推舉為中國共產黨總書記之後，他進行了自我批評。見 Hélène Carrère d'Encausse et Suart

Schram, *Le Marxisme et l'Asie 1853–1964*, Paris, Armand Colin, Collection U, 1965, pp. 289–291 et pp. 310–321; Cheng Yingxiang et Claude Cadart, *Mémoires de Peng Shuzhi: L'envol du communisme chinois*, Paris, Gallimard-NRF, Collection Témoins, 1983, pp. 398–402.

26 *Kau*, pp. 189–201. 毛澤東的文章刊登在1951年5月20日的《人民日報》上，題為〈應當重視電影《武訓傳》的討論〉。

27 陶行知（1891–1946），受到約翰·杜威和明朝新儒家學者王陽明啟發的革命教育家。他曾經加入民主聯盟，1946年1月10日在重慶遭到國民黨流氓的毆打。

28 Roxane Witke, *Comrade Chiang Ch'ing*, Boston, 1977.

29 *Kau*, pp. 233–234.

30 *CHOC* 14, pp. 83–88.

31 *Kau*, pp. 161–162. 近十幾年，很多參加土改運動工作組的知識分子出版了日記，克里斯汀·懷道爾的論文從這些日記中找到了許多知識分子對農民的暴行感到恐懼的段落。

32 *Kau*, pp. 180–195.

33 Jean-Luc Domenach, *Chine, L'archipel oublié*, Paris, Fayard, 1992.

34 1949年以前，這座名為國泰大廈的酒店曾屬強大的沙宣家族。

35 Marie-Claire Bergère, "Changements sociaux et population chinoise après la révolution (1949–1961)," in *Perspectives chinoises*, no. 57, jan.-févr., 2000, pp. 4–18.

36 *Kau*, pp. 251–252, 283–285. 黃炎培代表「民主建國會」（簡稱民建）向人大提出報告，毛澤東提出修改意見。1952年9月5至13日期間毛澤東和黃炎培的書信往來都收錄在《建國以來毛澤東文稿》3，頁533–537（《文稿》）。這套13卷的重要出版物由中共中央文獻研究室在1987至1998年期間出版。

37 〈團結起來，劃清敵我界限〉（1952年8月4日）。

38 同上。

39 Stuart Schram, *La révolution permanente en Chine*, Paris, Mouton, 1963. 我更傾向於把「不斷革命」翻譯成「不間斷革命」，因為這個政治概念和列夫·達維多維奇·托洛茨基（Leon Trotsky）的「永久革命」有巨大的差別。

40　這篇通知到1953年2月15日才被中共中央委員會採納。完整的文件見
　　Theodore Chen ed., *The Chinese Communist Regime: Documents and Commentary*,
　　New York, Praeger, 1967, pp. 218–221. 執行通知拖拉的原因既有劉少奇對農
　　業集體化的抵制，還有群眾路線的實施：從群眾中來、到群眾中去的
　　群眾路線的實施，也多少見證了農民對加入農業合作社不怎麼熱情。

41　*Kau*, pp. 296–299. 毛澤東給鞍山鋼鐵工人的祝賀信寫作時間不詳，刊登
　　在1953年12月25日的《人民日報》上。

42　*Kau*, pp. 301–302，引述1957年3月28日《河南日報》刊登的王華雲工程
　　師的回憶。

43　前言是列寧的〈工人和被剝削者的權利〉，用來取代法國大革命的《人
　　權宣言》。列寧認為後者只保障資產階級的權益。

44　《逢和金》1，頁316。

45　毛澤東在1967年請人在私人泳池邊建造了一座有臥室的小亭子，晚年
　　很少離開那裏。因為毛澤東很討厭緊身的衣服，所以後來他通常穿着
　　浴袍接見訪客。

46　Li Zhisui, *la Vie Prvée*, pp. 107–116. 李志綏在1954–1972年期間曾是毛澤
　　東的私人醫生。他誇大了與毛澤東的親密程度。pp. 178–183對毛澤東
　　的特別秘書葉子龍殘忍的形象有描寫，葉子龍提供年輕的處女給毛澤
　　東也許是事實。關於李志綏的書的可信程度，我同意泰偉斯 (Frederik
　　Teiwes) 的觀點，參考本書前言 (《毛澤東傳：叛逆者〔1983–1927〕》第
　　xxiv–xxv頁) 和前言註釋19。

47　據李志綏所説是正常劑量的十倍。根據他的回憶，這些本會殺死毛澤
　　東的藥劑膠囊引發了一種欣快症：毛澤東曾經巴比妥上癮。

48　1950年12月29日，毛澤東寫信給他的朋友周世釗説：「晏睡的毛病正
　　在改，實行了半個月，按照太陽辦事，不按月亮辦事了。但近日又翻
　　過來，新年後當再改正。多休息和注意吃東西，也正在做。總之如你
　　所論，將這看作大事，不看作小事，就有希望改正了。」(*Kau*, pp. 154–
　　155) 周世釗 (1897–1976) 曾是毛澤東在長沙第一師範學院的同窗。他
　　在1916年加入了由毛澤東建立的新民學會。他後來成為師範學院的校
　　長。1951年12月，毛澤東在北京接見了這個湖南人。

49　李銀橋，1927年出生在河北，1938年參加革命，留下了一本回憶錄名
　　為《在毛澤東身邊十五年》(石家莊：河北人民出版社，1992)。

50　對於李志綏認為主席不講衛生這一點，我們應該要這麼理解：當他在1951年12月第一次見到毛主席的時候，周世釗問主席是不是仍然堅持洗冷水澡。而毛澤東的回答的確破壞李志綏對他的印象。毛澤東當時說：「我年紀大了，現在不能那麼洗了。但我洗澡的方式還是和別人不一樣，別人是在澡池子裏泡熱水澡，而我是先用冷水往身上潑，然後沖個澡。這樣一來，即洗了澡還能清醒頭腦。」*Kau*, p. 295，摘自1958年8月1日《體育報》上一署名張子志的文章〈毛主席體育軼事〉。

51　在傅連璋（又名 Nelson Fu，1894–1986）醫生做主席的保健醫生期間（參見第七章），我們發現毛澤東只相信在西方留過學的醫生和他們開的西藥，儘管他對傳統中醫的功效一直讚不絕口。

52　1952年起，他患上了精神紊亂症，這在醫學裏屬神經衰弱的一種。有一種未經考證的說法是，1953年冬天在浙江莫干山的一個診所內，他原本想寫些東西，但他的情緒異常激動，和梁漱溟爭執起來。身邊很多人都勸他休息一陣，因為他看起來實在太勞累了。這是1974年診斷出來的肌無力的前期反應，還是僅僅是由於生活不規律和過度使用安眠藥導致的呢？

53　Li Zhisui, *La vie prvée*, pp. 160–169. 專列火車共有十節車廂，一節是毛澤東的，一節是江青的（她很少陪伴毛澤東），一節用作飯廳和廚房，一節設置為毛澤東的圖書室，裏面還有一張大床，另外有四節是警衛員的宿舍，一節作為工作人員的食堂，還有一節做了醫務室。當專列在某條線路上行駛的時候，所有沿線相關的交通都會暫停，火車站也會清場。空調是到了1960年的時候由一家德國公司裝的。

54　李志綏還回憶道，據說毛澤東的專機是一架24座小型雙發動機飛機，裏面的座位被撤掉換成了一張床，一張桌子，兩張朝前和四張朝後的椅子。飛行途中有四架戰鬥機護航，另外還有由坐着官員和警衛的四架飛機組成的機隊跟着。在1955年農村合作社運動的時候，毛澤東經常坐專機到各地視察、督促工作。

55　Li Zhisui, *La vie prvée*, p. 473.

56　1966年6月18日到28日期間他都在那裏。

57　*Spence*, p. 174.

58　張忠蘭（Jolan Chang），《愛之道》（*Le tao de l'art d'aimer*, Paris, Calmann-Lévy, 1977, pp. 141–153），李約瑟（Joseph Needham）作序。參見 *La vie privée*, pp. 374–381 或見法國《歷史》（*L'histoire*）雜誌 2007 年 5 月第 320 期〈中國人，女人，性〉（"Les Chinois, la femme et le sexe"）。尤其在卡特琳娜‧德斯波（Catherine Despeux）的〈私房的藝術和道〉（"Le tao ou l'art de l'alcove"）一文中，我們找到了一段作者引用葛洪（pp. 272–341）的話，這段話解釋了毛澤東的性生活：「為甚麼情慾的生活會有損健康？長生不老的最基本道理就是永葆青春。一個男人如果對房事很了解，那房事不僅能讓他無病無恙，還能延年益壽。一個壯年男子如果知道如何讓精液回流，採『陰』修補大腦，吸收陰道的玉液，他不需要服藥就能活三百歲」。

59　張玉鳳在雜誌《求實》1993 年第三冊中發表了〈我給主席當秘書〉一文。史景遷在他的毛澤東傳記（*Spence*）第 219–220 頁中這樣介紹：從 1972 年起，是她幫助毛主席用餐，並且也是由她來決定主席的精神狀態是否合適會客。1974 年起，毛主席的口齒越來越不清楚，也是由她來解釋主席說的話。史景遷還說，從嚴格意義上說，她是主席與外界交流的接口。

60　*Jung*, pp. 492–493. 1959 年 7 月毛澤東悄悄地把賀子珍請到廬山。看到毛澤東的時候，賀子珍激動得差點舊病復發。回到南昌之後，她就一直處於精神恍惚的狀態，直至 1984 年去世。這段悲慘的故事是通過 1994 年到 1998 年間對賀子珍幾位朋友的採訪才為人所知的，王行娟於 1984 年通過作家出版社出版的《賀子珍之路》一書中對此也有記錄。

61　*Spence*, pp. 156–159，用到了《毛澤東書信選集》（北京：人民出版社，1984）。

62　《主席詩詞三十七首》（*Treize poèmes du président Mao*），雄鹿出版社（Cerf, pp. 68–69）。

63　《文稿》4，頁 301。

64　《文稿》3，頁 629。

65　2006 年 9 月第 187 期《中國季刊》（*The China Quarterly*, pp. 700–754），這些文章主要來自克里斯多夫‧休謨（Christopher Hume）、劉建輝、王洪武和余柳等幾位倫敦大學亞非學院特邀的研究中華民國歷史的學者。

66 可以這麼說：1978年鄧小平成功領導的改革開放運動使自1953年秋以來被毛澤東打破的那種混合經濟體制得以恢復和發展。

67 《文稿》3，頁21。

68 根據廣東省檔案館館藏檔案：〈華南分局第七十二次常委會羅瑞卿同志的傳達報告〉（206-1.44, pp. 58-67）。文字於2007年6月由北京大學楊奎松教授向作者提供。

69 薄一波，參見本書第九章。這個陝西的愛國游擊隊員在當地成為一位經濟領導者，1949年起任財政部部長。

70 《逄和金》1，頁251。

71 *Kau*, pp. 329-332.

72 《毛澤東文集》，卷六，頁271。

73 毛澤東：〈關於利用、限制和改造資本主義工商業的若干問題〉，1965-06-15。

74 1984年出版的《毛澤東書信選集》中收錄了1954年11月18日毛澤東給劉少奇、周恩來等人的一封信，毛澤東建議他們閱讀《人民日報》刊載的蘇聯新作《政治經濟學教科書》第二十二章的譯文，認為「在社會主義全部或大部建成以前不可能有社會主義經濟法則」的說法是錯誤的。

75 我之後會更深入地討論高、饒政治危機這個話題。但現在要說的是，毛澤東喜歡搞內部鬥爭，而這起事件也正是由他引起的。

76 現在我們沒有這次重大財經會議的會議紀要。2007年6月7日至9日，在社會科學高等研究院和法國東方文化中心共同舉辦的國際研討會上，蕭小紅對毛澤東在1954年憲法制定中所起的作用做出了評論。我們這裏所引用的是她在發言中提到的有關財經會議的內容。

77 陳雲很謹慎地為薄一波平反，他說：「如果他有一點右傾的思想，他就不會這樣寧願犯一個左傾的錯誤也不要犯右傾的錯誤。」

78 *Kau* 1, p. 384，1953年9月7日的指示認為，一個企業的利潤應該分配為四部分：所得稅34.5%，福利費15%，公積金30%，資方紅利20.5%。

79 *Kau*, pp. 363-375：〈共產黨在過渡時期的總路線〉和〈反對黨內的資產階級思想〉。關於此次會議最詳實的記載是《逄和金》1，頁255-263，書中包括1997年12月出版的薄一波的回憶錄，給了我很大啟發。

80　這種發展很大程度上得益於莫希・萊文（Moshe Lewin）對蘇聯社會主義的批評。他在《蘇維埃》（《蘇聯的二十世紀：蘇維埃體制的崩潰》，英語原版標題為：*Russia's Twentieth Century: The Collapse of the Soviet System*, Paris, Fayard/le Monde diplomatique, 2003）及《列寧最後的鬥爭》（*Le dernier combat de Lénine*, Paris, Minuit, 1967）中都做了相關的批判。此外，我們也看到了夏爾・貝德爾（Charles Bettelheim）在他的《蘇聯國內階級鬥爭》（*Les luttes des classes en URSS*, Paris, Le Seuil/Maspero），《第一時期1917–1923》（*1re période 1917-1923*, 1977），《第二時期1923–1930》（*2e période 1923-1930*, 1977），《第三時期1930–1941》（*3e période 1930-1941*, 1982），前兩個時期中以毛澤東對大躍進所做的分析為基礎，對這種體制做了明確的批判。

81　*Kau*, p. 327.

82　《逢和金》1，頁316–317。

83　《憲法》在第一屆全國人民代表大會上經在場的1,197位代表表決全票通過。代表們是通過從最基層的地方選舉大會到最後的舉手表決，經鄉、縣、省三級選民選出來的。1954年的代表大會上，黨員代表的比例為54.88%，全國政協的79位委員中有40位是黨員。

84　*Mao V*, pp. 151–157.

85　楊絳的《洗澡》中有對這種再教育的絕好描述。

86　日本竹內實（Takeuchi Minoru）所編《毛澤東集》第10冊中，我們找到了描述那個特殊年代的2,212篇文章。

87　這一段素材主要的來源是 Frederick Teiwes, *Politics in Mao's Court: Gao Gang and Party factionalism in the Early 1950s*, Armonk, M. E. Sharpe, 1990；《逢和金》1，頁281–288。主要內容均可在 *Kau 1*, pp. 527–554 中找到。

88　我們對饒漱石了解甚少，有關他的生平資料即使在今天也仍然顯得很神秘。從現有的一張照片看，他留着大鬍子，像個俄國人。他應該在法國、蘇聯和美國都待過一段時間。

89　《劉少奇年譜》（1996），卷一，頁349。

90　1953年上演的這些事件的細節似乎令人厭煩，而且不確定。沒有一個像聖西蒙那樣的人來給我解開謎團，我對此只是了解個大概。

91　*Mao V*, pp. 96–99.

92　劉少奇下的這些指令是經過毛澤東和黨內領導授意的。共產黨的力量在當時國民黨的政治壓迫下幾乎快被殲滅了，他們迫切地需要軍隊來支援白色恐怖區。參見 Patricia Lubell, *The Chinese Communist Party and the Cultural Revolution: The Case of the Sixty-One Renegades*, Houndmills, Palgrave, 2002.

93　1981年6月通過的《關於建國以來黨的若干歷史問題的決議》第14條說：「一九五五年三月召開的黨的全國代表會議，總結了反對野心家高崗、饒漱石陰謀分裂黨、篡奪黨和國家最高權力的重大鬥爭，增強了黨的團結。」

94　梁漱溟，1893年生，與毛澤東同齡。我們現在所能讀到的名為〈批判梁漱溟的反動思想〉的文章已經被大幅度修改過，語氣緩和了不少。*Kau*, pp. 396–407. 我的資料大多來源於艾愷（Guy Allito）的《最後的儒家》（*The Last Confucian*）。

95　韓非子生活在公元前3世紀的戰國時期，是法家思想的代表人物。法家主張以法治國，以此來保證國家的強盛。法家同時也是「國家利益」理論的先驅。勒維（Jean Lévi）譯，《商君書》（*Le livre du Prince Shang*, Flammarion, 1981）。

96　他也提到了司馬遷《史記》中的一段歷史：孔子做了魯國國相，以擾亂國政為由把一個叫少正卯的大夫殺了。

97　毛澤東（對梁漱溟）的批評讓陳銘樞很吃驚，不過陳還是成功地把事情平息了：他堅持認為梁漱溟的問題是思想問題而不是政治問題。毛澤東也同意了保留梁漱溟政治委員的資格，讓他進行自我改造，沒有把他歸為「落後分子」之列。

98　*Kau 1*, pp. 412–419, 425–431.

99　與高級農業生產合作社不同，這種合作社是在綜合考慮生產隊員所貢獻的土地、農具、耕畜的基礎上給他們發放生活資料，生產隊員之間會有些不公平。

100　直到1956年1月城市裏才開始用糧票。

101　*Kau 1*, pp. 527–554.《逄和金》1，頁284–288。

102 *Kau* 1, pp. 507–508 et 559–583.《逢和金》1，頁288–307（主要是毛澤東未出版的手稿，時間分別是1954年10月、11月、12月，1955年1月、5月、6月）。

103 曹雪芹在清朝中期完成了這本小說。小說背景是18世紀北京的大戶人家，主要講述了年輕的賈寶玉和他美麗的表妹林黛玉之間淒美的愛情故事。這本書有一個非常好的法語譯本，是由安德烈・鐸爾蒙（André d'Hormon）牽頭，李治華（Li Tchehoua）和雅歌・阿雷扎依絲（Jacqueline Aleza） 合作翻譯， 收在《七星叢書》（*La collection de La Pléiade*, Gallimard, 1981）中出版。

104 胡風多次抗議並絕食，他在最終被釋放的時候已經奄奄一息。1980年，胡風得以平反。

105 毛澤東：〈原子彈嚇不倒中國人民〉，1955年1月28日。*Kau* 1, pp. 516–518.

106 *Kau* 1, p. 669;《毛澤東文集》（北京：人民出版社，1999），卷六，頁484–485。

107 鄧子恢（1896–1972），在建立江西蘇維埃政權期間堅決擁護毛澤東。參加過長征，並帶領一支游擊隊與新四軍會合（譯註：原文有誤，鄧曾在南方參加過游擊戰爭，但並未參加長征）。他在解放戰爭的最後階段領導游擊隊在華南地區配合解放軍的進攻。曾任中共中央中南局第二書記兼中南軍區第二政治委員（一把手為林彪），1953年2月至1959年秋期間擔任中共中央農村工作部部長。

108 劉建輝、王洪武：〈過渡時期總方針的來源以及關於1955年夏中國社會主義改造的提速〉，載《中國季刊》，2006，187期，頁726–731。資料轉引自1993年出版的《建國以來重要文獻選編》，卷六，頁13。

109 不是「文革」中所說的二十萬個，「文革」期間之所以故意少說目的是為了搞垮劉少奇。

110 《逢和金》1，頁374–385。兩位作者主要使用的是中央檔案館於2002年4月出版的關於合作社發展的書。

111 《逢和金》1，頁375，作者引用了毛澤東和鄧子恢談話紀要中的一段。

112 在幅員遼闊的中國，我們擁有地球上幾乎所有的氣候類型和土壤類型，因此所有東西我們都能找到一個先例。

113 《逄和金》1，頁382-384。作者用的是毛澤東在警衛員的報告上手寫的評語以及保存在中央檔案館的其他一些手寫筆記。

114 *Kau 1*, pp. 589-612；《逄和金》1，頁386-419；Robert Bowie et John Fairbank, *Communist China, 1955-1959: Policy Doc. s with Analysis*, Harvard University Press, 1966, pp. 94-105 (*Bowie and Fairbank*). 該文是在1955年10月11日的七屆六中全會上被正式修訂之後才下發的。

115 *Robert et Fairbank*, pp. 42-91.

116 《毛澤東文集》，卷六，頁418；*Kau 1*, pp. 589-612; *Robert et Fairbank*, pp. 94-105.

117 這13人的名單很有趣：劉少奇、周恩來、陳雲、鄧小平、彭真、董必武、彭德懷、陳伯達、陸定一、陳毅、譚震林、鄧子恢和李富春。我們注意到鄧子恢出現在了名單中。8月3日，毛澤東與鄧子恢談了兩個小時話，督促他進行自我批評，對鄧子恢的批評直到第八次全國代表大會上才做出。鄧子恢沒有受處分，甚至還繼續擔任了中共中央農村工作部部長，陳伯達任副手。

118 會議在中南海的懷仁堂舉行，中央委員會增加了很多席位，與會人員共有451人。除了38位中央委員及25位候補委員，毛澤東還邀請了來自各省市的388位知名人士。大會共發出167張邀請函，只對劉少奇、周恩來、朱德、陳雲、彭德懷、彭真和鄧小平等人做了口頭邀請。

　　《逄和金》1，頁398-404。毛澤東10月11日的大會閉幕致詞可參見毛澤東：〈農業合作化的一場辯論和當前的階級鬥爭〉，1955年10月11日，以及 *Kau 1*, pp. 629-654。與其他版本不同的是，這一版本對1991年在北京出版的《毛澤東選集》進行了補充和修正。

119 *Kau 1*, pp. 622-744有完整的翻譯。

120 位於唐山以北70公里的遵化地區。

121 《論語》(*Entretiens de Confucius*, Le Seuil, 1981, XIII, pp. 103-104).

122 關於劉少奇的自我批評，我們手頭僅有的資料都是由紅衛兵出版的，裏面記錄的是劉少奇在1967年到1968年被壓迫期間所做自我批評，紅衛兵對此還不失時機地做了扭曲。也正是如此，在兩份揭發「中國的赫魯曉夫」的文章中，二萬個被篡改成二十萬個。

123 *Kau* 1, pp. 629–654. 摘自《毛澤東選集》(*Xuanji*)。1991 年出版的這個版本質量較好，而1969年雄鹿出版社 (Cerf) 翻譯的《毛澤東思想萬歲》(《萬歲》) 這個版本就很差。

124 《逢和金》1，頁404–410。

125 *Macfarquhar* 1, p. 329, n. 11.

126 *Kau* 1, pp. 670–700.

127 毛澤東趁這次機會闡述了他對辯證法的看法：「從不平衡到平衡，又從平衡到不平衡，循環不已，永遠如此，但是每一循環都進到高的一級。不平衡是經常的，絕對的；平衡是暫時的，相對的。」這離「文化大革命」前夕「一分為二」的思想並不遙遠。

128 參見毛澤東：〈徵詢對農業十七條的意見〉，1955年12月21日。

129 2006年9月《中國季刊》(*The China Quarterly*) 第187期，克里斯多夫・霍伊 (Christopher Howe) 在他組織的「社會主義在中國崛起」("Marée montante du socialisme dans les campagnes chinoises") 的研討會總結中，用大量的細節證明了毛澤東所定的目標不切實際，而第一個五年計劃的目標是相對比較合理的。五年計劃中制定了水稻年產量增長2.7%、小麥年產量增長4%的目標。而實際的增長量為水稻2.2%，小麥3.4%。毛澤東在12年農業計劃中定下了這兩種作物每年分別增長6%和8%的目標，而事實上直到20世紀70年代，其平均增長率都維持在2%左右。

130 我們可以將農民對集體制的微弱反抗與蘇聯農民對集體農莊的強烈抵制做一個對比：為了集體化一匹馬，中國有兩個農民被打傷，而在蘇聯的集體農莊，為了集體化一頭牛，有四個農民被殺害。

131 對於這個問題的答案，白吉爾 (Marie-Claire Bergère)（《1949年至今的中國》*La Chine de 1949 à nos jours*）、畢仰高（《20世紀中國的起義和革命》*Jacqueries et révolution dans la Chine du XX^{e}s*）和余柳 (Yu Liu) 在2006年9月第187期《中國季刊》(*The China Quarterly*) 第732–742頁發表的文章〈中國的政治運動和農村合作社為何走得這麼遠？〉("Why Did It Go so High?: Political Mobilization and Agricultural Collectivization in China") 給了我很大的啟發。

132 參見薄一波：《若干重大決策和事件的回顧》(北京：中央黨校出版社，

1991），頁354–358。這篇文章體現了薄一波所擁有的特權。誠然，他是為數不多的敢於對毛澤東1953年以來大膽的經濟發展計劃提出異議的幾個共產黨領導人之一。

133 即實行戶口登記制。這種居民登記的方式把中國人分為農村人口和城鎮人口兩類，每一類都有自己不同的權利，並且禁止居民私自轉換戶口類型。

134 蘇聯的70,849個村子裏只有23,458個黨支部，因此要將城市招來的無產階級積極分子和小知識分子下放到農村去。

135 毛澤東：〈農業合作化的一場辯論和當前的階級鬥爭〉，1955-10-11。

136 Alain Roux, *La Chine populaire*, Paris, Éditions sociales, 1983, tome I, p. 183.

137 Robert Loh et Humphrey Evans, *Escape from Red China*, 1963, p. 136.《逢和金》1，頁460–465。

138 參見毛澤東：〈加快手工業的社會主義改造〉，1956年3月5日。

139 *Mac Farquhar* 1, pp. 39–56; *Kau* 2, pp. 20–23 et 27–41; *Bowie and Fairbank*, pp. 144–151; Roger Martelli, *1956: Le choc du XXe congrès*, Éditions sociales, 1982; *Survey of China Mainland Press* (*SCMP*), pp. 33–37，由美國駐香港領事館發布，裏面包含了毛澤東2月9日的講話和15日朱德相關意見的英文翻譯。

140 拉約洛和毛澤東的會談可參見1963年8月18日在米蘭出版的《歐洲》（*Europeo*）雜誌。

141 美國駐華沙大使館很快收到了一份複印件，這篇文章幾週之後刊登在《紐約時報》和法國的《世界報》上。

142 閱讀尼古拉・沃特（Nicolas Werth）的書可以更好地理解5月4日的報告中關於偉大功績的陳述。《恐懼和混亂：斯大林和他的體制》（*La terreur et le désarroi: Staline et son système*, Paris, Perrin, collection Tempus, 2007）。

143 我們看到這種分析類似於馬克思在《路易・波拿巴的霧月十八日》中對波拿巴主義所做的分析。

144 該報告的官方版全文收錄於 *Mao V*, pp. 306–331，也可見 *Kau* 2, pp. 33–66引自1969年出版的紅色經典《萬歲》，頁59–67。兩篇文章有多處不同：官方版本省去了《萬歲》摘錄版本（15,000字）中的1,500字，但卻另外多加了《萬歲》版本中所沒有的4,000字。

145 *Kau* 2, pp. 66–71, 161–168. 這些評論的目的不是作出版用。

146 相當於法國的省長級別。

147 這個群體被稱為「知識分子」，差不多可以用「文化人」這個詞來翻譯。出自中共中央於1956年1月14日至20日期間召開的「知識分子問題會議」上周恩來的報告和毛澤東的大會閉幕講話。*Bowie and Fairbank*, pp. 128–143. 這次大會召集了1,779名與會人員，其中不乏許多「大知識分子」，包括有關技術人員和工程師等。*CHOC* 14, tableau 4, p. 210. 毛澤東在8月30日第八次全國代表大會的準備會議上提及此事時說，在1,100萬的黨員中有差不多100萬的知識分子。

148 毛澤東舉了幾個自學成才的例子：高爾基只上過兩年學，魯迅沒有修完大學課程，還有肖楚女同志從沒有上過一天學。事實上，毛澤東所舉的這最後一位，1894年出生於湖北，於1919年至1920年期間在武昌的中華大學上課。作為黃埔軍校的政治指導員，他曾在廣東的農講所授課，而與此同時，毛澤東作為農講所的領袖，帶領海豐農民學習彭湃的農民運動理論。肖同志於1927年4月18日白色恐怖期間被暗殺。

149 *Kau*, pp. 6–16; *Cerf*, pp. 133–142. 根據《萬歲》。出於提高工作效率和緩解矛盾的考慮，1956年1月起，以前的富農和地主也被允許加入農村合作社，而在此之前他們都是被排斥在外的。

150 1955年12月3日，《光明日報》指出：「我們到了一個新時期，知識分子水平很高，他們應該對社會承擔更多的責任。」

151 第一個五年計劃的目標是在1957年實現鋼鐵年產量410萬噸。

152 1954年出版的伊利亞・愛倫堡 (Ilia Ehrenbourg, 1891–1967) 的小說，對斯大林統治時期的社會狀況提出了批判。這次批判運動的高潮是亞歷山大・索爾仁尼琴 (Alexandre Soljenitsyne) 的《伊凡・傑尼索維奇的日記》(*Journal d'Ivan Denissovitch*) 和亞歷山大・萊萬多夫斯基 (Alexandre Tvardovsky) 在《新世界》(*Novy mir*) 上發表的辛酸的短篇小說。

153 特羅菲姆・李森科 (Trofim Lyssenko, 1888–1976)，蘇聯社會學家和農學家，李森科堅持生物的獲得性遺傳，這一說法在1940–1955年間在蘇聯成為主流。他否定孟德爾 (Mendel, 1822–1884) 基於基因的遺傳學和「資產階級科學」。他依靠農學家伊凡米丘林 (Ivan Mitchourine) 弄虛作假的研究在第一個五年計劃時期得到斯大林的極力推崇。

154 D. R. Arkush, "One of the Hundred Flowers: Wang Meng's Young Newcomer," *Papers on China*, Harvard University Press, no. 18, 1964.

155 Alain Roux, *La Chine au XX^e^s*, Nathan, pp. 94–96; Marie-Claire Bergère, *La Chine de 1949 à nos jours*, pp. 68–74.

156 法文版見 Mao Tsé-tung, *Poésies complètes,* Seghers, 1976, pp. 87–88. 在 1957 年2月11日給黃炎培的一封信中，毛澤東說由於在強風下仰泳，他游偏了15公里。*Kau 2*, p. 299.

157 Jean-Luc Domenach, *Aux origines du Grand Bond en avant: Le cas d'une province chinoise, 1956–1958*, Éditions de l'EHESS et Presses de la FNSP, 1982, pp. 46–63.

158 鑒於農民們的努力程度，這個比例很讓人失望，它還跟不上人口的增長。

159 *Kau 1*, pp. 219–220. 批評鄧拓和胡喬木的這篇社論被認為是「文化大革命」的「黑色社論」。

160 *MacFarquhar 1*, pp. 99–168.

161 *Kau 2*, pp. 109–120; *Mao V*, pp. 337–339 ("Renforcer l'unité du Parti et continuer la tradition du Parti").

162 毛澤東在7月14日接見拉丁美洲的兩位記者時，又提到了1946年對美國「紙老虎」的稱呼。儘管如此，經朝鮮戰爭一役，中國志願軍還是被這隻老虎傷到了，「對於這隻紙老虎，戰略上要藐視敵人，戰術上要重視敵人」。

163 *MacFarquhar 1*, pp. 100–102.

164 因為黨章急於推出，最初的版本應該卻沒有先給毛澤東過目：早上呈給他批示時，他還在睡覺。

165 《逄和金》1，頁528–531。

166 參見毛澤東：〈我們黨的一些歷史經驗〉，1956年9月25日。

167 "VIIIe congrès du PCC: Recueil de documents," *Les cahiers du communisme*, Paris, janvier, 1957, pp. 5–9.

168 《逄和金》1，頁531–535。

169 也許毛澤東感覺到有些力不從心。1956年他給亡弟毛澤覃的妻子寫信

說：「我胃口也好，睡得也香，最近幾年應該不會見閻王。不管怎樣，我們應該承認身子在走下坡路了。」難道就是因為這樣毛澤東選擇來年春天暢游長江？

170　1958年納吉・伊姆雷（Nagy Imre）被處決。

171　François Joyaux, *La nouvelle Question d'Extrême-Orient: L'ère de la guerre froide (1949-1955)*, Paris, Payot, 1985, pp. 228-232.

172　紅衛兵出版的版本中的記錄最詳細，*Kau 1*, pp. 158-195，還有華國鋒的修訂本 *Mao V*, pp. 359-373。

173　從「無產階級民主」高於「資產階級民主」的概念中，哲學家阿蘭（Alain）指出在某些詞中加入一個形容詞可以顛覆它的意思，例如「軍事法庭」。

174　*Kau 2*, pp. 199-216.

175　*CHOC 14*, pp. 247-250. 王明於1957年2月16日說他今後要跟着毛主席的想法走（*Kau*, 2, pp. 301-308）。那時，毛澤東仍然認為對官僚主義進行鬥爭是件好事，他也責怪王蒙沒有介紹自己積極的部分：「既要批評也要保護。」

176　關於毛澤東模棱兩可的態度，我們可以參考 Benjamin Schwartz, "Thoughts of the Late Mao: Between Total Redemption and Utter Frustration," pp. 19-38, in Roderick MacFarquhar, Timothy Cheek and Eugene Wu, *The Secret Speeches of Chairman Mao: From the Hundred Flowers to the Great Leap Forward*, Cambridge, Harvard University Press, 1989.

第十三章　烏托邦在掌權（1957-1959）

1　*Kau*, pp. 772-781; Stuart Schram, *Mao Parle au peuple, 1956-1971*, Paris, PUF, 1971; Id. Cerf, 1975, pp. 432-433. 中文版是紅衛兵的《毛澤東思想萬歲》（《萬歲》）（1969），部分內容在1957年11月19至20日的《人民日報》上已發表。

2　「百花」這個說法來自《離騷》的作者屈原，公元前3世紀的抒情詩人，我們可以從湖南第一師範大學博物館非常殘破的毛澤東手稿中找到對「香花」、「毒草」的引用。

3　毛澤東還在日期上猶豫不決：1月16日，《中國青年報》上刊登了一篇文章，宣布中國共產黨中央委員會決定在1958年開展針對黨的工作作風的整風運動。

4　關於毛澤東在這次大會上的發言，不同版本之間出入很大。我們發現一個華國鋒組織的官方版本，見《毛澤東選集》，2版，卷四，頁379–416。《萬歲》似乎更符合毛澤東的講話內容，只是表達方式有所不同。高英茂的版本較為謹慎，介紹了各種說法，以18日的文章作為引言，27日的文章作為總結。我還是更喜歡高英茂的這個版本，而不是不帶批判的雄鹿出版社（Cerf）的版本。雄鹿出版社的版本將這些文章作為毛澤東在會議上的一次「講話」的內容，然後對研究著作做了一個「小結」。

5　儘管對「文革」出版物《萬歲》的內容持保留態度，但我仍多次在本章節中提及它。因為「文革」刊物《萬歲》雖然是毛澤東拉伯雷式的口頭表達，但仍然體現了他的演講中的學究氣。麥克法夸爾等人編寫了一部毛澤東講話集《毛主席的秘密講話：從百花齊放到大躍進》（*The Secret Speeches of Chaiman Mao: From the Hundred Flowers to the Great Leap Forward*, Cambridge, Harvard University Press, 1989）（*Secret*）。

6　這是1956年9月召開以來，毛澤東首次和中國共產黨第八次全國代表大會保持距離。

7　在雄鹿出版社的版本中，毛澤東明確說：「10%–15%的農民仍舊生活在水深火熱之中。」他重提農業12年農業計劃，並且建議小麥畝產量實現400–500斤甚至800斤（或每公頃30–60擔）。

8　由此可見毛澤東對數字統計的偏好。

9　在這次講話眾多版本中的一個版本裏，毛澤東再次提到了梁漱溟，還提到了彭一湖這個名字：彭一湖既是舊地主，國民黨統治時期的湖南某行政區區長，又是歸順新政體的小黨派負責人。1954年，他以民建中央委員的身份致信中國共產黨和中央委員會，批評國家壟斷糧食貿易。另一個被提及的名字是章乃器，同為民建負責人，他贊同彭一湖的想法。章乃器是糧食部部長和人大代表。

10　對八大的新批評。

11 我更欣賞《萬歲》裏的版本。在 *Jung*, p. 455 中，兩位作者引用了 1957 年 4 月 6 日毛澤東對柯慶施說的話：「怎樣能在不引蛇出洞的情況下捉到蛇？我們想看這幫烏龜蛋光天化日混進來被我們逮個正着。」張戎和喬・哈利戴使用了這篇文章和其他類似的文章，目的是把「百花運動」說成是毛澤東的一個詭計。我認為這種解釋比較牽強。

12 關於 1957 年 1 月 18 日會晤的過程和所有與中蘇關係有關的文件，我們要對《萬歲》持謹慎態度，因為這個版本肯定包括了 1960 年代添加的內容。要知道，1956 年 4 月 7 日，在北京簽訂的中蘇條約使蘇聯幫助中國完成的項目數量從 156 個增加到 211 個。1957 年春夏期間，兩國密談關於「國防的現代科技」的協議，並於 1957 年 10 月 15 日簽署，這份協議保證蘇聯向中國轉讓部分製造核彈的核心技術。因此，1956 年到 1957 年，中蘇關係空前良好。

13 中國代表團首先在華沙會見了哥穆爾卡（Gomulka），在布達佩斯會見了卡達（Kadar），並且表示了中國對他們的支持。

14 1956 年 7 月，埃及領導人納賽爾（Nasser）將蘇伊士運河收歸國有，以色列、法國和英國在 10 月和 11 月向埃及發動進攻，之後因為美國、蘇聯和聯合國施壓被迫停火。

15 我們可以從中看出毛澤東在「文化大革命」期間提出的「三個世界」理論的端倪。

16 *Kau*, pp. 300–301.

17 Ibid., pp. 301–308.

18 *Secret* 1, pp. 179–180.

19 這是麥克法夸爾提出的假設：*Secret*, pp. 177–183.

20 參見毛澤東：〈關於正確處理人民內部矛盾的問題〉，1957 年 2 月 27 日。全文有 24,000 千字。另有一個最長的版本，全文多達 28,000 字，記錄了毛澤東的講話，很多處有大段即興內容。事實上，這是一種毛澤東沒有審閱過的「講話稿」。這篇文章後來被悉尼・格爾森（Sidney Gurson）刊登在 1957 年 6 月 13 日的《紐約時報》上。這名記者在華沙獲得了這篇文章並且請人翻譯出來。北京大學從 1985 年開始將其中文文本作為教材。

21 馬寅初（1881-1982）在1957年7月7日發表了他的《新人口論》。自1958年4月開始，他因為這篇文章受到批判。

22 正如我在註釋20中解釋的那樣，我引用的版本要麼出自 *Kau* 或者出自 *Secret*。

23 正如毛澤東所說，這是一本受斯大林影響編寫的字典。真正的作者是尤金（Pavel Yudin），他曾任駐華大使並且和毛澤東有過幾次會談。根據《赫魯曉夫回憶錄》（*Les mémoires de Khrouchtchev*）（1970年英文版 pp. 464-465），1957年4月尤金認同了關於蘇聯的領導階級和被領導階級存在矛盾的看法，並且認為中國的情況也是如此，但是蘇聯領導的看法並不是這樣。

24 關於受到冷落的開創者，毛澤東出人意料地羅列出了一張長長的名單：佛陀、路德、孫悟空（玉帝讓他上天當弼馬溫）、薛仁貴（唐朝慘遭惡意中傷的將軍）、哥白尼、伽利略、達爾文和德國的安眠藥發明者等。德國人不喜歡安眠藥，一位叫李烈鈞的人在馬賽至巴黎的火車上發現了這種藥，並將它引入中國（毛澤東的福音）。李烈鈞（1882-1946），國民黨高級軍官。

25 毛澤東提到陳其通1957年1月7日的一篇文章，說「蘇聯已是風雨蕭條」。

26 毛澤東回想起他自己從前在學校裏也不安分。

27 *Kau* 2, pp. 351-363; *Cerf*, pp. 331-344;《萬歲》。

28 但是毛澤東也建議說，對他的話要有保留，不然整個國家都可能發生罷工。

29 1956年年底，達賴喇嘛被允許去印度慶祝佛祖誕生2,500週年。達賴喇嘛對尼赫魯說希望留在噶倫堡（在大吉嶺附近）。最後，尼赫魯和周恩來成功說服他於1957年4月回到西藏。

30 1951年5月23日因為軍事威懾而簽署，見 *Mao V*, pp. 75-79。

31 毛澤東認為這是蘇聯經濟的主要矛盾。

32 韓丁完美地描述了這場由貧下中農發起的對黨員幹部的批評運動，他們對翻身土改運動的結果非常失望。

33 *Short*, p. 404. 列舉了上海商人羅伯特・羅（Robert Loh）、人類學家費孝通和歷史學家翦伯贊的回憶。

34　*Kau* 2, pp. 365–366; *Secret*, pp. 193–216.

35　都服從黨的領導。在場的記者來自《光明日報》、《大公報》、《文匯報》、《新聞日報》和《新民晚報》，這些報紙在1949年前都已經存在。毛澤東為《申報》的消失而惋惜，但拒絕讓這份大報紙再出刊，因為這好像是一種復辟。

36　他沒有提到蘇聯坦克鎮壓起義後的第二天安德魯‧斯蒂爾（André Stille）發表的文章〈布達佩斯的微笑〉（"Sourire de Budapest"），而是提到報紙報道了伊姆雷‧納吉政權的建立。

37　*Kau* 2, pp. 375–380.

38　這段文章使用了《逢和金》書中提供的信息，卷一，頁641–662。

39　*Kau* 2, pp. 391–521; *Secret*, pp. 273–372.

40　3月19日在南京他稱自己為「遊說先生」。這個短語指戰國時期孔子或者孟子這樣的思想大師為了收徒弟和傳播思想，到各地遊說。通常法語翻譯成「巡遊的政客」，我覺得這種譯法有些貶義。肖特建議翻譯成「遊說的流浪者」，這個譯法太美國化。

41　周穀城（1898–1996）這位復旦大學的美學教授是一位親共產黨的民主人士。國民黨發動內戰時他極力反對。毛澤東在1949年6月28日給他寫了一封信，希望他能參與新中國建設（參見《毛澤東書信選集》，1983，頁429–430）。1964年在「一分為二」理論的運動中，姚文元批判他太「理想主義」。

42　黃克誠，1902年湖南出生，參加了秋收起義，後又加入井岡山革命隊伍。他曾先後在彭德懷將軍和陳毅將軍麾下擔任政委。1954年成為將軍，八大後是中央軍事委員會七位秘書之一，1958年10月成為解放軍總參謀長。

43　儘管做了很多努力，毛澤東仍無法隱藏他對知識分子的不滿意。在某一次演講時，他重提知識分子讀過幾本書就清高起來的論調。

44　江青在莫斯科接受鈷放射治療癌症，待了很長時間，逐漸康復後於4月份回到北京。那時她沒有參政。毛澤東因各種艷遇遠離她，她把氣撒在周圍人身上。*La vie privée*, p. 238.

45　在4月10日到30日期間舉行的一次最高國務會議上。*Secret*, pp. 363–372; *Kau* 2, p. 506–514.

46　《逢和金》1，頁664（文字）。

47　《逢和金》1，頁664-668，記錄了4月10日毛澤東和《人民日報》編輯的討論。*Short*, p. 406有一段精彩絕倫的描寫：已失去控制的毛澤東和狼狽沉默的鄧拓和王若水發生了爭辯。資料來源於1997年6月肖特對王若水進行的採訪。

48　實際上，關於知識分子和階級鬥爭結束的言論，他並不十分確定。4月30日，他預測說知識分子已經失去他們的階級基礎，「皮之不存，毛將焉附」，就好像地主階級和資產階級那樣。他們將加入新的皮膚，即無產階級，階級鬥爭已經結束（*Kau* 2, pp. 509-514；*Secret* 2, pp. 363-372）。但4月4日，他在杭州的講話更加悲觀：「即使知識分子被剝奪了自己的社會基礎，他們的靈魂仍然，這是令人擔心的」。這就需要繼續反對資產階級的思想鬥爭。階級鬥爭還沒有結束……（*Kau* 2, pp. 509-514.）

49　這句話出自肖特，成為他撰寫的《毛澤東》傳記第十三章的題目，*Short*, pp. 385-442.

50　上文已經提到一些關於中華人民共和國這一歷史時期的參考著作，書中詳盡地敘述了主要的事件。法語文本最好的作品是斯威特・艾瑞（Siwitt Aray）的書，《百花齊放》（*Les cent fleurs*, Paris, Questions d'histoire, Flammarion, 1973）。侯芝明（Marie Holzman）的書《不屈不撓的林希翎》（*Lin Xiling: L'indomptable*, 1999），是民主論壇最活躍的倡導者之一林希翎的傳記。關於學生的反應，參閱杜林（D. J. Doolin），《中國共產黨：學生政治反對》（*Communist China: The Politics of Student Opposition*, Stanford University Press, 1964）。對於知識分子的反應，見墨爾・戈德曼（Merle Goldman）《共產主義中國的文學異議》（*Literary Dissent in Communist China*, Cambridge, Harvard University Press, 1967）。在弗朗索瓦・吉普魯（François Gipouloux）《工廠中的百花：中國的勞工抗爭與蘇聯模式的危機，1956-1957》（*Les cent fleurs à l'usine: Agitation ouvrière et crise du modèle soviétique en Chine, 1956-1957*, Paris, EHESS, Cahiers du Centre Chine, 1986）中能找到對工人行為有價值的描寫。關於農民運動，請參閱杜明（Jean-Luc Domenach），《大躍進的起源：以中國的一個省為例，1956-1958》（*Aux origines du Grand Bond en avant: Le cas d'une province chinoise, 1956–1958*, Paris, L'EHESS et Presses de la FNSP, 1982, pp. 96–127）。

51　這家報紙1949年6月在北京成立，為民盟的機關報。1952年，它成為所有民主黨派的報紙。章伯鈞任社長，儲安平任主編。

52　章伯鈞 (1895–1969)，見第十一章註釋6。

53　羅隆基 (1896–1965)，見第十一章註釋125。

54　Chen Ziming, "Les droitiers actifs en 1957 et la postérité d'une réflexion: intellectuels de droite, révisionnistes et défenseurs des droits," *Perpectives chinoises*, no. 4, 2007. 葛佩琦這個魯莽的聲明被縮減為「群眾可以殺死共產黨人」，被5月31日的《人民日報》作為批判的對象引用。

55　林希翎(本名程海果)1935年出生在浙江一個基督教家庭，在學習文學之前參過軍，當時是人民大學大四學生。譚天榮，四年級物理系學生，也因為大膽言論而出名。

56　《建國以來毛澤東文稿》(《文稿》6，頁455–456)。

57　雖然是匿名發表，但這篇社論出自毛澤東之手。

58　《文稿》6，頁469–476；*Kau* 2, pp. 546–555.

59　*Kau* 2, pp. 671–686.

60　《反回憶錄》，請參閱 Jacques Andrieu, "Mais que se sont donc dit Mao et Malraux?," *Perpectives chinoises*, no. 37, 1996, pp. 50–63.

61　被稱為「狗不理」的這家飯館因為包子出名。

62　這支部隊有一個師，負責保護領導人，並確保他們的旅行安全。為此在各省都設有情報處，由汪東興指揮。

63　*Kau* 2, pp. 535–541; *Cerf*, pp. 374–375. 這首詩的譯文來自西格斯出版社 (Seghers) 的版本 (pp. 89–90)。

64　「楊」指楊樹，代指楊開慧；「柳」指柳樹，代指李淑一的丈夫柳直荀。

65　吳剛是中國的西西弗斯，在跟隨一個著名的老師學習時犯了天條，被天帝懲罰在月宮砍伐桂樹，這些桂樹有五百丈高，能自己愈合斧傷，所以他也只好不斷地砍下去。桂花酒是神仙的甘露。

66　嫦娥是著名的神箭手后羿的妻子。后羿從西王母那裏得到長生不老藥。嫦娥偷吃了神藥，逃到月亮上去了。

67　這裏的「虎」顯然指蔣介石。

68　*Kau* 2, pp. 546–555.

69　牛鬼蛇神這些怪物有四靈相克，即龍、龜、鳳和麟。「文化大革命」中鬼神學第一次出現。

70　《毛澤東文集》，卷七，頁303：「中國共產黨是全中國人民的領導核心。」

71　發生在第十四次最高國務會議上。陳子明在《中國視角》（*Perpectives chinoises*, no. 4, 2007）中引述。

72　*Kau* 2, pp. 561–566.

73　*Kau* 2, pp. 564–568. 關於1957年6月的其他參考資料來自同一本書的569–589頁。

74　國民黨革命委員會於1948年1月在香港成立，是1949年加入中國人民政治協商會議的八個民主黨派中最小的黨派。

75　毛澤東逐漸和中國共產黨八大的中心論點拉開了距離。八大肯定階級鬥爭讓位給人類與大自然的鬥爭。

76　這次討論被歸納為六個標準，加入了2月27日的報告。

77　這些文章沒有簽名，但是都出自毛澤東的專家或政治秘書之手。

78　*Kau* 2, pp. 591–601.

79　英文譯文見 Robert Bowie and John Fairbank ed., *Communist China, 1955-1959: Policy Documents with Analysis*, Cambridge, Harvard University Press, 1965, pp. 351–431. (*Bowie and Fairbank*)

80　《布禮》法文版 Wang Meng, *Le salut bolchevique*, Paris, Messidor, 1989, pp. 17–27 et 59–63. 1957年王蒙被打為右派，下放到新疆，在那裏度過了16年。

81　這一段落來源於《逢和金》1，頁712–717。引用文本的英文譯文見 *Kau* 2, pp. 601–686。我將在本書中順便提到法語譯文，《毛澤東選集》法語版卷五中收錄。

82　毛澤東：〈打退資產階級右派的進攻〉，1957年7月9日。

83　毛澤東在青島住了近一個月，儘管天氣涼而潮濕，但他仍然堅持每天在海中游泳，因此着了涼，返回北京後才恢復。這次他難得同意接受中醫治療：以前他時常誇獎中醫，但是生病的時候，他只信任西藥。

84　這本十六世紀吳承恩寫的小説經常被翻譯為《朝聖猴》。

85　毛澤東：〈一九五七年夏季的形勢〉，1957年7月。這篇文章在 *Kau 2*, p. 662有一個篇幅更長的版本，帶附錄，毛澤東在665–669頁給這篇文章做了評論。毛澤東提到了兩位著名的知識分子：費孝通是「極右派」，翦伯贊「糊塗」，但是10月份他親自發話使他們免受迫害。費孝通和章伯鈞、羅隆基關係親密。翦伯贊受北京副市長吳晗的保護，在「文化大革命」之前他一直在撰寫各類文章。

86　毛澤東：〈在八屆三中全會上的講話〉，1962年9月24日。

87　《逢和金》2，頁716。

88　舒新城（1893–1960），1936年出版的著名的《辭海》的編著者。這位文人在上海經歷了戰爭並且接受共產黨領導，成為湖南人大代表，他出版過一些有關鴉片戰爭以來教育史的著作。

　　　趙超構（1910–1992），20世紀30年代上海《新民報》的一位記者。1946年他曾和儲安平的《觀察報》合作過一段時間。1949年3月，他從香港坐船到山東煙台共產黨控制下的區域。

89　公曆不同於東正教日曆，根據公曆，攻佔冬宮不是發生在10月而是11月7日。

90　對於「偉大舵手」不可預知的變化深感不安的許多知識分子借用了一句具有諷刺意味的中國諺語「難得糊塗」：對於自己不理解的指示，遵守就可以了。

91　Jean-Luc Domenach, *Aux origins du Grand Bond*, pp. 96–127. 關於「大躍進」的起源研究顯示，1954年開始執行「總路線」時，河南省委書記潘復生因為一拖再拖而失勢。1957年5月他在「百花運動」中復職，1957年11月被支持毛澤東12農業年計劃的吳芝圃取代。這位新任省委書記後來將河南省變成毛澤東主義在農村的堡壘，造成了農民巨大的不幸。

92　這也是肖特的看法（*Short*, p. 410）。

93　*Kau 2*, pp. 687–696, 696–713 (version corrigée) and pp. 717–723.（更長的版本，1967年1月「紅衛兵」彙編的材料—資料選編）。《逢和金》2，頁717–722；*Mao*, V, pp. 525–540.（〈做革命的促進派〉"Soyons les promoteurs de la révolution"）.

94　全文見 *Bowie and Fairbank*, pp. 341–362。

95 毛澤東認為階級鬥爭「從根本上」結束了，但沒有「完全」結束，因為雖然所有權的問題得到了解決，但資產階級在意識形態、政治和經濟領域中的影響仍然存在。這種語義的精妙之處在於，它能不傷害起草八大報告的劉少奇的自尊。事實上，1957年冬天，毛澤東更加依賴劉少奇和鄧小平，遠離周恩來、陳雲和其他規劃者。

96 在這一點上，我認為有必要依據紅衛兵出版的資料選編，因為華國鋒及相關學者刪除了所有毛澤東可能對「大躍進」饑荒負主要責任的講話。

97 有了這樣的收成，一畝可以生產667千克糧食，即每公頃100多公擔。

98 傳統的一斤大約596.8克，市場上一斤重500克。

99 *Kau 2*, pp. 724–752; *Mao V*, pp. 541–557（〈堅定地相信群眾的大多數〉，"Il faut avoir une confiance inébranlable dans la grande majorité des masses"）.

100 黃炎培打斷毛澤東的話説：「體力勞動也可以在家裏做！」

101 除了各種慶祝活動，這個莊嚴的大會召開了兩次會議，一次是11月14日至16日12個執政共產黨參加的會議，一次是11月16日至19日所有代表團參加的會議。會後一致通過的聯合聲明被公之於眾。*MacFarquhar 2*, pp. 7–19.

102 起先蘇聯人將毛澤東安置在葉卡捷琳娜於莫斯科的一處豪華住所内。

103 12月2日，楊尚昆在中央委員會彙報莫斯科大會的情況時説「好像把毛澤東在北京的住所從北京搬到了莫斯科」。《逄和金》1，頁760，註1和2。

104 Jacques Duclos, *Mémoires: Dans la mêlée 1952–1958*, Paris, Fayard, 1972, pp. 314–315. 毛澤東批評法國共產黨領導人1945年4月的公開信。杜克洛在信中指責美國共產黨的領導厄爾・白勞德（Earl Browder, 1891–1973）是「清算主義」，把美共變成了一個共產主義政治協會。美國共產黨在蘇聯的壓力下撤換了他們的主席。1945年7月29日，毛澤東代表中共中央寫了一份電報給福斯特：「白勞德同志過去為中國人民的鬥爭作出過貢獻，值得我們感謝。」毛澤東和杜克洛在莫斯科會面時，毛澤東挪揄他「1945年的文章是否在美國共產黨內部構成了政治干擾」。《逄和金》2，頁734和748–749沒有介紹這件事，而是提到毛澤東問了一些問題，涉及法國革命的前景和西歐帝國主義與美帝國主義之間的矛盾。

105 《逄和金》1，頁761，註1。

106 John Gittings, *Survey of the Sino-Soviet Dispute, 1963-1967*, London, Oxford University Press, 1968. 這個文件並不是眾所周知。要指出的是，1957年10月30日，解放軍與黨的軍事委員會最有影響力的領導人之一葉劍英元帥說，「人造衛星的發射豐富了馬克思主義列寧主義的軍事理論」。

107 1957年6月，他設法擊敗了這個「反黨集團」，罷免了莫洛托夫，將他送到烏蘭巴托當大使。1957年10月下旬，在莫斯科會議前幾天，強勢的朱可夫元帥國防部長的位子被馬利諾夫斯基元帥取代。

108 *Kau* 2, pp. 757–766; *Cerf*, pp. 421–431.

109 Ibid., pp. 767–770.

110 Ibid., pp. 781–796；毛澤東：〈黨內團結的辯證方法〉，1957年11月18日。

111 毛澤東遭到在江西染上的舊疾的折磨。我們可以注意到，他在10月的八屆三中全會上承認自己染上了風寒。此後的四十幾天裏，64歲的毛澤東兩次談及自己的健康問題。也許這就是為甚麼11月17日他在莫斯科的中國留學生面前侃侃而談自己當年強健的體魄：三次游泳橫穿長江，兩次橫穿杭州附近的錢塘江，三次橫穿長沙附近的湘江，還爬上過湖南和江西的山峰。

112 毛澤東在10月的八屆三中全會上確定的目標只是15年後達到兩千萬噸。這表明他在一個月內把這個數字翻了一倍。

113 赫魯曉夫在《回憶錄》(1971年法語譯本 *Souvenirs*, Laffont, pp. 439 –454) 中說自己為毛澤的不負責任所詫異。他引用彭德懷元帥不久前對毛澤東的評價，把毛澤東比作井底之蛙，這樣的引用很可能也並非偶然，因為赫魯曉夫和這位坦率的的元帥見過好幾次。

114 關於毛澤東在1957年12月到1958年4月之間的活動，我大量參考了《逄和金》1，頁766–804。

115 毛澤東在北京待著並不舒服，正如他自己所說：「我在北京呆久了就會覺得自己的思想空了。我一旦離開北京，就會感覺自己又能思考些甚麼了。」摘自《萬歲》，頁156。

116 *Cerf*, pp. 455–477. 根據《毛澤東選集補遺》(《毛澤東選集》的補充部分，1991年)。

117 值得注意的是，在同一時期，赫魯曉夫也制訂了一些不現實的計劃以求玉米豐收，希望將哈薩克斯坦貧瘠的土地改造成盛產小麥的農田。

118 毛澤東在杭州會議上的重要講話，請參閱 "Mao à la conférence de Hangzhou," *Secret*, texte 15, pp. 378–391.

119 毛澤東在信的下角寫要求生活從簡，當地政府為毛澤東準備了傳統的居住房，並沒有現代的舒適設備。這一點讓陪同他的江青很是不滿，因為她不能每天洗澡。摘自 *La vie privée*, pp. 256–257.

120 毛澤東在南寧會議上的講話請參閱《逄和金》1，頁767–775，法語版 *Cerf*, pp. 434–445。周恩來1月13日抵達。有些作者寫他參加了杭州會議的尾聲。

121 *Cerf*, pp. 446–454.

122 《逄和金》1，頁775–782，776有大量修改痕跡的草稿的複印件。

123 同上，頁789–804；*Cerf*, pp. 478–510。

124 同上，頁790中有一張33人的名單，周恩來、劉少奇、陳雲、陳伯達、彭真和李富春等都列於其中。

125 *La vie privée*, pp. 258–260. 唯一遺憾的是，毛澤東拒絕在李井泉特意為他建造的室內游泳池裏游泳，因為他害怕游泳池的水有毒。

126 見3月22日和某個名叫張季末的經濟政治學家的談話。這位經濟政治學家出生於1889年，曾在哥倫比亞大學和倫敦經濟學院學習。

127 3月20日，「大躍進」這個詞出現在其中一份文件裏。

128 記者吳冷西（1919–2002）、《人民日報》總編參加了此行。1995年2月，吳冷西寫的《憶毛主席》一書在北京出版，他在該書第66頁向我們展示了一個放鬆地暢談三峽的神話故事和戰國時期在此地發生的歷史事件的毛澤東。

129 《逄和金》1，頁807–810；*Cerf*, pp. 511–521。

130 見1958年4月1日的《紅旗》和6月10日《北京消息》第15期。

131 與自己一貫的原則相違背的是，毛澤東越來越多地在沒有去當地考察的情況下使用他所收到的報告。他可能也意識到了那些當地官員在想盡辦法掩蓋他所視察的村莊的真實情況。但是他仍相信了那些簡單的報告，這樣風險就變得更大了。

132　與毛澤東意見不同的時候，劉少奇不能在一篇已經經過集體討論的文章中再發表自己的意見。

133　英文版見 *Bowie and Fairbank*, doc. 25, pp. 416–438.

134　我不贊同麥克法夸爾的觀點。麥克法夸爾將共產黨區分為支持劉少奇的一派和鼓吹「大力解放生產力」的毛澤東一派。這種對立是「大躍進」災難後的1962至1965年間才出現的。1958年，毛澤東經常談論到共產黨領導的角色，而劉少奇談論的是統一戰線。

135　5月8、17、20、23日的講話，以及5月18日對代表團的聲明。此文的法語翻譯見 *Le grand bond en avant: Inédits 1958-1959*, Paris, éditions du Sycomore, 1980, pp.9–19 (*Sycomore* 1) 以及《逄和金》1，頁816–822。

136　*La vie privée*, p. 261. 主席說：「當官的總是被年輕人推翻。他們年少無知不要緊，重要的是抓住真相和勇往直前。」

137　《逄和金》1，頁822和823有一些註釋條目。在其他資料裏也有一些數字和不切實際的計算。

138　王鶴壽，1909年生於河北，在劉少奇領導下在東北搞工人運動。他在1956年的時候代替薄一波成為國家建設委員會主任，曾是中央委員會的候補成員。

139　《逄和金》1，頁824，註3。

140　*Sycomore* 1, pp. 52-57; Stuart Schram, *Mao Tse-tung Unrehearsed*, pp. 124–130.

141　主要是約公元前5世紀春秋戰國時期的《孫子兵法》，孫子的思想被毛澤東稱作「唯物主義和辯證法的結合」。

142　李志綏在書中（*La vie privée*, pp. 272-278），描繪了這些領導在那些天裏勞動的美好畫面：主席很快就累了，一個小時後在人群簇擁下去喝了杯茶然後乘坐他的黑色轎車回了北京，他吩咐其他幹部這一個月裏在田裏勞動生活。李志綏説他自己幹活勞累倒在了一輛手推車裏，所以15天後便能離開那裏。

143　毫無疑問也談起了對台灣的軍事施壓。

144　本書中關於人民公社發展的陳述參考了 *MacFarquhar* 2, chap. 5, pp. 77-90.

145 人們跨越式發展12年以來取得的不凡成績是，從4月末到6月期間，河南南部的貧困縣遂平和信陽開展了合作化運動。

146 《大同書》描繪了中國未來自給自足的農業社會，這個社會由一個大同公政府的智者管理。這本書在作者死後的1935年才出版發行，但其手寫本在20年代初就已在民間傳閱。

147 翻譯版收錄在 *Bowie and Fairbank*, doc. XXVII, pp. 452–453.

148 François Joyaux, *La nouvelle question d'Extrême-Orient*, Paris, Payot, vol. I, pp. 212–217.

149 *Short*, p. 429. 肖特尤其援引了蘇聯大使尤金的回憶。

150 Ibid., p. 430，援引了赫魯曉夫的回憶錄，也可以參見 *la Vie Privée*, pp. 286–287.

151 艾森豪威爾多次提到不排除用核武器對付中國的可能。

152 毛澤東與赫魯曉夫激烈交換意見，其中的一個議題就是正在孕育期的人民公社，蘇聯領導人認為這個是「左」傾行為。

153 《逢和金》1，頁828，註1。在河北，毛澤東走訪了位於保定和石家莊之間的徐水縣、定縣和安國縣。在河南，他走訪了新鄉縣、長歌縣、商丘縣和襄城縣。農業方面他問了許多關於糧食和棉花產量的問題，還談到幼兒園、食堂和養老院的建設。

154 Aragon, "La Chine s'est mise en Commune/Nous avons fait des clairs de lune," *Le roman inachevé*. 這種說法借鑒了1871年的巴黎公社運動。

155 事實上，這個新制度直到1958年8月29日才在北戴河通過決議形式化。決議收錄在 *Bowie and Fairbank*, doc. 28, pp. 454–456.

156 *Sycomore* 1, pp. 58–59.

157 神話中的帝王，生活在公元前2555年到公元前2356年間的黃金時代。

158 特羅菲姆・李森科（1898–1976）。見 Jasper Becker, *La Grande Famine de Mao*, Paris, éditions Dagorno, 1998, chap. XII, n. 337（*Becker*）（翻譯自 *Hungry Ghosts: China's Secret Famine*, London, Murray, 1996），pp.102–109。中國有自己的李森科，一個叫羅天宇的人，從延安時期開始，就迫害推崇遺傳學家喬治・曼迪爾（Gregor Mendel）和托馬斯・摩根（Thomas Morgan）的「資本主義觀點」的人。我們知道這兩位是現代遺傳學的奠基人，在毛澤東時期的中國，遺傳學不屬學術教育的內容。

　　瓦西里・威廉（Vassily Williams）：1930年代莫斯科農學院的教授，毛澤東在延安看過一本他寫的關於草場飼料的書。他主張重視休耕，每三年使用土地生產一次，限制強迫使用資本主義的化肥。他的一個學生馬爾采夫（Terenty Maltsev）建議製造能夠犁地一米多深的犁。斯大林授予他列寧科學獎。

159　李銳在《廬山回憶實錄》中講述了不少趣聞軼事（鄭州：河南人民出版社，1991，頁8）。當時中國籠罩在緊張的氣氛之中，蘇聯專家米克海爾・柯申科（Mikhail Kloshko）在他的書中提供了有力的證據證實了這種情況，《在中國的蘇聯科學家》（*Soviet Scientists in China*, London, Hellis and Carter, 1964）。

160　聶榮臻：《聶榮臻回憶錄》（香港：明報出版社，1991）。讓蘋果成了西葫蘆的尺寸。

161　Frank Westerman, *Ingénieurs de l'âme*, Paris, Christian Bourgois, 2004. 一些著名的蘇維埃作家（馬克西姆・高爾基〔Maxime Gorki〕、康・帕烏斯托夫斯基〔Konstantin Paoustovski〕、伊薩克・巴貝爾〔Isaak Babel〕、安德烈・普拉托諾夫〔Andrei Platonov〕、鮑理斯・皮里尼亞克〔Boris Pilniak〕……）熱情歌頌斯大林時期實現的偉大功績，例如十二萬六千名勞改所的苦刑徒用手挖掘了著名的白海運河（Biélomor），還有卡拉博加茲戈爾灣的偉大整治。這些書對於毛澤東來說都是熟悉的。

162　《逢和金》1，頁829–840；*MacFarquhar* 2, pp. 82–90.

163　收成2億噸，而不是1957年的1.95億噸。在北戴河會議上我們預計達到3.75億噸，一年以後產量調整到2.5億噸。 參見Nicholas Lardy, *Agriculture in China's Modern Economic Development*, Cambridge University Press, 1983, pp. 41–43.

164　我們知道煉鋼需要一定量的碳，如果缺少了碳，則只能造出些因熔點不夠而易碎的殘次品。1965年9月，我在北京買了輛「大躍進」時期造的自行車，由於鋼材質量不過關，框架重了一倍。

165　李志綏在《毛澤東私人醫生回憶錄》（*La vie privée*, chap. 32, pp. 296–303）中有很好的描繪。湖北省黨的領導人王任重甚至把稻米秧苗一排排緊湊地移植到毛澤東走訪所經過地田地中，在他走後又迅速移植回原地。所有這一切都是手工完成。

166　兩天之後毛澤東說到了試運行的「人民公社」。

167　共有二億二千萬民兵，他們中的大多數只有竹制長矛這樣的武器裝備。

168　英文完整版收錄在 *Bowie and Fairbank*, doc. 28, pp. 454–456.

169　明確提到不能與一兩萬農戶對立，但也不應該鼓勵他們。

170　配備了木步槍的民兵們學習的主要是走正步，向國旗行禮，唱延安時期的革命軍歌。

171　有一個說法是：「八路軍回來了」。通過王實味和丁玲的作品，我們知道，延安時期並不是所有人都平等。

172　9 月 3 日《人民日報》的社論更為樂觀：共產主義「最多六年內」在中國實現。*Bowie and Fairbank*, pp. 459–463. 這篇社論贊同一至兩萬戶的大公社，消滅自留地，實行免費供給以及全民所有制。毛澤東一直密切關注社論動向，甚至自己動手起草。

173　這篇名為〈破除資產階級的法權思想〉的文章首先登在上海的報紙上，然後在 1958 年 10 月 13 日又被《人民日報》登出來，並且還有毛澤東用毛筆寫的批示，鼓勵大家閱讀這篇文章。

174　*Secret*, 19 August, p. 408.

175　*Bowie and Fairbank*, doc. 31, pp. 463–470. 這些法令要追溯到 8 月 8 日。衛星社組織了來自四個鄉的 24 個合作社，共計 9,369 戶，43,263 人。計劃為小學生開設寄宿學校，食堂按需免費供應。河北省委 8 月 29 日起草的指示預計在 3 到 5 年內實現發電和農業機械化，減少 50% 的耕地，建立瀝青公路網，每個鄉都有一條路旁邊不種樹木，可做機場使用（*Bowie and Fairbank*, doc. 32, pp. 470–477）。

176　*Secret*, 30 August, pp. 430–441.

177　Ibid., pp. 430–441. 毛澤東指出，這個數字到 1965 年才有可能達到，而不是毛澤東說的「1962 年以後」。在 1958 年到 1965 年間，中國的鋼產量有了提高：1958 年 1,100 萬噸，1959 年 2,200 萬噸，1960 年 4,400 萬噸，1961 年 8,800 萬噸，1962 年 1.76 億噸，1963 年 3.52 億噸，1964 年 7.04 億噸……中國的鋼產量在 1959 年趕上英國，在 1961 年到 1962 年間趕上美國。

178　甚至提高到四億噸。1957 年達到的數據為兩億噸，然而這也已經是個破紀錄的數字了。

179 毛澤東在 8 月 21 日的講話中估計每個中國人一年裏為了維持生計，需要 3 擔 6 斗糧食，合 360 千克。

180 這個指示若被執行，1959 年中國將要為此付出 2,500 萬噸糧食的代價。「350,000 億斤」（合 17 億噸）這個數字被記錄在 8 月 30 日的秘密講話裏，p. 436。這很有可能是整理錄音時的記錄錯誤，毛澤東 1958 年 9 月在國家最高會議上的講話中提到的數字應該是 3 億 5,000 萬斤。

181 *Secret*, p. 138.

182 《逢和金》2，頁 846–884；*MacFarquhar* 2, pp. 91–116; *Sycomore* 1, pp. 61–80.

183 在講話的第五點中，毛澤東分析了法國在戴高樂上台以後的形勢（*Sycomore* 1, p. 70）。「戴高樂登台要壓迫法共和法國人民，但對內對外也有好處。對外，這個人喜歡跟英美鬧彆扭，他喜歡抬杠子。他從前吃過苦頭的，他寫過一本回憶錄，盡罵英美，而說蘇聯的好話。現在看起來，他還是要鬧彆扭的。法國跟英美鬧彆扭很有益處。對內，為教育法國無產階級不可少之教員，等於我們中國的蔣委員長一樣。沒有蔣委員長，六億人民教不過來的，單是共產黨正面教育不行的。戴高樂現在還有威信，你這會把他打敗了，他沒有死，人們還是想他。讓他登台，無非是頂多搞個五年，六年，七年，八年，十年，他得垮的。他一垮了，沒有第二個戴高樂，這個毒放出來了。」

184 《逢和金》1，頁 870。和毛澤東談話的人可能是劉少奇、周恩來、鄧小平、彭真、張聞天、黃克誠、王炳南和喬冠華。在此我們注意到沒有國防部長彭德懷。

185 *Sycomore* 1, p. 245.〈關於幻想的聲明〉（"À propos d'une déclaration de Huan Xiang"）。

186 *Sycomore* 1, pp. 102–104 和 9 月 15 日的《北京消息》，1977，頁 7 和 8。

187 粟裕似乎曾經支持彭德懷關於中國人民解放軍職業化的想法，毛澤東很有可能利用人民解放軍在兩岸危機的平庸表現打擊了他。彭德懷被貶後，1959 年 9 月他被任命為國防副部長，但起到的作用有限。

188 *La vie privée*, pp. 353–365. 1958–1960 年是毛澤東加快自己潮流步伐的時候，每週三和週六他參加舞會，選擇和自己共度一夜的舞伴，他還建

了一個休息用的客廳，設施豪華，被稱為118廳，位於人民大會堂，此外他還增加了專列上護士和年輕漂亮的女乘務員的人數。

189 《逄和金》2，頁885–888。腳注參考了毛澤東的信件，以及毛澤東和不同領導的談話記錄。至今這些領導人是誰沒有公開。

190 毛澤東乘飛機去武漢，接着16日坐船去安慶，16日下午到合肥，然後參觀南京，在杭州休息一週，從那裏起程去上海，然後回京。10月13日到天津，在那裏他召集了河北各個市的幹部以及徐水、安國、唐縣、正定（石家莊附近）等縣的人民公社的負責人。

191 《現代史研究》，第4期，1980年，譯文由美國聯合出版物研究服務處編譯（JPRS, no. 77, pp. 8–9）。

192 陳雲估算，應該要六十萬工人每人工作兩百個小時才能將這些粗制的鋼鐵變成可用的。

193 這些沒有鋼筋混凝土的大壩中有好幾個在大雨中崩塌。

194 河北、河南、陝西、甘肅、湖北、山西、山東、安徽和湖南。

195 這段文字參考了《斯大林： 最後的手稿（1950–1953）》的法語譯文（*Staline: Derniers écrits [1950–1953]*, Paris, Éditions sociales, 1953）。關於毛澤東在經濟領域的思想，請參閱 Hu Chi-hsi, *Mao Tsé-toung et la construction du socialisme*, Paris, Le Seuil, 1975 (*Hu Chi-hsi*). 他還介紹了毛澤東在《蘇聯經濟政治學教科書》中的評註，1959年第三版。參見 Henri Chambre, *L'evolution du marxisme soviétique: Théorie économique et droit*, Paris, Le Seuil, 1974.

196 Thomas P. Bernstein, "Mao Zedong and the Famine of 1959–1960: A Study of Wilfulness," *The China Quarterly*, no. 186, June, 2006, pp. 421–445. 來源於《文稿》7，頁436。

197 影射斯大林1930年實行農村集體化政策時提到的「成功的眩暈」。

198 Nicholas L Lardy, *Agriculture in China*, p. 34. 上交的5,570萬噸糧食相當於2.4億噸糧食裏的25%。2.4億噸似乎是在共產主義風包裝前對收成做的第一次評估。這是一個過於樂觀的估算結果，但卻不是狂言。5,570萬噸糧食平攤到每個農民頭上，是一年290千克，約每天700克。

199 Dali L. Yang, *Calamity and Reform in China: State, Rural Society and*

Institutional Change Since the Great Leap Famine, Stanford, Stanford University Press, 1996, pp. 42–50.

200 張戎在《鴻》（*Les cygnes sauvages*, Paris, Plon, 1992）裏描繪了 1959–1960 年四川農民因為饑荒而浮腫的震撼人心的畫面，而四川是中國自古以來的糧倉。

201 《文稿》7，頁 584–586 和《毛澤東文集》，卷七，頁 451–452；《逄和金》2，頁 904–905。

202 事實上，這句話是恩格斯在《反杜林論》中說的。

203 《逄和金》2，頁 899–909；*Bowie and Fairbank*, pp. 483–502.

204 八屆六中全會之前的政治局會議。

205 毛澤東提到對廣西省委書記的撤職處分，以及如果他自己犯了同樣的錯誤，也有可能得到同樣的後果。這一點和張戎的評論相矛盾。張戎指出，毛澤東一點也不能容忍由自己的政策造成過高的死亡率，他嘗試了多種可能彌補的辦法，卻拒絕承認自己的政策是災難的根源。

206 我們知道小説《日瓦戈醫生》在國外出版後，其作者俄國作家鮑里斯・帕斯捷爾納克（Boris Pasternak）在 1958 年被授予諾貝爾文學獎，這一消息引起了蘇聯當局的強烈反響，他們強令作者拒絕領獎。這本書於 1958 年 9 月在中國香港翻譯成中文。

207 顧龍生：《毛澤東經濟年譜》（北京：中共中央黨校出版社，1993），頁 446；*Sycomore* 1, pp. 122 –153.

208 新鄉、洛陽、許昌和信陽。

209 陶鑄於 1958 年冬天在廣東省對糧食收成進行了調查，發現三百萬噸的糧食產量被隱瞞，這是收成的十分之一。

210 *MacFarquhar* 2, pp. 136–159; *Sycomore* 1, pp. 131 et 137–145.

211 尤其是彭德懷，毛澤東發表這些意見的時候，他才出現在會場上。

212 《毛澤東選集》，卷五，頁 75–79：〈關於西藏工作的方針，中國共產黨中央委員會 1952 年 4 月 6 日的指示〉。這份指示有毛澤東的簽名，認為西藏暴亂帶來一次的機遇，共產黨可以借此加強在西藏的武裝力量，並且在這個仍舊「封建」的地區進行社會改革，將人民團結在新的政權下。

213 *Sycomore* 1, p. 158.

214 《逄和金》1，頁 924–932。

215 生產小隊，生產隊，生產大隊，公社黨委，縣委。

216 《逄和金》2，頁 931–935。

217 同上，頁 943。《文稿》8，頁 209。

218 *Sycomore* 1, pp. 155–157 et 165–169（文章的日期標成 5 月，是錯誤的）；
《逄和金》2，頁 939–952；*MacFarquhar* 2, pp. 177–178. 他使用了丁望的
一本書，《彭德懷問題專輯》（香港：明報月刊社出版，1959）。我們不
知道作者的信息來源於何處。辛子陵的《毛澤東全傳》也是如此（香
港：香港利文出版社，1995），卷四，頁 156–163。丁望和辛子陵似乎
有來自軍方的消息來源，但是他們的記述在有些地方並不相同，正如
他們和逄先知以及金沖及的官方版本也有所不同。

219 *Bowie and Fairbank*, pp. 503–529，附有周恩來 4 月 18 日的講話。

220 然後我們發現他更少介入具體的政治活動：很多政治局會議甚至中央
會議他都沒有出席。但是所有具有戰略性意義、關係到整體局面的決
定仍然由他做出。

221 參見丁望和 *MacFarquhar*。辛子陵對此甚麼都沒有説。

222 《逄和金》2，頁 941。作者在備註中説他們引用了講話錄音。

223 《逄和金》2，頁 935，註 2 引用了毛澤東和江西省幹部會面時的報告。
辛子陵在他的傳記裏詳述了這件事：毛澤東在上海觀看了一場名為《生
死牌》的湘劇演出。這齣戲紀念的是中國古代一位有氣節的官員海瑞。
當天晚上，毛澤東讀了《明史》中海瑞的傳記。4 月 5 日，他鼓勵那些被
召集的領導要有海瑞的勇氣，敢於揭示真相。根據《逄和金》2，頁
941，毛澤東補充道：「把這部海瑞傳記寄給彭德懷。」當時彭德懷已經
離開了會場，很可能是對毛澤東對他的提議的反應表示氣憤。周恩來
似乎也證實曾讀過這部傳記，但沒有作出評論。辛子陵《毛澤東全傳》
的描寫有所不同：彭德懷聽説了海瑞的傳記，讓他的秘書幫他找一本
來讀。他認真地閱讀以後得到鼓舞，於 7 月 13 日寫了那封著名的信給
毛澤東。辛子陵估計毛澤東鼓吹海瑞的例子是為了「釣大魚」，卻把自
己網住了。

224 事實上，他們覺得1,500萬這個數字可以接受，但是他們還是向公眾報
出了1,800這個數字，「為了不打擊群眾的積極性」，只有劉少奇悲觀地
估計不可能達到既定目標。政治局採納了同樣不切實際的1,800萬噸，
因為害怕更高的數字會被不在場的毛澤東否決。

225 辛子陵：《毛澤東全傳》，卷四，頁156。

226 Hu Chi-hsi, L'armée rouge et l'ascension de Mao, p. 52.

227 《年譜》1，頁481。

228 劉少奇、周恩來、朱德、陳雲、鄧小平、譚震林、陳伯達、胡喬木、
楊尚昆，還有記者吳冷西和毛澤東的秘書田家英。

229 《逢和金》2，頁943，註2。毛澤東計劃在北京召集這15個省的代表開
會。

230 事實上，陳雲的報告很有技術含量，其中包含了對鐵礦產能的詳細分
析，以及對焦炭運輸條件、勞動力的數量的分析，還有壓軋的生產要
求。

231 《逢和金》2，頁948–950。吳冷西：《回憶毛澤東》（北京：新華出版社，
1995），頁135–140。楊尚昆：《日記》（北京：中央黨校出版，2001），
頁398–401（《逢和金》2，頁949–950的註釋1，2，3和5提及）。

232 廖魯言是農業部部長，受譚震林的領導，後者是中共中央農業負責人。

233 這篇主要文章對當時的情況描寫得不是很清楚。對此，辛子陵在自己
傳記的185頁做了以下解釋：收成5.25億噸的評估是1958年秋天做出
的。這個數字被武漢中央委員會改成3.755億噸。在這個數字基礎上超
過了10%到30%，應當是4.83億噸到4.9億之間。基礎產量是1958年停
止統計時已經收穫的數量。我們知道，一個月以後的廬山會議上，這
個數字被改成2.5億噸。1961年估算1958年的總產量為2億噸。

234 指李先念兩天後在政治局會議上提交的關於商業供需平衡的報告。《逢
和金》2，頁951，註1。

235 MacFarquhar 2, pp. 187–190.

236 法文版見Mao Tse-tung, Poésies complètes, Paris, Seghers, 1976, p. 93. 引文
部分做過細微調整。

237 根據楊尚昆的回憶，這次非正式會議的出席者有：

　　柯慶施，1902年出生於安徽南部黃山地區的富裕農民家庭，1922年在南京師範學校加入中國共產黨，曾長期從事黨的秘密工作，1947年成為河北省石家莊市市長，石家莊是共產黨奪取的第一座重要城市。曾擔任上海市長十年，負責華東地區，1958年5月中國共產黨八大二次會議後成為中央委員、中央政治局委員。他是毛澤東的堅定支持者。

　　李井泉，祖籍江西南部。在長征期間，他跟隨朱德和張國燾，後來與賀龍會師。跟隨劉伯承和鄧小平的軍隊參加了解放四川的戰鬥，後來成為中共四川省委書記。在1958年5月的八大二次會議上，他當選為中央委員和中央政治局委員。

　　王任重，1917年出生於河北，參加了江西蘇維埃政權建設並經歷了長征。1949年5月在李先念領導下奪取了武漢。1952年成為武漢市市長，1954年成為中共湖北省委書記，1958年5月被選為中央候補委員。

　　張德生，陝北本地人，受到高崗和劉志丹的影響於1930年加入中國共產黨。活躍於甘肅和陝西北，任彭德懷領導的西北野戰軍政治部副主任，1958年5月當選為中央候補委員。

　　歐陽欽，1900年出生在湖南。他在林彪的帶領下參加了遼沈戰役。1950年1月他陪同毛澤東參加了在莫斯科舉行的《中蘇友好同盟互助條約》的談判。1954年高崗自殺後，他被選為黑龍江省委書記。1956年當選為中央委員。

　　林鐵，1904年出生在四川，以聶榮臻115師政治委員的身份活躍在晉察冀邊區，1949年任河北省委書記，1956年被選為中央委員。

238　《逄和金》2，頁958。

第十四章　致命的烏托邦（1959–1962）

1　張戎對牯嶺作了很好的描述（*Jung*, pp. 488–489）。毛澤東入住了20世紀初住在上海的一位英國貴族建的別墅。這座別墅曾被蔣介石作為私人住所，住了13年，稱為「美廬」，即美的住處，以此向他的妻子宋美齡

致意，並將這兩個字符刻在了石頭上。

2　我使用了一個翻譯的文本集《未發表的黑色三年：1959–1962》(*Les trois années noires: Inédits 1959–1962*, Paris, Sycomore, 1980)(*Sycomore* 2)；《逢和金》2，頁960–977。這些作者使用了楊尚昆的《楊尚昆日記》(北京：中央文獻出版社，2001)；《毛澤東文集》卷八，保存在中央檔案館的毛澤東的各種信件和講話錄音。其他來源：《彭德懷案1959年至1968年》(香港：聯合研究院，1968)；《彭德懷自述》(北京：北京外語出版社，1984)(這是元帥被紅衛兵迫害時的「懺悔」)；李銳：《廬山會議實錄》(北京：春秋出版社，1989)。關於當時的氣氛，見 *La vie privée*, pp. 329–340.

3　李銳援引自毛澤東政治秘書之一田家英的表述，《紀念田家英》，新華月報，1980年，第4期。

4　「三定」是三年內將生產、採購和銷售糧食的配合固定在相同的水平，使農民用超過配額的部分來提高他們的再分配。

5　包括劉少奇、周恩來、朱德、李先念、李富春、彭德懷、楊尚昆和其他省級主要領導人。鄧小平因為打乒乓球不慎摔折了腿被送進了北京的醫院。陳雲的身體狀況使他不得不待在北京的醫院裏。薄一波、彭真、康生、陳伯達和陸定一在幾天後到達廬山與他們匯合。1958年2月陳毅代替周恩來作為外交部部長留守北京行使相應權力。

6　陝西、甘肅、寧夏、青海和新疆。

7　鄭文瀚：《秘書日記裏的彭德懷老總》(北京：軍事科學出版社，1998)。

8　當他試圖和與會的蘇聯領導人就這點交換意見時，對方卻裝聾作啞。

9　彭德懷接到毛澤東指示同意他在西藏進行武力鎮壓。《文稿》8，頁46–47。關於1959至1961的武力鎮壓，參見班禪喇嘛給周恩來的《七萬言書》，1998。英譯版："A Poisonous Arrow: The Secret Report of the 10th Panchen-Lama," *Tibet Information Network*, London, 1997. 同樣可以參閱 *Becker*, pp. 234–256.

10　我們知道是毛澤東本人親自舉了這位16世紀的官員的例子。歷史學家吳晗在毛澤東的政治秘書之一、負責策劃宣傳工作的胡喬木的鼓動下，在1959年6月15日的《人民日報》上發表了關於海瑞的一系列文章，早於廬山會議。吳晗根據《明史》介紹了海瑞如何到京城去向嘉靖

皇帝面陳天子的錯誤決策的事跡。嘉靖皇帝對海瑞的傲慢無禮很不滿意，把他扣留在京城，並打算對其進行進一步懲罰。但當嘉靖得知此行前海瑞帶着棺材與家裏辭行時非常震驚，沒想到他竟然早已視死如歸。1959年10月1日後，北京京劇院把這個故事搬上舞台，慶祝中華人民共和國成立10週年。

11　有點像西塞羅所説的博取同情的企圖：彭德懷意識到自己在冒險了。

12　《逄和金》2，頁960-971：逄先知和金沖及非常強調毛澤東在7月2日至7月14日的立場。他們對讀者説毛澤東正試圖糾正「大躍進」的過激行為。彭德懷不恰當的直爽將一個技術辯論帶上了政治因素，產生了負面影響。他們使用大量數據來證明這個觀點，我覺得沒有必要引用，因為即使溫和的糧食徵收也是過量的，因為它們都基於對現實產量的過高估計，旨在證明「大躍進」的成功。

13　見本書第七章的註釋。

14　《逄和金》2，頁971，的註釋1提到了7月10日會議的記錄，譯文見 *Sycomore* 2, p. 17.

15　由楊尚昆、胡喬木、陳伯達、吳冷西和田家英組成。

16　《逄和金》2，頁976，註釋2，書信的手寫稿。

17　同上，頁997。資料似乎來自《楊尚昆日記》，卷一（北京：中央文獻出版社，2001）。我不贊同張戎的觀點，她堅持把毛澤東塑造成一個魔鬼，毫無根據地説廬山會議是毛澤東確保彭德懷孤立無援後，為了把他趕下台而設的一個陷阱。

18　鄭文瀚：《秘書日記裏的彭德懷老總》，頁423-414，毛澤東可能沒有控制自己情緒，對彭德懷大發雷霆：「你是恨死我了的！你彭德懷是一貫反對我的。我是人不犯我，我不犯人；人若犯我，我必犯人。」

19　楊尚昆發布了一份六個工作組做的主要會議總結。

20　據一些人證實，彭德懷可能在電話裏給張聞天讀了信的開頭，後者可能鼓勵他繼續讀下去。但是其他人説，他應該是當面讀給張聞天聽的，但是張聞天害怕知道得太多，便匆匆忙忙地離開了。我傾向於第一個版本，因為張聞天是為數不多的領導裏唯一一個公開發表和彭德懷類似看法的人，7月21日他對「大躍進」控訴了三個小時。

21　發動「大躍進」以來一直提到「得失平衡」，粗心的抄寫員似乎顛倒了

「得」和「失」兩個字，給人的印象成了失大於得。我們記得毛澤東拿手指作比喻，得和失的比重是9比1。五五對開的評估實際上的含義是6比4，這表現了對「大躍進」的批評。這個信息請參閱李銳1993年關於廬山會議的書(再版)，頁110。

22　在他的《中國的政治和清除》(*Politics and Purges in China*, Armonk, M. E. Sharpe, 1993, p. 412)一書中，弗雷德里克・泰偉斯認為彭德懷希望説服毛澤東。麥克法夸爾也持同樣的看法(*MacFarquhar 2*, p. 216)：重複毛澤東的口號是為了批評大躍進的錯誤，這是在提醒説毛澤東要為運動及其失敗負全部責任，因為「如果説這些口號是扳機的話，毛澤東是按下扳機開槍的那個人」。

23　《逄和金》2，頁971–979。關於此事的「回憶」被添加到《彭德懷自述》裏(北京：人民出版社，1981)，1984年北京外文出版社翻譯成英文，譯名為 *Memoirs of a Chinese Marshall*, pp. 510–520. 西蒙・萊斯(Simon Leys)在1971年出版的《毛主席的新衣》(*Les habits neufs du président Mao*)中第一次把這篇文章翻譯成法語。

24　這段文字依據的是楊大力(Yang Dali)在其著作中的分析：*Calamity and Reform in China: State, Rural Society and Institutional Change Since the Great Leap Famine*, Stanford, Stanford University Press, 1995, pp. 44–50. 至今與這個高度敏感的問題相關的可用文獻仍然是不夠的。

25　1959年4月，社會科學院調查組在河北張利鎮的調查報告顯示，30%的土地由於農民的疏忽而導致施肥不足。

26　比合同規定產量高出70%到90%。

27　或者是打桌球。*La vie privée*, pp. 333–334. 鄧小平讓他的護士懷了孕。李志綏影射他很可能並非傷勢嚴重到三個月後都不能帶着打着石膏的腿參加會議。

28　據我了解，這份文件至今都未公開。我們在《逄和金》2，頁983裏找到大量片斷。

29　中國共產黨第八屆全國代表大會期間，當被問及蘇共領導對斯大林的罪行採取順從態度時，米高揚回答説，批評斯大林是把自己推向死亡。彭德懷大怒，叫道：「你算甚麼共產黨員，居然怕死？」*MacFarquhar 2*, p. 194. 我們可以想像他在廬山會議上的經歷體會。

30 《逢和金》2，頁983–988：很多片斷來自毛澤東7月23日的會議發言記錄。法語譯文，見 *Sycomore* 2, pp. 19–33. 英語譯文收錄在 Stuart Schram, *Mao Unrehearsed: Talks and Letters, 1956–1971*, Harmondsworth, Penguin, 1974, pp. 131–146（法語翻譯，*Mao parle au peuple*, Paris, PUF, 1977）。

31 指遂平縣、徐水縣和新鄉縣的人民公社。毛澤東說除西藏以外全國各地在3個月內湧入的參觀者多達九十萬人次，類似於朝聖者去神廟燒香，或公元7世紀的玄奘和尚去印度取經。

32 毛澤東以含糊的方式威脅補充說：「那次批周、陳的人，一部分人取其地位而代之，有點那個味道，沒有那麼深，但是也相當深，就是不講冒進了。不講反冒進，可是有反冒進的味道，比如『有失有得』，『失』放在前面，這都是仔細斟酌了的。」也許此時毛澤東把矛頭指向了劉少奇，後者因為全力支持毛澤東發動大躍進而成為二把手，但後來他提出質疑：1959年9月17日，劉少奇在中央軍委會議上說毛澤東犯錯誤也是不可避免的，但是如果大權交由旁人的話，這個錯誤會犯得更離譜。因此他的支持是批評支持。

33 根據《彭德懷案》（*The Case of Peng Teh-huai*, URI, 1968, p. 205）。《逢和金》2，頁989，援引了彭德懷在盧山時的筆記。筆記上彭德懷質疑毛澤東把私人信件公之於眾。毛澤東反駁說，彭並沒有要求刻意保密。彭德懷相信自己作了最大限度的克制才沒有向主席發飆。看起來最後元帥的精神放鬆了。1945年年初毛澤東在整風運動中指責彭德懷犯軍事錯誤。7月3日到7月21日的18天裏，第一天彭德懷在小組中批判「大躍進」，最後一天張聞天在會上抨擊「大躍進」，彭德懷沒有參加。

34 黃克誠：《自傳》（北京：人民出版社，1994），頁252–253。

35 *Sycomore* 2, pp. 34–39.

36 Ibid., pp. 39–40.

37 Ibid., p. 41.

38 Ibid., pp. 42–43.

39 毛澤東、劉少奇、周恩來和林彪出席。

40 彭真、賀龍以及毛澤東的秘書李銳和周惠被邀請作為觀察員列席。列席的還有彭德懷、周小舟和黃克誠，但毛澤東沒有安排張聞天參加。

41　《逢和金》2，頁 994-995。兩位作者肯定這兩次會議的會議記錄已經丟失，因此他們援引了李銳 1999 年出版的《廬山會議實錄》。

42　在肖特版的毛澤東傳中，用很大篇幅引用了李銳的《廬山會議實錄》提及的毛澤東和彭德懷之間的衝突。毛澤東指責彭德懷「偽善」，是「右傾機會主義」，意圖篡奪無產階級勝利果實。

43　《逢和金》，頁 996-1010；*MacFarquhar* 2, pp. 223-237. 毛澤東在八大上的講話，*Sycomore* 2, pp. 44-48.

44　暗示彭德懷的「軍事俱樂部」，其實虛構的「軍事俱樂部」從沒實際存在過。我們甚至應該責怪彭德懷在沒有做任何防備的情況下就將自己置於受攻擊的地位。

45　新華社 1959 年 10 月 30 日的宣言，《當前背景》（*Current Background*, p. 603）。

46　*Sycomore* 2, pp. 49-50. 關於湖南平陵人民公社大隊的食堂.

47　Ibid., p. 51.〈關於張凱帆〉（"A propos de Zhang Kaifan"）。

48　Ibid., pp. 53 et 98-99.

49　Ibid., pp. 54-55.

50　Ibid., pp. 56-57, 60-62.〈馬克思主義者對於群眾革命運動的正確態度是甚麼〉（"Quelle est l'attitude correcte d'un marxiste vís-à-vis du mouvement de masse révolutionnaire"）和〈機關槍、追擊炮和其他的起源〉（"l'origine de la mitrailleuse, du mortier et autres"）。

51　Ibid., pp. 58-60, 63-66.

52　8 月 11 日毛澤東的講話見《逢和金》，頁 1000-1001。

53　關於毛澤東的態度，李銳在 1957 年出版了作品《毛澤東同志的初期革命活動》。

54　*Sycomore* 2, pp. 67-68.

55　*Bowie and Fairbank*, pp. 533-540. 我們也可以在 8 月 29 日出版的《人民日報》的相關社論〈人民公社萬歲〉（"Vive les Communes populaires"）和周恩來在 8 月 26 日第二屆全國人民代表大會上的報告，頁 540-555。

56　*Sycomore* 2, p. 69.

57　Ibid., pp. 70-71.

58 Ibid., pp. 74–78.

59 *MacFarquhar* 3, p. 61. 一年以後，70% 曾被認定為「右傾機會主義者」的人被平反。

60 對於饑荒的大篇幅描寫，可參見以下文獻。見 *MacFarquhar* 3, pp. 1–38; *CHOC* 14, pp. 372–391; Marie-Claire Bergère, *La Chine de 1949 à nos jours*, pp. 100–104; *Jung*, pp. 464–520. 除此之外，還有一些書專門關注此次危機：上文已經提到的 Yang Dali, *Calamity and Reform* (*Yang Dali*) ; Jasper Becker, *La Grande Famine de Mao* (*Becker*); Frederick C. Teiwes and Warren Subn, *China's Road to Disaster*, Armonk, M. E. Sharpe, 1999. 我也參考了《人口與發展評論》(*Population and Development Review*)，1984 年 12 月的文章 Basil Ashton, Kenneth Hill, Alan Piazza and Robin Zeitz, "Famine in China, 1956–1961" 和 1987 年 12 月的文章 Peng Xizhe, "Demographic Consequences of the Great Leap Forward in China's Provinces"以及 Thomas P. Bernstein, "Mao Zedong and the Famine 1959–1960: A Study in Wilfulness"; *The China Quarterly*, no. 186, June, 2006, pp. 421–445. 張戎在《鴻》(*Les cygnes sauvages*, Paris, Plon, 1992, pp. 210–230) 中對水腫饑餓進行了經典描述。北京《炎黃春秋》副主編楊繼繩在香港出版了一本書《墓碑》，此書中他基於調查得出約有三千五百萬人死亡的結果。這本書在香港以外的中國領土上是禁書，它的英文版已出版。

61 參見本書法語版頁 670–671 註釋 1–5 條。

62 中國的統計把塊莖類作物、大豆、四季豆都計入「糧食生產」。

63 *Becker*, pp. 163–185 (法文版)；*MacFarquhar* 3, pp. 6–8. 關於鳳陽事件，參見 *Becker*, pp. 186–211.

64 在一個村子裏，11 名民兵被農民圍打，其中 6 個被打死。

65 縣委書記將被判死刑，但是毛澤東給了特赦。

66 鄧小平 1978 年提出「家庭聯產承包制」使人民公社和農村集體化在 1985 年畫上了句號。參見 Alain Roux, *La Chine au XXe siècle*, Paris, Armand Colin, 2006, pp. 214–220. 鳳陽以乞丐之鄉聞名。

67 《文稿》8，頁 431–433 和 454–455。

68 毛澤東 1959 年 8 月 23 日離開北京，途經濟南、徐州、合肥、馬鞍山和

上海，於8月31日到達杭州。在馬鞍山，毛澤東走訪了一個食堂，當火車走過南京—上海段時他對曾希聖和柯慶施說起收成狀況，兩人的彙報讓他安心。《逢和金》2，頁1017。

69　《文稿》8，頁479–480和494–495。

70　《逢和金》2，頁1086–1091。

71　《文稿》8，頁625–626。

72　同上，頁554–555；《文稿》9，頁52–53。

73　《文稿》9，頁98–102。

74　《周恩來年譜，1949–1976》（北京：中央文獻研究室，1992），卷二，頁299；《文稿》9，頁62–63和78–102。

75　1959年11月到1960年1月4日毛澤東住在杭州，12月4日他在杭州主持了政治局擴大會議。1960年1月4日到1月18日他到上海參加五年計劃工作會議並講話，1月18日回到杭州，27日到達廣州。1960年1月27日到3月6日毛澤東會見了康生、胡喬木和田家英。3月9日，他坐火車去衡陽、株洲、金華、杭州、上海、南京、徐州、濟南和天津，23日到28日在天津主持召開了政治局擴大會議。1960年3月28日回到北京，並斷斷續續地參加了1960年3月30日至4月10日召開的第二屆全國人民代表大會第二次會議。

76　1960年4月28日早晨，毛澤東再次出發南下。他的專列將他帶到天津，在那裏他主持了五一遊行，然後在濟南和鄭州這兩個城市待了幾天，總結山東和河南的糧食形勢。5月12日至17日待在武漢，然後經過長沙和九江，於5月21日抵達杭州。他在杭州會見了朝鮮領導人金日成，5月22日主持召開中央政治局擴大會議。5月27日到上海會見蒙哥馬利元帥。6月8日和9日，他回到上海參加政治局常務委員會會議，6月10日至18日參加政治局擴大會議。雖然最初計劃準備中國共產黨八屆三中全會，但事實上為中蘇論戰做了總結。6月29日，毛澤東離開上海，到達蚌埠（靠近鳳陽）和濟南。7月2日，他在天津與彭真和康生談話。7月3日，到達北戴河這個海濱勝地，所有領導人陸續趕來參加例會。這次會議從1960年7月5日開到了8月10日。《逢和金》2，頁1086–1091。

77 「五股歪風」是指浮誇風、共產風、強迫命令風、瞎指揮風和官僚主義風。

78 參見註釋63的內容。

79 《逄和金》2，頁1097–1088。

80 Joint Publications Research Service, Washington D. C. 61269-1, 1974, p. 232.

81 援引自農業部總署：《農業集體化重要文獻彙編》（北京：中央黨校出版社，1981），卷二，頁377–87。

82 *MacFarquhar* 2, pp. 322–325；《逄和金》2，頁1102–1105，特別是頁1104的註釋1；《毛澤東文集》，卷八，頁222–223。

83 張戎在第40章（*Jung*, pp. 464–479）探討過這個話題，章節的標題是〈大躍進——一半中國人幾乎喪生〉（"Le Grand Bond en avant: La moitié des Chinois devront probablement mourir"）。這種說法的基礎是1958年11月21日，毛澤東發表講話關於動員數以千萬計的農民在艱苦條件下進行水利建設：「這樣一來，我看搞起來，中國非死一半人不可，不死一半也要死三分之一或者十分之一，死五千萬人……死五千萬人你們的職不撤，至少我的職要撤，頭也成問題……你們一定要搞，我也沒辦法，但死了人不能殺我的頭。」毛澤東前後相悖的言論讓聽者吃驚不已，當然我們已經遇到很多這種例子。我們需要從全文來看這段講話，包括省略掉的內容。毛澤東提到廣西的陳漫遠被撤的事件，這位幹部於1957年在合作化過程中操之過急，導致成千上萬農民因為營養不良和過度勞累而死。毛澤東補充說，「安徽要搞那麼多，你搞多了也可以，但以不死人為原則」。（參考資料詳見弗吉尼亞州奧克頓中國研究資料中心收錄的未發表的毛澤東的文章，卷八，頁203–204，日期不詳）可以說毛澤東是一個犬儒主義政治家，他對上百萬中國人的死亡負有直接或間接的責任，但並不因為如此，就能說他是一個殘暴的魔鬼。

84 Hu Chi-hsi, *Mao Tsé-tong et la construction du socialisme*, Paris, Le Seuil, 1975, pp. 59 –188; *Sycomore* 2, pp. 84–86 et 107–175.

85 1960年之後，關於毛澤東文章的可信度多少存在疑問。參見本書序言中對這個問題的解釋。

86 *Sycomore* 2, pp. 189–190. 毛澤東在信中說要把這所大學建成「半工半讀，勤工儉學」的類型，讓人想起20年代初毛澤東在長沙的努力。

87 《逢和金》2，頁1097。

88 這一情節在阿爾巴尼亞作家伊斯梅爾・卡達雷（Ismail Kadare）的作品偉大的冬天（*The Great Winter*）中有很好的描述。

89 François Mitterrand, *La Chine au défi*, Paris, Julliard, 1961.

90 參見Edgar Snow, *The Other Side of the River: Red China Today*, New York, Random House, 1961（法國版《行進中的中國》*La Chine en marche*, Paris, La guilde du livre, 1962）.

91 毛澤東於1961年1月在中共八屆九中全會上抱怨沒有被告知饑荒的嚴重程度。這是假的：整個1960年夏天，各省的調查小組給中共中央發了多份加密電報，報告情況的嚴重程度。8月3日，一份來自山東的電報說1960年1月到5月間，即墨縣的一個大隊裏，5.19%的人口死於饑荒，12.39%的農民因為饑餓而水腫，同時42%的牲口死亡或被宰殺。根據Yang Dali, *Calamity and Reform*, p. 75，毛澤東每天會花上很長時間閱讀此類報告。

92 "Inspecter avec nos propres yeux," *Sycomore* 2, pp. 176–186；《逢和金》2，頁1106–1148；*MacFarquhar* 3, pp. 11–38.

93 《逢和金》2，頁1118–1119刊登了毛澤東給田家英的信的照片，信中他感謝田的發現。頁1141註釋1，兩位作者援引了《田家英自傳》和《王任重日記》中一段無法找回的毛澤東的文章。關於這篇失而復得的文章，毛澤東寫道：「我到處找就是找不到，像迷了路的孩子。」

94 參與者有毛澤東、周恩來、朱德、林彪、鄧小平、彭真、陳伯達、胡喬木和陶鑄。

95 他因為肩膀和手臂患有炎症，1959年11月在海南島療養。在那裏，他與薛暮橋和王學文組織了一場關於經濟問題的研討會。薛暮橋在會上對「大躍進」提出了尖銳的批評，王學文是翻譯馬克思的《資本論》的人。

96 廖魯言是農業部部長。

97 Yang Dali, *Calamity and Reform*, p. 279, n. 41. 毛澤東完整的講話收錄在董邊、譚德山和曾自所著的《毛澤東和他的秘書田家英》（北京：中央文獻研究室，1996），頁48–49。

98 《逢和金》2，頁1147。

99　毛澤東即使在生病或需要借助外力走路時，也仍在堅持游泳：最後一次是1974年在他長沙住所的游泳池裏。

100　劉少奇在湖南做了55天調查，其中40天他在農村和農民們一起吃住，這是內戰時期的作風。他出行時沒有很多人隨行，乘坐吉普車近距離觀察農民的住宿條件、日常生活和食堂菜單（他甚至去檢查了公共厠所）。他傾聽百姓的心聲：他們一直拿不到錢作為報酬，只拿到免費的供給品（他們說「這是拖欠」），他們還要求關閉食堂（是「第二次解放」）。和北京收到的報告中的內容肯定不同，他發現1958年秋充公的財產並沒有分給農民。這些發現似乎深刻而持久地震撼着劉少奇。

101　1961年中國進口了5,809,700噸小麥，並在隨後的三年保持了這種進口水平。這使得城市分配份額由1961年的每人231至273千克提升到1962年的每人258至296千克。最困難的時期已經過去。但是在農村，這種情況下仍有幾千萬農民每年只有150千克的糧食。

102　《毛澤東詩詞全集》（Mao Tsé-toung, *Poésies complètes*, Paris, Seghers, p. 101）寫在江青拍的一張「仙人洞」的照片上。

103　單幹指的就是按自己的意願耕種家庭小塊土地，把產出拿到農村市場上售賣，參加非集體化勞動。合同限定了集體土地的產出中交給大隊的數量、國家採購的價格和工作量。由於缺少真正的市場調節，所以定價比較隨意，耕種集體土地的人無法獲利，相當於農民向集體合作社支付租金。

104　Yang Dali, *Calamity and Reform*, pp. 81–93.

105　如今土地還是公有制，農民不是土地的所有者，只被允許有25年或更多一點的租賃權限，他們的土地更容易被投機的地產商徵收。2007年的全國人大關於這個問題的討論異常激烈。

106　Yang Dali, *Calamity and Reform*, p. 84.

107　接下來的文字都參考Yang Dali, *Calamity and Reform*, pp. 81–93. 時間節點援引《逢和金》2，頁1171–1184。

108　曾希聖失去了毛澤東的信任與支持，1961年1月末被撤職。

109　毛澤東9月16日離開廬山，21日來到武昌並於23日、24日會見蒙哥馬利，26日去了邯鄲與山東和河北領導人交談，10月4日回了北京與鄧

小平和彭真見面。11月30日毛澤東再次離開北京前往上海和杭州。12月13日，他在無錫太湖邊上的住所停留並會見了江蘇領導人。12月15日，毛澤東寫信給李先念和薄一波表示他搜集到一些「好消息」。12月17日，他去了濟南，19日到天津，然後回京準備「七千人大會」，其他代表早在12月初都已來到北京。

110 《逢和金》2，頁1181，註1。

111 同上：1961年12月17日毛澤東與譚啟龍談話的會議記錄。譚啟龍是山東省第一省委書記。

112 這裏專指長江以南江蘇南部和浙江。

113 Mao Tsé-toung, *Poésies complètes*, Paris, Seghers, 1976, p. 103; Sycomore 2, p. 196. 毛澤東拿《西游記》中的一個章節打比方：玄奘和尚遠赴印度去取經，要不是孫悟空提醒差點被白骨精矇騙。孫悟空一路上一直在用金箍棒保護他的師父。

114 我們可以在1961年6月關於商業的40條和關於手工業的35條中找到同樣的精神宗旨，這些條例旨在結束缺乏銷售和服務點的情況。

115 除了 *MacFarqhuar* 和 *CHOC* 14，我還援引了《逢和金》2，頁1181–1206中很多新的文章。

116 就是紅軍中著名的「三大紀律八項注意」。

117 參見《劉少奇選集》(北京：北京外語出版社，1991) 卷二中的文章。這個版本不完整。

118 *La vie privée*, chap. 50, pp. 402–409 (法文版)。毛澤東説過「劉少奇沒有把自己放在階級鬥爭的位置上，忽略了去探討我們走的到底是資本主義道路還是社會主義道路」。我仍然不同意張戎給出的觀點 (*Jung*, chap. 44, pp. 511–520)：「劉主席給毛主席設了一個圈套」。正好相反，我認為劉少奇審慎地應對毛澤東的質疑，同時考慮了參加者的批評。他討厭彭德懷，在大躍進開始時承擔了主要責任：因此可以説他和毛澤東是一致的，包括毛的錯誤。

119 被軟禁的彭德懷被允許在1961年11月探訪他的家鄉50天。他借此次機會考察了湖南的饑荒問題。

120 我們知道高崗曾設下圈套想讓劉少奇下台，他們倆完全不待見彼此。

121 「毛主席的思想永遠是正確的。而且事實證明，這些困難，在某些方面，在某種程度上，恰恰是由於我們沒有照着毛主席的指示、毛主席的警告、毛主席的思想去做。」

122 這個報告最讓大家熟知的是第二版，這個版本沒有分頁，是1986年的手寫版，名為〈七千人大會資料〉，現存於哈佛大學費正清中國研究中心。

123 根據「七千人大會」的會議完整記錄得來，該記錄收錄在《逢和金》2，頁1198-1200。

124 *Sycomore 2*, pp. 198-219; Stuart Schram, *Mao Zedong Unrehearsed: Talks and Letters, 1956-1971*, pp. 158-187中有相同內容的收錄。（法文版：《毛澤東對人民說的話》〔*Mao parle au peuple*〕）。

125 這次講話中的另一個重點是毛澤東指出，在黨內，尤其是新入黨的同志中存在不良的官僚主義工作作風。出自〈他們完全不代表工人階級，而是代表資產階級〉。

126 1982年8月23日潘漢年被完全平反，一部紀念他的電影在提到他時說他是「在敵後發揮作用的優秀共產黨員」。關於中國共產黨授命滲透進入上海警界，可參閱Frederic Wakeman, "The Shanghai Police, 1941-1952," in Yves Chevrier, Alain Roux et Xiaohong Xiao, *Citadins et citoyens dans la Chine du XXe s.: essais d'histoire sociale*, Paris, Éditions de la Maison des Sciences de l'Homme, 2009.

127 李志綏指出1月27日後毛澤東缺席次數最多。

128 與會者人數五倍於中央擴大會議或工作會議，主要原因是參加會議的基層幹部特別是農村幹部很多。

129 涉及3,650,000名黨員和3,700,000個公民的平反，包括八屆九中全會以來陸續平反的人數。

130 除了陳雲以外，毛澤東和劉少奇堅持讓其他與會者以毛澤東為榜樣做檢討，這似乎也證實了陳雲的新地位變得不可動搖。

131 太湖縣是安徽西南片的貧困縣，縣長叫錢讓農。

132 我們記得鄧子恢曾反對毛澤東於1955年7月31日提出的加快土地集體化進程的決議。他和其他部分幹部被毛澤東取笑行動力猶如女人的裹腳布。

133 《逢和金》2，頁1207。《陳雲選集》(北京：人民出版社，1995)，頁
    200-201。

134 一個人每天需要70克蛋白質，一斤糧食含45克蛋白質。陳雲建議添加
    50克大豆(含20克蛋白質)和一斤蔬菜(含5克蛋白質)的份額。

135 *La vie privée*, pp. 408-409.

136 陳雲是共產黨高層領導者中唯一出身於工人階級的，曾在1920至1930
    年間在上海商業報社做印刷工人。

137 這張照片據說是「七千人大會」時拍的，但其實是一幅油畫，添加了林
    彪和鄧小平。1962年6月16日彭德懷給毛澤東和中央委員會發了一封
    長達八萬字的信，後又發了另一封信試圖解釋他在盧山時的態度，無
    果。

138 英文版本被收錄在1971年在夏威夷大學發表。

139 在林彪正試圖強化毛澤東個人英雄主義之際，這種去神言論並不是為
    了惹怒主持北京和華北地區黨政工作的彭真。需要注意的是，這三位
    作者都有着無可非議的革命背景，可以追溯到內戰和晉察冀革命時
    代。1965年11月和1966年5月，姚文元批評他們時，試圖「證明」他們
    曾蓄意反對毛澤東：除了政治和新聞圈內人，三人的隱喻很難被理
    解。結果，三位作者為此付出了慘重的代價：鄧拓不堪受辱在1966年
    5月16日自殺。吳晗於1966年6月開始被囚禁，1969年因非人待遇而
    離世。只有廖沫沙在長期囚禁生涯後熬過了「文化大革命」，1978年被
    釋放，1990年病逝。

140 《逢和金》2，頁1229。

141 毛澤東明確表示讓田家英給劉少奇介紹湖南農民調查報告的結果。

142 柯慶施治理下的上海和江南地區。

143 如果我們參考《文稿》，卷十關於1962年的內容，如果我們忽略關於七
    千人會議的16篇毛澤東文章，我們發現上半年有22篇毛澤東的文章，
    下半年有66篇。大多數主題都是與國外政治有關：毛澤東特別需要得
    力的秘書為他將文章翻譯成英文。

144 在四年間發行了180萬冊。《劉少奇選集》(北京：北京外語出版社，
    1983)，卷一，頁481，註釋1明確提出：「1980年編輯這個小冊子，編
    輯委員會增加了一條註釋：1962年的版本中在『反革命』這個詞後加上

了『修正主義者』。現在我們重新採用1949年的版本。」劉少奇不得不勉強接受1962年的修訂是因為這樣做使他的政策更加嚴苛，而且這個主意是康生出的。籌備編《劉少奇選集》是毛澤東的建議，由康生負責編輯也是毛澤東的建議。

145 我們可以通過1960至1966年間毛澤東的文章和講話重新組織他的觀點。參見Yang Dali, *Calamity and Reform*, p. 94. 所謂「五保」指對生活無保障的成員實行社會保險，即保吃、保穿、保燒（燃料）、保教（兒童和少年）、保葬五個方面。

146 國際關係聯絡辦公室負責維護中共和其他共產主義政黨的關係。曾在1949至1951年擔任駐莫斯科大使的王稼祥領導這個部門。

147 從1962年春天到同年秋天，9隊217名國民黨分子在廣東和福建省分別被俘虜或處決。

148 他們是華中華南地區負責人，陶鑄是廣東省省委書記，王任重是湖北省省委書記。

149 Yang Dali, *Calamity and Reform*, p. 90，援引自鄭笑楓和舒玲所著的《陶鑄傳》（北京：中國青年出版社，1991）。

150 1962年的產量比1961年的產量高出8%的話，實際產量也只有1.6億噸，遠遠少於1958年的2億噸。

151 《逢和金》2，頁1228，註1。劉子厚是河北高級官員，河北省第二書記。

152 我們注意到毛澤東的批評都是在夏天發生的，批評的基礎在於他確定農業獲得了高產量。

153 《逢和金》2，頁1230，註1。根據《毛澤東和他的秘書田家英》（北京：中央文獻研究室，1966）。

154 同上，頁1230，註2和3。兩位作者援引了1982年11月22日中央政治局會議中陳雲的講話，參考了這次會議的會議記錄。似乎陳雲替家庭責任制辯護的發言時間比麥克法夸爾認為的還要久。這次最後的努力之後，陳雲留在蘇州長期養病，直到1977年5月13日才再次出山。

155 同上，頁1231，註1：根據會議記錄。

156 同上，頁1232。7月9日和10日，劉少奇、周恩來和鄧小平會見了河南省和山東省省委書記。

157　同上，頁1232。7月18日劉少奇的文章和同一天中央書記處的指令。《鄧子恢傳》(北京：人民出版社出版，1996)將他的態度公之於眾，7月17日毛澤東在鄧的報告空白處批示，鄧子恢的行為是正確的，但否定鄧子恢的結論。有意思的是，與此同時鄧小平也在試圖消除他曾在會上提出的關於黑貓黃貓的言論。

158　《逢和金》2，頁1233，註2；《楊尚昆日記》，頁196。

159　《逢和金》2，頁1234。

160　同上，頁1235，註1。

161　*MacFarquhar* 3, pp. 286–296. 劉志丹和高崗組織了陝西省北部游擊區，並接待了結束長征的毛澤東。1936年劉志丹在山西興縣三角鎮與閻錫山部隊作戰中壯烈犧牲，給人們留下了一段中國式羅賓漢的回憶。劉志丹的回憶錄是在很多老兵特別是習仲勛的幫助支持下，由其親屬編寫完成的。習仲勛，1913年生於陝西，曾與高崗、劉志丹一起領導游擊隊。自八大以來任中央委員會委員。曾任由周恩來領導的國務院秘書長並在中國外交事務中扮演了重要的角色。

162　為了獎勵康生的熱忱，他被提升進入中共中央書記處，任務是與蘇聯修正主義及其在中國的同夥作鬥爭。他在很長一段時間裏是與他一樣來自山東的江青的政治保護者。在一系列批判習仲勛的虛假指控過程中，康生慢慢成為黨的中央機構的核心成員。

163　*Sycomore* 2, pp. 220–228. 紅衛兵出版的《毛澤東思想萬歲》中可能將毛澤東8月6日、7日、9日的報告內容混淆了。《逢和金》2，頁240–242。沒有援引毛澤東的文章而是做了簡要概述。

164　《逢和金》2，頁1250–1260。9月24日毛澤東講話的摘錄，參見頁1254，註釋1，*Sycomore* 2, pp. 229–236中有部分法語翻譯。也可參見Stuart Schram, *Mao unrehearsed*, pp. 188–196.

165　彭德懷、張聞天、黃克誠、周小舟和習仲勛。

166　Mao Tsé-toung, *Poésies complètes*, Paris, Seghers, p. 107（日期不正確），中文見《逢和金》2，頁1266。

參考文獻

此處我列出的是最常用的參考文獻，每本書在第一次出現後，我會在括號中增加該書名的縮寫。關於翻譯成法語的著作，除非特殊説明，頁碼指的均是譯本的頁碼。

關於20世紀中國歷史的著作

Barnouin, Barbara and Changgen Yu. *Ten Years of Turbulence: The Chinese Cultural Revolution*. New York, Paul Kegan, 1993. (*Barnouin*)

Bergère, Marie-Claire. *La Chine de 1949 à nos jours*. Paris, Armand Colin, 1987, 2000. (*Bergère 1987*)

Bianco, Lucien. *Les origines de la révolution chinoise 1915–1949*. Paris, Gallimard, 1967, 2007. (*Bianco 1967*)

————, et Yves Chevrier. *Dictionnaire biographique du mouvement ouvrier international: la Chine*. Paris, les Éditions ouvrières, 1985. (*Dicobio*)

Bowie, Robert and John Fairbank. *Communist China 1955–1959: Policy Documents with Analysis*, Cambridge, Harvard University Press, 1965. (*Bowie*)

Escherick, Joseph, Paul Pickowicz and Andrew Walder. *The Chinese Cultural Revolution as History*. Stanford, Stanford University Press, 2006.(*Escherick 2006*)

MacFarquhar, Roderick. *The Origins of the Cultural Revolution*. Oxford, Oxford University Press, 1974–1997. (*MacFarquhar*)

Résolution sur l'histoire du parti communiste chinois de 1949 à 1981. Pékin, Éditions en langues étrangères, 1981. (*Résolution*)

Saich, Tony. *The Rise to Power of the Chinese Communist Party*. Armonk, M. E. Sharpe, 1996. (*Saich*)

Schoenhals, Michael. *Mao's Last Revolution*. Cambridge, Harvard University Press, 2006. (*Last Revolution*)

Teiwes, Frederik and Warren Sun. *The Lin Biao Tragedy: Riding the Tiger during the Cultural Revolution*. London, Hurst, 1996. (*The Tragedy*)

The Cambridge History of China, 1912–1982, vol. 12–15. Cambridge University Press, 1983–1991. (*CHOC*)

常凱主編：《中國工運史辭典》。北京：勞動人事出版社，1990。(*Dicomo*)

毛澤東傳記

Benton, Gregor ed. *Mao Zedong and the Chinese Revolution* (4 vol). London, Routledge, 2008. (*Benton*)

Chang, Jung, and Jon Halliday. *Mao: The Unknown Story*. London, Jonathan Cape, 2005.〔法文版：Paris, Gallimard, Biographies, 2006.〕(*Jung*)

Chevrier, Yves. *Mao et la révolution chinoise*. Florence, Casterman Giunti, 1993. (*Chevrier 1*)

Hu, Chi-hsi. *L'armée rouge et l'ascension de Mao*. Paris, Éditions de l'EHESS, 1982. (*Hu Chi-hsi*)

Leys, Simon (Pierre Ryckmans). *Les habits neufs du président Mao*. Paris, Champ libre, 1971. (*Leys*)

Li, Zhisui. *La vie privée du président Mao*. Paris, Plon, 1994. (*La vie privée*)

Schram, Stuart. *Mao Tsé-toung*. Paris, Armand Colin, Collection U, 1963. (*Schram 1963*)

———. *Mao Tse-tung*. Harmondsworth, Penguin Books, 1966–1968. (*Schram 1968*)

Short, Philip. *Mao Tse-toung.* London, Hodder et Stoughton, 1999. [法文版：*Mao Tsé-Toung.* Paris Fayard, 2005] (*Short*)

Siao, Yu (Xiao Yu). *Mao Tse-tung and I Were Beggars.* New York, Collier Books. 1973 (*Xiao Yu*)

Snow, Edgar. *Red Star over China.* New York, Random House, 1938 [法文版：*Étoile rouge sur la Chine.* Paris, Stock, 1965] (*Snow*). 引文基於法文版。

Spence, Jonathan. *Mao Zedong.* Putnam, 1999. [法文版：Québec, Fides, 2001.] (*Spence*)

Teiwes, Frederick and Warren Sun. *The End of the Maoist Era: Chinese Politics during the Twilight of the Cultural Revolution, 1972–1976.* Armonk, M. E. Sharpe, 2007. (*Teiwes 2007*)

Terrill, Ross. *Mao: A Biography.* Stanford, Stanford University Press, 1999. (*Terrill*)

Wang, Nora. *Mao: Enfance et adolescence.* Paris, Autrement, 1999. (*Wang*)

Wilson, Dick. *Mao, 1893–1976.* Paris, Éditions Jeune Afrique, 1979. (*Wilson*)

李銳：《毛澤東同志的初期革命活動》。北京：中國青年出版社，1957。[英文版：*The Early Revolutionary Years of Comrade Mao Tse-tung.* Armonk, M. E. Sharpe 1977.] (*Li Rui*)

金沖及主編：《毛澤東傳 (1893–1949)》(上下)。北京：中央文獻出版社，1996。(《金》)

逄先知等主編：《毛澤東年譜 (1983–1949)》(上中下)。北京：中央文獻出版社，1993。(《年譜》)

逄先知、金沖及主編：《毛澤東傳 (1949–1976)》(上下)。北京：中央文獻出版社，2004。(《逄和金》)

關於毛澤東的著作

Kau, Michael and John K. Leung. *The Writings of Mao Zedong,* vol. I: 1949–1955; vol. II : 1956–1957. Armonk, M. E. Sharp, 1986 and 1992. (*Kau*)

MacFarquhar, Roderick et al. ed. *The Secret Speeches of Chairman Mao: From the Hundred Flowers to the Great Leap Forward.* Cambridge (Ma), Harvard University Press, 1989. (*Secret*)

Schoenhals, Michael. *China's Cultural Revolution, 1965–1969: Not a Dinner Party*. Armonk, M. E. Sharpe, 1996. (*Schoenhals*)

Schram, Stuart. *Mao's Road to Power: Revolutionary Writings* (7 vol). Armonk, M. E. Sharpe, 1992–2009. (*Mao's Road*)

《毛澤東文集》（八卷）。北京：人民出版社，1993–1999。（《文集》）

《毛澤東選集（1926–1949）》（四卷）。北京：人民出版社，1951–1964。《毛澤東選集》第五卷包括了1949–1957年的內容，於1977年出版。（*Mao V*）

《建國以來毛澤東文稿》（十三卷）。北京：中央文獻出版社，1987–1998。（《文稿》）